W9-BWV-436

Peggy Sue et les fantômes
La Jungle rouge

SERGE BRUSSOLO

Peggy Sue et les fantômes

La Jungle rouge

Plon

© Plon, 2006
ISBN : 2-259-20305-1

Les personnages

Peggy Sue

Peggy Sue Fairway a 14 ans. Elle est blonde, coiffée en queue-de-cheval avec deux mèches rebelles sur le front. Elle est également très myope. Elle est habillée d'un haut à rayures roses et d'un jean vert. Elle porte de petites bottes. Longtemps, elle a affronté les Invisibles, des créatures extra-terrestres qu'elle était seule à voir et qui s'amusaient à semer le chaos sur la Terre. On la croyait folle, et même ses parents avaient honte d'elle. Après bien des aventures, elle a réussi à vaincre les Invisibles. Peggy Sue ne va plus au collège, elle a décidé de vivre avec sa grand-mère et d'ouvrir soit un restaurant de tartelettes aux fruits, soit une boutique de vêtements qu'elle fabriquerait elle-même. Elle ne sait pas encore très bien... Il faut qu'elle réfléchisse à tout ça à tête reposée, entre deux catastrophes ! Une chose est sûre : elle ne veut ni devenir sorcière (les formules magiques sont trop difficiles à apprendre et elle n'a aucune mémoire) ni posséder des pouvoirs extraordinaires. Elle ne souhaite qu'une chose : mener la vie d'une fille normale de son âge. En fait, Peggy Sue est une fille ordinaire à qui il arrive des aventures extraordinaires !

Granny Katy

Son vrai nom est Katy Erin Flanaghan. C'est la grand-mère maternelle de Peggy Sue. Elle exerce le métier de sorcière campagnarde. Elle vend des manteaux absorbeurs de fatigue ou des chats de sérénité qui s'imprègnent de la nervosité de leurs maîtres et leur permettent ainsi de redevenir calmes. Elle est un peu folle mais très gentille et toujours prête à se lancer dans une nouvelle aventure. Elle a peu de pouvoirs. Son animal fétiche est un crapaud péteur qui répand d'épouvantables odeurs.

Le chien bleu

Au départ, c'était un pauvre chien errant, mais son cerveau a été irradié par un soleil maléfique qui l'a rendu très intelligent... (et même un peu fou pendant quelque temps). Son pelage a pris une étrange teinte bleuâtre. Il a la manie de porter une cravate autour du cou ! Il a le pouvoir de communiquer avec les humains par transmission de pensée.

Il est râleur, gourmand mais très courageux. Il aime bien se battre et nourrit une véritable passion pour les os. Il n'a pas de nom et ne veut pas en porter, car c'est une manière pour lui d'affirmer son indépendance vis-à-vis des Hommes. C'est le fidèle compagnon de Peggy Sue à qui il a sauvé la vie des dizaines de fois.

Sebastian

C'était le petit ami de Peggy Sue. Il a 14 ans depuis... 70 ans ! Pour fuir la misère il avait trouvé refuge dans le monde fabuleux des mirages où les années passent sans qu'on vieillisse d'un seul jour, si bien que le temps a filé sans que Sebastian grandisse. Au terme d'une incroyable aventure il a réussi à fuir sa prison. Hélas, pour rester avec Peggy Sue, il avait dû accepter de devenir une statue de sable vivante qui tombait en poussière dès qu'elle n'était plus humidifiée. Son existence n'était pas simple et il a tout fait pour se débarrasser de cette malédiction (ces aventures sont contées dans *Le Château noir*). Il est beau, avec de longs cheveux noirs et des yeux bridés. Sa peau mate lui donne l'allure d'un jeune Indien apache. N'étant pas réellement humain, il est d'une force colossale mais il a malheureusement tendance à être trop sûr de lui, ce qui lui vaut bien des déboires.

Lors de la dernière aventure de Peggy Sue (*La Révolte des dragons*) Sebastian a été envoûté par une jeune sorcière, Isi, dont il est tombé amoureux. Sebastian et Isi s'étant changés en loups à la suite d'un maléfice, Peggy les a guéris. Hélas, au cours de l'opération, Sebastian a perdu la mémoire et a totalement oublié Peggy Sue! En outre, il est devenu méchant. La mort dans l'âme, Peggy a dû se résoudre à le laisser partir en compagnie d'Isi.

Un visiteur désagréable

Tout commença par une belle journée ensoleillée. Une de ces journées où l'on se dit que tout ira pour le mieux. Hélas, il ne devait pas en être ainsi ce mercredi-là, et le destin de Peggy Sue Fairway se trouva radicalement modifié lorsqu'un curieux petit homme en noir se présenta sur le coup de 8 heures.

Peggy et Granny Katy s'affairaient dans la cuisine de la boutique de tartelettes qu'elles venaient d'ouvrir au bord de la plage, le ciel était bleu, le parfum des gâteaux en train de cuire embaumait dans toute la maison, le chien bleu, tapi dans un coin, achevait de dévorer un kilo de sablés aux amandes... oui, tout semblait aller pour le mieux jusqu'au moment où le petit homme en noir poussa la porte du magasin, faisant carillonner le timbre de cuivre.

Sa cravate noire lui étranglait le cou et il tenait à la main un cartable tout aussi funèbre que ses vêtements. Il se planta devant le comptoir, exhiba une carte officielle comme l'aurait fait un agent du FBI, et dit d'une voix sèche :

— Je suis envoyé par l'inspection des Activités Extraordinaires. Je suis désolé de vous apprendre, jeune demoiselle, que vous êtes en infraction avec les lois qui régissent le comportement des héros.

En réalité il n'était pas du tout désolé, cela se devinait à son vilain petit sourire. Il faisait partie de ces gens médiocres et jaloux qui adorent persécuter ceux qui vivent une existence passionnante.

Peggy Sue, Granny Katy et le chien bleu se rassemblèrent donc autour de l'inconnu.

— Le comportement des héros ? s'étonna Katy Flanaghan, le sourcil froncé, c'est quoi, cette histoire ?

— Il ne s'agit pas d'une plaisanterie, affirma le visiteur. Vous croyez donc que le premier adolescent venu a le droit d'affronter des monstres ou d'aller se promener sur des planètes lointaines sans en informer les autorités ? Les choses ne sont pas si simples. Si on laissait les héros n'en faire qu'à leur tête, ce serait l'anarchie.

— Mais j'ai aidé des tas de gens..., protesta Peggy. Ce n'est pas comme si j'avais fait quelque chose de mal...

L'homme en noir ouvrit sa serviette, en sortit un dossier qu'il consulta en grimaçant.

— Tu as effectivement accompli sept exploits hors du commun que nos services ont répertoriés. Nous sommes au courant de ta lutte contre les Invisibles, ou de ton combat contre les Zétans. Rien ne nous a échappé, pas même tes missions sur des planètes lointaines comme Zantora. Tout cela est fort bien, mais la réglementation a changé. Désormais il n'est plus question que nous laissions les super-héros proliférer comme la mauvaise herbe, sans aucun contrôle. Super-héros est une profession sérieuse, qui nécessite un encadrement législatif [1]... Un apprentissage sanctionné par un examen et un diplôme.

Peggy Sue sentait la migraine la gagner. Elle ne comprenait pas où cet affreux petit bonhomme voulait en venir.

Granny Katy commençait à sentir la moutarde lui monter au nez.

— Ma petite-fille a rendu d'immenses services à l'humanité, intervint-elle. Sans elle des tas de gens seraient morts. Je ne vois pas pourquoi vous lui cherchez noise.

L'homme en noir se crispa vilainement.

— *C'est la loi*, madame, répliqua-t-il avec séche-resse. Peggy Sue doit s'y conformer, ainsi que cet animal répertorié sous le nom de « chien bleu ». Le gouvernement n'entend plus tolérer que des adoles-cents se livrent sur son territoire à des actes extra-ordinaires aux conséquences incalculables. Si chacun faisait ce qu'il voulait, où irions-nous?

— Mais enfin, s'impatienta Katy Flanaghan, vous n'allez tout de même pas interdire à Peggy de sauver des vies?

Le petit bonhomme eut un sourire pincé.

— Cela dépend entièrement d'elle, Madame, rétorqua-t-il. Si elle désire poursuivre dans cette

---

1. Contrôlé par des règles, des lois.

voie elle devra se soumettre aux nouvelles lois scolaires en vigueur.

— Quelles lois? s'inquiéta l'adolescente.

— Tu devras obtenir un diplôme de super-héroïne, laissa tomber le visiteur.

— Quoi? gargouilla Peggy.

— Tu as bien entendu, siffla l'homme en plissant méchamment les paupières. Tu devras entrer dans une école spéciale, secrète, réservée aux jeunes dans ton genre, et passer un examen. Sans ce diplôme, tu n'auras pas le droit de continuer à vivre ta vie d'aventures. Tu devras te contenter d'être comme tout le monde.

Peggy se dressa sur ses pieds, le chien bleu se mit à gronder...

— Je n'ai jamais rien entendu de plus idiot! s'exclama-t-elle. L'Homme araignée n'a jamais passé d'examen, lui...

— C'est là que tu te trompes, lança l'inspecteur en fouillant dans son dossier. Tiens, voilà une photo de lui lors de la remise des diplômes au collège des super-héros. Et en voici une autre de Batman... Ici, tu peux voir Superman, on ne le reconnaît pas bien car il était mal coiffé ce jour-là mais c'est lui.

Peggy repoussa les clichés.

— Et si je refuse d'entrer dans cette école, suggéra-t-elle, que m'arrivera-t-il?

L'affreux bonhomme haussa les épaules.

— Ho! c'est simple, fit-il, on t'injectera un médicament qui te rendra peureuse, de cette manière tu n'auras plus le courage de te lancer dans une aventure lorsqu'elle se présentera. Tu seras devenue tellement poltronne que tu courras te cacher en pleurnichant à la vue du moindre loup-garou.

— C'est ignoble! siffla Granny Katy. Comment pouvez-vous...

— *C'est la loi*, radota l'inspecteur. Tout doit être réglementé. Il n'est pas impossible qu'un jour il faille un permis pour conduire les Caddie des supermarchés ou pour se servir d'un couteau et d'une fourchette. Certains de nos services étudient la chose. Pour l'heure il s'agit des super-héros; votre petite-fille et son chien tombent sous le coup de cette réglementation. Voici leur convocation. Si d'ici quarante-huit heures ils ne se sont pas présentés au bureau d'inscription, ils seront décrétés en infraction. Un médecin viendra alors leur rendre visite pour procéder aux piqûres de sérum terrifiant qui les transformera en poltrons.

— Mais pourquoi faire d'eux des lâches?

— Parce que ainsi nous aurons la certitude qu'ils ne tenteront rien d'extraordinaire. Nous préférons gérer des poltrons que des gens courageux dont les réactions restent imprévisibles.

Peggy retomba sur son siège, atterrée.

— Combien de temps ces études durent-elles? demanda-t-elle d'une petite voix.

— C'est variable, éluda l'inspecteur. Cela dépend de chacun. J'insiste sur le fait que tu as quarante-huit heures pour te décider, après il sera trop tard. Et c'est également valable pour ton chien.

— Il devra passer un examen, lui aussi?

— Bien sûr.

*

Une fois le petit bonhomme parti, Peggy Sue, sa grand-mère et le chien bleu discutèrent longuement de la conduite à tenir, mais ils eurent beau retourner le problème en tous sens, ils ne trouvèrent aucune solution.

— Le mieux c'est de gagner du temps, décida Peggy. Je vais me rendre là-bas, ensuite, une fois sur place, j'aviserai. Si les choses se présentent mal, nous nous échapperons.

— Absolument, approuva le chien.

— J'ai confiance, approuva Granny Katy, tu as su te tirer de situations autrement épouvantables. Ce n'est pas une simple école qui pourra avoir raison de toi.

Le lendemain, munie d'un petit sac à dos, l'adolescente et son chien prirent le chemin du bureau indiqué par l'inspecteur. On les pria d'attendre dans une petite salle et, pour les faire patienter, on leur apporta des sodas; dans un gobelet pour Peggy, dans une écuelle pour le chien bleu. A peine en eurent-ils avalé deux gorgées qu'ils s'effondrèrent sans connaissance.

Une école vraiment bizarre

Quand Peggy se réveilla, elle était couchée sur un banc, dans un Abribus planté au bord d'une route déserte. Elle avait dormi, la tête calée sur un cartable d'écolier. Le chien bleu ronflait sur le sol, le museau posé sur les pattes de devant. Des oiseaux chantaient, invisibles. Autour de l'Abribus s'étendait une prairie d'un joli vert tendre. La jeune fille se redressa. Elle remarqua alors un adolescent assis sur la pelouse, à trois mètres d'elle, et qui la contemplait. Il avait un visage d'elfe, très pâle, très beau, aux yeux incroyablement clairs. Un peu tristes, aussi. Ses cheveux blonds semblaient des fils d'or. Il tenait un cartable sur ses genoux.

— Salut, dit Peggy. Il y a longtemps que tu me regardes dormir ?

— Non, pas trop, répondit le jeune inconnu, je me suis réveillé avant toi. Je m'appelle Naxos. Toi, c'est Peggy Sue, n'est-ce pas ?

— Tu lis dans les pensées ?

— Non, seulement sur l'étiquette qui est fixée à ton cartable. Il y a ton nom dessus.

La jeune fille pouffa ;

— Tes cheveux, dit-elle, on croirait de l'or...

— *C'en est*, soupira Naxos avec un sourire amer. Ce sont vraiment des fils d'or. Dans mon pays, les gens passaient leur temps à me raser la tête pour récupérer ce trésor. C'était affreux. Une sorcière m'a prédit que, lorsque je serai grand, ma barbe sera en or, elle aussi, si bien qu'on ne me fichera jamais la paix.

— C'est pour ça que tu veux devenir un super-héros ?

— Oui, pour pouvoir me défendre si on m'embête. C'est terrible d'être tout le temps poursuivi, tu sais...

Peggy fit la grimace. Naxos était incroyablement mignon mais on le sentait miné par une tristesse qui ne datait pas d'hier.

— Mes parents étaient les premiers à me raser la tête, continua-t-il, ensuite ils me battaient parce que mes cheveux ne repoussaient pas assez vite. Ils me frictionnaient avec des lotions.

— Quelle horreur ! s'exclama Peggy.

— L'or rend les gens totalement fous, soupira Naxos. Je n'ai jamais eu d'amis. Tous ceux qui m'approchaient voulaient me tondre la tête et s'enfuir avec ce magot.

Comme le chien bleu se réveillait, la jeune fille regarda autour d'elle avec plus d'application.

— Où sommes-nous ? s'enquit-elle.

— Je ne sais pas, avoua l'étrange garçon. On m'a fait boire une drogue et je me suis réveillé ici, comme toi. D'après le livret explicatif que j'ai déniché dans mon cartable, nous nous trouvons à deux pas de l'école. Il faut aller dans cette direction.

— C'est désert, soupira Peggy. On se croirait en rase campagne.

Elle se leva. La tête lui tournait un peu. Le chien bleu bâilla.

— Oh! fit Naxos avec un petit rire. Ton chien est télépathe, je viens de le sentir se glisser dans mon crâne, ça m'a chatouillé le cerveau.

Peggy fit les présentations. Naxos caressa la tête du petit animal du bout des doigts.

— Il a de la chance, souffla-t-il, ses poils ne sont pas en or.

Comme ils ne pouvaient pas rester dans l'Abribus jusqu'à la tombée de la nuit ils décidèrent de se mettre en marche.

— Là! dit Peggy, il y a une pancarte avec une flèche.

Le panneau annonçait : *Ecole des super-héros, 500 mètres. Entrée interdite aux gens normaux.*

Il leur fallut contourner un bois touffu; une fois cet obstacle franchi, ils passèrent sous un portique de pierre orné d'un lion. Une ligne blanche avait été peinte sur le sol. Un panneau, planté de l'autre côté, affichait l'avertissement suivant :

Attention! Le franchissement de cette ligne implique que vous acceptez par avance d'être blessé (voire tué) au cours de votre scolarité sans porter plainte contre vos professeurs.

— Voilà qui est encourageant! ricana le chien bleu. Il devait y avoir le même genre de panneau à l'entrée des écoles de gladiateurs.

Les adolescents s'immobilisèrent, hésitants.

Devant eux s'étendait une véritable ville composée de bâtiments de brique rouge tous semblables, et que séparaient une infinité de pelouses et de jardins publics.

— C'est joli, toute cette verdure, dit Peggy. Mais où se trouve l'école?

— Tu es en train de la contempler, répondit Naxos. Cette ville, comme tu dis si bien, c'est le collège des super-héros.

— Quoi? mais c'est gigantesque! Les immeubles courent jusqu'à la ligne d'horizon... Aucune école ne peut être aussi grande.

— Une minute! souffla le chien bleu. Il y a quelque chose qui ne va pas. Nom d'une saucisse atomique! Regarde, *ces maisons n'ont pas de fenêtres.*

Les sourcils froncés, Peggy Sue fit quelques pas dans la direction du bâtiment le plus proche. Elle dut admettre que son compagnon à quatre pattes ne rêvait pas. L'immeuble se présentait sous la forme d'un gros cube rébarbatif sans aucune ouverture. On ne pouvait ni y entrer ni en sortir.

— Oh! je vois, fit-elle avec un petit sourire, il y a sans doute une porte secrète...

— Non, fit sombrement Naxos, tu te trompes, il n'y a pas de porte, ou plutôt : il n'y en a plus.

Le chien bleu s'immobilisa au pied de la muraille et renifla avec ardeur.

— Il y a des gens à l'intérieur, souffla-t-il, je capte leurs pensées. Ils appellent au secours...

— Ce sont les recalés, expliqua le garçon aux cheveux d'or, ceux qui ont raté l'examen final. C'est expliqué dans la brochure. Je l'ai lue en attendant que tu te réveilles.

— Mais que font-ils là?

— Ici, quand on rate son diplôme, on reste prisonnier du collège où l'on faisait ses études. On est emmuré vivant dans les salles de classe. Voilà pourquoi il y a tant de bâtiments.

— Oui, renchérit le chien bleu, j'aperçois une date gravée dans la pierre au sommet de la maison : 1951...

— Exact, c'est dans ce bâtiment que la promotion [1] 51 a passé son examen. Ceux qui ont échoué ont aussitôt été emmurés. Ils resteront prisonniers de cette maison jusqu'à leur mort.

— C'est horrible! s'exclama Peggy.

— Oui, soupira Naxos, on veut nous faire comprendre qu'au collège des super-héros on ne rigole pas avec les études.

— Comment font-ils pour être encore en vie? s'étonna le chien bleu. Ils devraient être morts étouffés depuis longtemps, non?

— Peut-être aurait-il mieux valu, fit tristement Naxos. Je suppose qu'on les ravitaille grâce à des tuyaux, tout a été conçu pour maintenir les prisonniers en vie le plus longtemps possible, afin de leur

---

1. Promotion : ensemble des élèves ayant suivi l'enseignement dispensé cette année-là.

donner le temps de se repentir. Voilà ce qui nous attend si nous ratons l'examen final.

Peggy Sue frissonna. Elle comprenait maintenant pourquoi le collège était si vaste.

— Il y a une maison par année, c'est ça? s'enquit-elle. Comme on mure le bâtiment après chaque examen, il faut en construire un nouveau pour la promotion suivante...

— Oui, toutes ces maisons sans portes ni fenêtres étaient à l'origine des écoles, aujourd'hui, ce sont des prisons. Au fur et à mesure que nous avancerons, tu verras les dates défiler sur les frontons. Il va falloir pas mal marcher pour atteindre le bâtiment qui nous est réservé cette année. Il se trouve à l'autre bout de la « ville ».

Peggy et le chien bleu échangèrent un regard. Tout cela n'annonçait rien de bon.

— Je les entends crier, à travers les murs..., répéta le petit animal. C'est horrible.

— On ne les laissera donc jamais sortir? s'indigna Peggy.

— Hélas, non, soupira Naxos. Ici, les professeurs sont impitoyables. N'imagine pas que tu pourras t'amuser ou rêvasser en classe.

Peggy Sue fit la grimace. Elle n'avait jamais vraiment aimé l'école et l'idée d'y retourner ne l'enchantait guère, surtout dans ces conditions.

Au fur et à mesure qu'ils avançaient dans l'allée principale, les dates défilaient au fronton des immeubles : 1955... 1960... 1975...

Le lierre avait poussé sur les façades, les emprisonnant dans un filet végétal qui leur donnait l'allure de collines cubiques.

— Notre collège est au bout de cette allée, expliqua Naxos. Pour le moment il possède encore des ouvertures, mais ça ne durera pas.

— On dirait une ville fantôme ou un cimetière aux pierres tombales géantes, murmura Peggy. J'aimerais n'avoir jamais mis les pieds ici.

Le son d'un Klaxon retentit dans le dos des adolescents, les faisant sursauter. Ils durent s'écarter pour laisser passer une grosse voiture noire cabossée, dont l'avant avait la forme d'une tête de démon.

— Hé! siffla Peggy, ça me rappelle quelque chose...

L'étrange automobile s'arrêta au bout de l'avenue. Un homme en descendit, grand, voûté, bedonnant, revêtu d'un déguisement bizarre composé d'un collant rouge et d'un masque grimaçant surmonté de deux cornes d'acier. Il boitait et se déplaçait en s'aidant d'une canne à pommeau d'argent.

— Bon sang! haleta Peggy, c'est... c'est...

— *Diablox l'intrépide*, compléta Naxos. Un super-héros des années 50.

— J'ai lu de vieilles BD qui racontaient ses aventures, mon père en possédait une pleine malle dans le grenier. Il a l'air mal en point...

— C'est qu'il est vieux, chuchota Naxos. On vieillit vite quand on mène la vie d'un super-héros, tu sais? Les gens ne s'en rendent pas compte mais les bagarres à répétition, avec des monstres tous plus affreux les uns que les autres, ça vous délabre un homme...

Peggy sentit son cœur se serrer. Le pauvre Diablox faisait peine à voir. En vérité il avait l'air d'un grand-père avec sa canne et son dos voûté. Même son costume paraissait reprisé de partout, comme une loque récupérée dans une poubelle.

— Quand ils sont trop usés par une vie d'aventures incessantes les super-héros se retirent ici, expliqua le garçon aux cheveux d'or. Ils deviennent professeurs. Ils enseignent aux jeunes les ficelles du métier. Mais ne te laisse pas abuser par leur aspect peu reluisant ; des années de combats titanesques leur ont durci le cœur, *ils sont impitoyables.*

Quand ils arrivèrent à la hauteur de la voiture noire, Peggy s'étonna de son aspect délabré. On eût dit une épave abandonnée sur le bord de la route après un accident.

— Ainsi c'est tout ce qui reste de la fameuse *Diabloxmobile*? soupira-t-elle.

Des taches de rouille maculaient la carrosserie ; quant à la célèbre tête de démon trônant sur le capot, elle avait plutôt l'air d'un groin de cochon passé sous un rouleau compresseur.

Se penchant, elle jeta un coup d'œil à l'intérieur, et n'eut aucun mal à repérer les gadgets rendus célèbres par la BD : le *diabloxgun* qui lançait des éclairs, le *diabloxcut*, ce poignard capable de trancher le béton comme une motte de beurre, le *diabloxboard* qui permettait de surfer sur les nuages... hélas, tous ces objets étaient rouillés, tordus ou émiettés.

— Viens, lança Naxos en tirant Peggy par la manche. Il ne s'agit pas d'être en retard dès le premier jour. Nous pourrions le regretter.

Suivis du chien bleu, les jeunes gens se glissèrent dans le hall du collège aux murs de brique rose. Une centaine d'adolescents se tenaient là, filles et garçons dont les âges s'échelonnaient de 10 à 16 ans. Quelques-uns ricanaient ou s'appliquaient à prendre des airs supérieurs pour montrer qu'ils n'étaient pas impressionnés. Des adultes à la mise sévère [1], que Peggy n'avait jamais vus, attendaient sur une estrade, les bras croisés, le visage plus figé que celui d'une statue. Le grand Diablox se hissa péniblement sur le podium et s'avança vers le micro. De près, son costume s'avérait dans un état lamentable. Constellé de reprises, il provoqua les ricanements des garçons du premier rang. Peggy en fut gênée.

— Certains d'entre vous me connaissent, commença le super-héros, d'autres ont peut-être entendu parler de moi par leurs parents. Dans les années 50 j'étais aussi connu que Batman, et j'ai terrassé de nombreux monstres. Mes aventures ont été racontées dans les *comics*. Aujourd'hui je suis vieux, et plusieurs parmi vous pensent que j'ai l'air d'un clown. Ils rient de cette défroque qui fut pourtant un costume glorieux dont la seule vue faisait trembler les méchants. Vous vous demandez pourquoi je m'obstine à me déguiser ainsi? Je vous

---

1. Habillés de manière très stricte.

répondrai : si j'ôtais cette guenille, je tomberais mort à l'instant.

— Pourquoi, M'sieur? demanda l'un des garçons en levant la main.

— Parce que, sans son costume, un super-héros n'est rien, martela Diablox. *Pourquoi croyez-vous que les super-héros s'affublent de déguisements aussi ridicules?* Pas par plaisir, vous pouvez m'en croire! Si j'avais eu le choix, je me serais bien passé de cet accoutrement... Combien de fois, me regardant dans la glace, j'ai pensé : tu as bonne mine, mon pauvre vieux! Mais voilà, je n'avais pas le choix.

— Pourquoi, M'sieur? répéta l'adolescent.

— *Parce que ces costumes sont magiques,* expliqua Diablox. Ils fonctionnent comme des armures merveilleuses gorgées d'une puissance formidable. Une fois qu'on les a enfilés, on dispose de pouvoirs extraordinaires, mais dès qu'on les enlève, on redevient un pauvre mortel comme les autres... *Les super-pouvoirs sont dans le costume, pas dans celui qui le porte.* Vous comprenez?

Cette déclaration provoqua un véritable tollé. Tout le monde se mit à parler en même temps. L'un des messieurs en complet gris porta un sifflet à ses lèvres pour ramener le silence.

— Mais Superman... Mais l'Araignée..., balbutiaient les jeunes gens, ils ont de véritables pouvoirs, eux...

— Pas du tout, trancha Diablox. Les BD qui racontent leurs aventures ont enjolivé la réalité. J'ai rencontré le vrai Superman, le vrai Spiderman, je puis vous assurer qu'une fois leur costume ôté, ils redevenaient des Monsieur Tout-le-Monde comme vous en croisez des milliers dans les rues.

Une rumeur d'incrédulité circula dans le hall. Pour beaucoup c'était un univers qui s'effondrait.

— Je ne suis pas vraiment surprise, chuchota Peggy Sue à Naxos, je comprends enfin pourquoi les héros sont habillés de façon aussi grotesque. Pendant des années je me suis demandé s'ils n'avaient aucune conscience du ridicule ou s'ils n'avaient pas de miroir chez eux.

Un nouveau coup de sifflet ramena le silence.

Diablox frappa le plancher de l'estrade avec sa canne.

— Voici donc venue l'heure de votre première leçon, gronda-t-il. *Le costume est tout, sans lui vous n'êtes rien.* Il est gorgé de magie, il décuplera vos forces, vous permettra d'accomplir des prodiges, mais, au fil du temps, il se déchargera, comme une pile électrique... et un jour, il ne sera plus qu'un vieux chiffon analogue à celui que je porte.

— Pourquoi ne l'ôtez-vous pas ? demanda Naxos.

— Bonne question, grommela Diablox. Si mon costume ne me permet plus de sauver le monde, il me préserve toutefois de la décrépitude. Car toutes les aventures auxquelles j'ai participé en sa compagnie m'ont épuisé. Je suis dans un tel état de fatigue corporelle que, si je l'ôtais, je me transformerais en momie et je tomberais en poussière devant vous, sur cette estrade. Le costume me permet donc de

survivre alors que je devrais être mort depuis longtemps. Le peu de pouvoir qui crépite encore en lui
autorise ce prodige, et je suis assez vieux pour m'en
contenter. Un jour, si vous parvenez à survivre aux
mille dangers de l'existence qui vous attendent,
vous vous retrouverez à cette même place, et vous
tiendrez le même discours à une bande d'adolescents moqueurs qui vous regarderont comme un
vieux clown. Et vous leur direz ce que je vais vous
dire : *le costume est tout, vous n'êtes rien...* Apprenez donc à rester modestes, ne laissez pas l'orgueil
vous pourrir l'esprit. Pendant tout le temps que
durera votre gloire, vous ne serez que les serviteurs
du costume... *des portemanteaux vivants.*

Sur ces mots prononcés d'un ton terrible, Diablox se recula pour laisser la place à l'un des messieurs en complet gris. Il s'agissait d'un homme
maigre affublé d'une petite moustache et d'un
nœud papillon à pois noirs sur fond gris.

— Bonjour, lança-t-il d'une voix sèche, je suis
Monsieur Calamistos, le directeur de cet établissement. Comme vous l'avez compris, vous n'êtes pas
là pour vous amuser. Le collège des super-héros est
le seul établissement scolaire dont tous les élèves ne
ressortent pas vivants. Je vous conseille, pour votre
survie, d'obéir scrupuleusement aux conseils qu'on
vous donnera. Les cours commenceront demain,
vous aurez jusqu'à ce soir pour vous familiariser
avec les locaux. Ne cherchez pas à grimper au
deuxième étage, ce serait là une erreur fatale. Vous
n'accéderez aux étages supérieurs que lorsqu'on

vous aura enseigné les techniques de survie nécessaires. D'ici là, contentez-vous du hall et du parc.
Ne vous croyez pas plus malins que vos professeurs. A présent, Mademoiselle Zizolia va vous
faire visiter les installations. Elle vous indiquera
également vos chambres.

Une femme maigre, dont les cheveux gris étaient
coiffés en chignon, le remplaça. Une grande balafre
lui coupait le visage en deux.

— Celle-là n'a pas dû passer sa vie derrière un
bureau, soliloqua le chien bleu.

Les élèves formèrent une file indienne qui
emboîta le pas à Mademoiselle Zizolia. Celle-ci,
d'un ton qui n'admettait pas la réplique, indiqua
aux adolescents l'emplacement de la cantine, de
l'infirmerie, de la bibliothèque.

— Ici, la salle d'armes, annonçait-elle, ici, le
laboratoire d'étude des monstres extraterrestres, là,
le musée des super-héros morts au combat...

La bibliothèque contenait des milliers de BD et
de *comics* qui, tous, relataient la vie des super-héros
du monde entier.

— Trop cool! souffla l'un des garçons.

— Pas tant que ça, ricana son voisin, il faudra
les apprendre par cœur et être capable de raconter
la moindre bataille dans tous ses détails.

« Qu'est-ce que je fiche ici? se demanda Peggy.
Je n'ai aucune envie de me battre contre des
monstres, et encore moins de porter un costume
ridicule comme ce pauvre vieux Diablox. Dans un
collant pareil j'aurais vraiment l'air d'avoir des
fesses énormes! »

— Est-ce qu'on nous laisse au moins choisir notre nom de super-héros? demanda-t-elle à Naxos.

— Même pas, répondit celui-ci. Si ça se trouve, on nous affublera de surnoms absurdes et on nous forcera à porter des collants rouges.

— Ça existe, les collants pour chien? s'inquiéta le chien bleu.

— Ne t'en fais pas, souffla Naxos, si ça n'existe pas encore, ils en inventeront un, spécialement pour toi.

Quand Mademoiselle Zizolia leur eut indiqué leurs chambres respectives, elle se retira.

— Ce soir, vous avez quartier libre, décréta-t-elle. Le dîner est servi une seule fois, à 19 heures, vous devrez être au lit à 20 heures.

— A 20 heures! protestèrent les adolescents, c'est trop tôt!

— Vous ne direz plus ça quand vous aurez pris l'habitude de vous lever à 5 heures du matin, ricana Mademoiselle Zizolia en tournant les talons.

*

Les chambres étaient petites mais propres, équipées d'un cabinet de toilette et d'une penderie.

— Elle est bizarre, cette armoire, nota le chien bleu. Tu as vu ça? Elle est en acier, aussi épaisse qu'un coffre-fort, et la serrure a l'air drôlement compliquée.

— Tu as raison, approuva Peggy. Quelle drôle de penderie !

— Hé ! regarde un peu ces marques à l'intérieur... on dirait des griffures. Comme si on y avait enfermé une bête fauve qui se serait débattue.

L'adolescente hocha la tête. Elle partageait l'avis de son compagnon à quatre pattes.

— Là, et encore là ! insista ce dernier. Ces empreintes... ce sont des traces de coups de poing. Qui peut avoir assez de force pour imprimer dans l'acier la marque de ses phalanges, hein ?

Peggy Sue se mordilla les lèvres, perplexe. Il était évident qu'on avait oublié de leur révéler certaines choses.

— A quoi sert un placard, d'habitude ? demanda le chien bleu. *A ranger des vêtements...* Connais-tu beaucoup de manteaux qui se débattent une fois suspendus à un cintre ?

Les deux amis se promirent d'ouvrir l'œil. Quand elle eut disposé sur les étagères le contenu de son cartable, Peggy sortit dans le couloir pour frapper à la porte de Naxos qui logeait en face.

— Tu as examiné ta penderie ? lui souffla-t-elle.

— Oui, fit le garçon aux cheveux d'or. C'est à croire qu'on y a logé un gorille en colère.

Méfiants, ils entreprirent d'explorer les couloirs environnants. Comme il fallait s'y attendre, les autres garçons faisaient beaucoup de bruit en s'installant.

D'étranges valets silencieux s'activaient dans le réfectoire et les cuisines. Ils portaient des vêtements jaunes à rayures noires et ressemblaient à des bagnards de BD. Ils ne prononçaient pas un mot et ne répondaient pas davantage quand on leur disait bonjour.

— Est-ce que ce sont des humains ou des robots ? chuchota Peggy.

— Je ne sais pas, avoua Naxos. On dirait des somnambules.

Une sonnerie retentit, annonçant l'heure du repas. Les élèves prirent la direction de la cantine. Peggy nota qu'il n'y avait guère de filles parmi les nouvelles recrues. A peine installés, les garçons commencèrent à se vanter des exploits qu'ils avaient accomplis. La plupart possédaient de petits pouvoirs qui leur permettaient de prédire ce qui arriverait le lendemain ou de déplacer par la force de la pensée de menus objets. Bien évidemment, ceux qui avaient la faculté de soulever une tasse à trente centimètres au-dessus de la table assuraient qu'ils pouvaient faire la même chose avec un autobus... Un adolescent expliqua qu'il pouvait flotter dans les airs comme un oiseau, un autre qu'il était capable de traverser les murs, mais quand on leur demandait d'en faire la démonstration, ils prétendaient ne pas pouvoir exécuter ces tours en public.

— J'y arrive pas quand on me regarde, grognaient-ils.

« Ce qui est peut-être vrai... », admit Peggy.

Personnellement, elle restait peu sensible à ces histoires de super-pouvoirs qui excitaient tant les garçons. En vérité, elle n'avait pas tellement envie de devenir une héroïne de BD et de se promener sur les toits déguisée en femme chauve-souris. Elle était désormais trop grande pour éprouver encore de la joie à se travestir.

— De toute manière, ricana un garçon qui s'appelait Franck, super-héros c'est pas un travail de fille! Y a pratiquement pas de super-héroïnes. Catwoman et Supergirl sont archinulles! On dirait des majorettes!

Ses copains renchérirent, s'appliquant à provoquer Peggy Sue qui demeura impassible. Un coup de sifflet se fit entendre. C'était Mademoiselle Zizolia qui venait remettre de l'ordre. Le repas s'acheva dans le silence sous l'œil sévère de la surveillante. Personne n'osait la regarder en face à cause de la grande cicatrice qui lui balafrait le visage. S'agissait-il d'un coup de sabre?

Le repas terminé, Peggy, Naxos et le chien bleu sortirent dans le parc. Ils étaient tout à la fois inquiets et désœuvrés.

— Je me demande ce qui nous attend ici..., murmura le garçon aux cheveux d'or. J'ai l'impression d'être en prison. Peut-être n'aurions-nous pas dû venir?

— Penserais-tu à t'enfuir? s'enquit Peggy.

— Pourquoi pas? Dans cette éventualité nous aurions intérêt à explorer les environs. Je n'ai aucune idée de l'endroit où nous nous trouvons.

— Je crois que nous sommes au milieu d'un décor, intervint le chien bleu. Regardez le ciel et les nuages... Ils ne vous semblent pas trop bas ? On dirait un plafond peint en bleu... quant aux nuages, ils ressemblent davantage à de grosses boules de coton qu'à de vraies masses de vapeur d'eau.

— Tu insinues que nous ne sommes pas en plein air ? haleta Peggy.

— Oui, fit l'animal. A mon avis le collège est enfermé dans une boîte. Une boîte gigantesque.

A force de marcher, ils arrivèrent au pied des bâtiments dont les portes et les fenêtres avaient été murées. Des serviteurs en costumes rayés travaillaient à boucher les fissures zigzaguant entre les briques.

— Monsieur, s'il vous plaît, lança Peggy en s'approchant de l'un d'eux, pouvez-vous nous dire si c'est vrai que les élèves collés à l'examen sont retenus prisonniers à l'intérieur de ces murs ?

L'homme jeta un bref coup d'œil par-dessus son épaule pour s'assurer que Mademoiselle Zizolia ne rôdait pas dans les parages et dit, d'une voix étouffée :

— Ce n'est pas de la blague, ils sont tous là-dedans. Quand on colle l'oreille sur les fissures de la maçonnerie, on les entend se lamenter. Si vous ne me croyez pas vous n'avez qu'à essayer...

Décidée à en avoir le cœur net, Peggy plaqua sa tempe contre la brique, à la hauteur d'une lézarde. D'abord elle n'entendit rien, puis un écho lointain monta vers elle. Une lamentation qui donnait le frisson. C'était comme les appels au secours d'une meute de damnés pleurant au fond des enfers. Elle s'écarta.

— Ça fait froid dans le dos, hein? ricana le serviteur. Ceux-là sont enfermés depuis cinq ans, mais il y en a d'autres qui croupissent depuis trente ou quarante années entre les murs de leur ancien collège. Quand ils sont arrivés ici, ils avaient votre âge. Aujourd'hui, ils ont tous des cheveux gris.

— Comment font-ils pour survivre? demanda Naxos.

— Des tuyaux serpentent sous terre, leur amenant la nourriture nécessaire, expliqua l'homme. Pour le reste, ils doivent se débrouiller entre eux. On raconte que certains ont tellement régressé qu'ils se comportent comme des hommes des cavernes. Ça fera du vilain s'ils parviennent un jour à s'échapper.

— Vous croyez qu'ils pourraient? insista Peggy.

— En tout cas ils s'y emploient, chuinta le serviteur en tenue rayée. Ils essayent de creuser des tunnels. Pour le moment, aucun n'a encore réussi, mais cela se produira un jour, et croyez-moi, quand ils émergeront des profondeurs, ils seront de mauvaise humeur.

Sur ce, il pria les adolescents de s'éloigner car il n'avait pas le droit de parler aux élèves et ne voulait pas se faire réprimander par Mademoiselle Zizolia.

— Tu crois que c'est vrai? marmonna Naxos. Il a sans doute essayé de se payer notre tête. Ça doit l'amuser d'effrayer les nouveaux.

— *J'ai entendu pleurer dans la fissure...*, objecta Peggy.

— Il pourrait s'agir d'un enregistrement. Une astuce pour terrifier les élèves, non ? Il n'y a peut-être rien à l'intérieur de ces bâtisses, rien qu'un magnétophone qui diffuse en continu des lamentations destinées à nous flanquer la trouille.

— Désolé de te contredire, intervint le chien bleu. J'ai senti une présence derrière le mur. Il y a des gens enfermés là-dedans.

Ils n'eurent pas le loisir d'en discuter davantage car la sirène annonçant l'heure du coucher retentit. Il était 20 heures. Traînant les pieds, les trois compagnons durent se résoudre à regagner le collège.

Le vestiaire de l'épouvante

Sitôt dans sa chambre, Peggy s'étendit sur son lit sans se déshabiller. Le chien bleu vint s'installer contre elle.

— Hé, nous voilà dans une belle mélasse, grogna-t-il. A la manière dont les choses se présentent, il faut s'attendre au pire.

— Extinction des feux dans trois minutes! vociféra Mademoiselle Zizolia dans le couloir. Demain matin, réveil à 5 heures.

Peggy Sue contemplait le plafond. Depuis que Sebastian l'avait quittée, elle avait le plus grand mal à dormir. Et quand, après s'être retournée d'un côté sur l'autre pendant des heures, elle parvenait enfin à fermer les yeux, c'était pour rêver de lui... Elle avait maigri et perdu sa joie de vivre. En fait, si elle avait accepté d'entrer à l'école des super-héros sans se rebeller, c'était dans l'espoir d'oublier ses pensées moroses. Au fond d'elle-même, force lui était de reconnaître qu'il ne lui déplaisait pas de tomber en plein mystère.

« Ça m'occupera, se répétait-elle. On ne fait rien de mieux qu'une bonne aventure bien effrayante pour chasser les idées noires. »

Elle somnola un peu, rêva encore une fois de Sebastian et d'Isi, pleura dans son sommeil, puis fut réveillée par la langue râpeuse du chien bleu qui s'activait sur sa joue.

— Hé! protesta-t-elle, tu me prends pour un sucre d'orge?

« *Ecoute...* », souffla mentalement l'animal.

L'adolescente s'assit en bâillant. Des bruits étranges résonnaient au-dessus de sa tête. C'était comme si le plafond tremblait, ébranlé par la charge d'un troupeau d'éléphants. Des cris bizarres, des cavalcades, des rugissements s'élevèrent dans la nuit.

— Ça vient de l'appartement du dessus, diagnostiqua le petit animal. Ça dure depuis un moment. Ça couine, ça grogne, ça s'égorge... *à croire qu'on a installé une jungle au deuxième étage de cette maison!*

Peggy tendit l'oreille, l'œil toujours fixé sur le rectangle blanc du plafond. Elle avait le sentiment qu'une vie grouillante et hostile s'épanouissait de l'autre côté de ce fragile rempart.

— Et puis il y a les odeurs, insista le chien, tu ne les sens pas, tu n'as pas assez de flair. Ça empeste la vase, le marigot, l'humus pourrissant, comme au fond des jungles épaisses. Et je ne te parle pas des bêtes...

— Quelle sorte de bêtes ?

— Je ne sais pas, mais elles ont des crocs, des pelages puants et des griffes. On les entend plonger et nager, comme des crocodiles.

Peggy Sue haussa les sourcils. Une jungle, un marais, des bêtes fauves... tout cela au deuxième étage d'un groupe scolaire ?

— Rappelle-toi, souligna le chien bleu. Zizolia et Calamistos nous ont interdit d'y mettre les pieds.

— Exact, admit Peggy Sue. Mais j'ai bien envie d'aller jeter un coup d'œil aux alentours. Je tiens à savoir à quelle sauce je vais être mangée.

Hélas, quand elle posa la main sur la poignée, elle eut une mauvaise surprise, la serrure était verrouillée. Heureusement, sa grand-mère lui avait enseigné un petit sortilège facile à retenir qui débloquait les serrures les plus rétives. Dès qu'elle l'eut prononcé, le battant s'ouvrit et elle se glissa dans le couloir suivie du chien bleu.

L'obscurité emplissait les corridors. Par l'une des fenêtres, cependant, on distinguait un croissant de lune dans le ciel.

— Il a l'air aussi faux que les nuages de cet après-midi, grommela le chien. Il brille comme une lanterne. On croirait une décoration de Noël. Et il est beaucoup trop près du sol...

— J'ai l'impression qu'en grimpant sur une échelle je pourrais le toucher, rêva Peggy.

Un bruit de pas s'élevant au bout du couloir, les deux amis se cachèrent dans un recoin en retenant leur souffle. Eberluée, la jeune fille vit alors passer une dizaine de super-héros fatigués dont elle avait lu les aventures lorsqu'elle était petite. Il y avait là le Grand Phobos, maître de la peur, Giganticus, maître de la force, Elastikos, maître de la souplesse, Glaciofax, maître de... elle ne savait plus quoi! Et d'autres encore dont elle ignorait les noms et les spécialités. Ils avaient tous piteuse mine. Giganticus se déplaçait en s'appuyant sur des béquilles, Elastikos était assis sur un fauteuil roulant. Leurs fameux costumes étaient plus reprisés que des vieilles chaussettes.

« Voilà donc nos professeurs, songea-t-elle. Les pauvres seraient plus à leur place dans un hôpital. »

Son cœur se serra à la vue de ces anciens titans dont les aventures extraordinaires avaient été célébrées dans tous les *comics.*

Dès qu'ils eurent tourné à l'angle d'un couloir, Peggy sortit de sa cachette et reprit son exploration. La visite des salles de classe ne lui apprit rien d'intéressant. Soudain, alors qu'elle allait se résoudre à faire demi-tour, elle avisa une pancarte sur une porte d'acier blindé. Elle lut : *VESTIAIRE DE GUERRE, entrée strictement interdite au personnel non autorisé.*

— Encore une porte de coffre-fort, remarqua le chien bleu. En voilà des précautions pour de simples vêtements!

— J'y jetterais bien un coup d'œil, murmura la jeune fille. Voyons si le sortilège de Granny Katy fonctionne sur ce type de serrure.

Elle dut répéter trois fois la formule avant que le verrou daigne coulisser avec un bruit sourd. Le battant était incroyablement épais, et si lourd que Peggy eut du mal à l'entrouvrir.

— Je ne sais pas si c'est une bonne idée d'aller fouiner là-dedans, maugréa le petit animal.

Mais, déjà, Peggy avait pressé l'interrupteur. Une faible lumière rouge, tombant du plafond, éclaira alors plusieurs rangées de mannequins plantés sur des socles. Il y en avait une centaine.

— On dirait des armures..., souffla le chien bleu. Des armures du Moyen Age.

— Non, corrigea Peggy Sue, ce sont des costumes de super-héros. Des costumes très anciens. Mais tu as raison sur un point, ils sont aussi rigides que des armures. Ils ressemblent davantage à des scaphandres qu'à de simples vêtements.

Elle fit trois pas timides à l'intérieur de la salle. On n'y voyait pas grand-chose et la lumière rouge jetait sur les choses un éclat démoniaque qui donnait envie de tourner les talons sans demander son reste.

Lentement, Peggy entreprit de passer les vêtements en revue, comme si elle se promenait dans un grand magasin. Des pancartes, au bas des déguisements, expliquaient à qui ils avaient appartenu, suivaient des dates, toutes fort anciennes.

— Nom d'une saucisse atomique! grogna le chien bleu, ça remonte à la nuit des temps! Vise un peu celui-là! Il a été porté par un super-héros du Moyen Age, le Chevalier Tempête... et celui-ci, il appartenait à un gladiateur nommé Démonicus, à l'époque de l'empereur Caligula... c'est trop dingue !

Peggy, elle, ne disait rien. Elle était désagréablement impressionnée par l'aspect repoussant des costumes, tous plus effrayants les uns que les autres. L'un avait l'air d'une peau de gorille cornu, l'autre d'un dinosaure en réduction, le suivant d'un homme des cavernes aux crocs proéminents. Aucun n'était en tissu.

— Ça évoque plutôt le cuir et l'os, marmonna le chien bleu. C'est épais. Ça me fait penser à...

— *Des animaux empaillés*, compléta Peggy Sue d'un ton sinistre. Des bêtes naturalisées comme on en voit dans les galeries de sciences naturelles.

— Ouais, c'est tout à fait ça. Ils ont vraiment une sale tête.

Mal à l'aise, la jeune fille pressa le pas. Ainsi il y avait toujours eu des super-héros ! Même au temps des pharaons ! Cette salle était sans doute une sorte de musée célébrant leur mémoire. Il n'y avait pas de quoi s'effrayer...

Alors pourquoi, depuis une minute, ne cessait-elle de regarder par-dessus son épaule, hein ?

Pourquoi avait-elle l'impression idiote que les costumes se mettaient à bouger dès qu'elle leur tournait le dos ?

« J'entends ce que tu penses, lui murmura mentalement le chien bleu. C'est drôle, mais ça me fait la même chose...

— Tu les vois bouger ?

— Oui, mais il s'agit sans doute d'un simple courant d'air qui les fait remuer sur leur support.

— Un courant d'air, hein ? Tu y crois vraiment ?

— Je ne sais pas... »

Les deux amis s'immobilisèrent au bout de la salle. Quand ils pivotèrent sur eux-mêmes, ils retinrent une grimace en découvrant les cent costumes qui leur faisaient face. La sortie leur parut soudain affreusement éloignée.

— Tout à l'heure, ils ne regardaient pas dans cette direction, affirma Peggy d'une voix tremblante. Ils ont pivoté sur leur socle pour suivre nos déplacements.

Elle frissonna. Les trous découpés dans les casques de cuir, à la hauteur des yeux, la scrutaient avec une fixité menaçante.

« Allons, se dit-elle, j'imagine tout cela. Ce ne sont que de vieux vêtements datant de plusieurs siècles, et qui tomberaient en morceaux si on les secouait. »

Mais elle savait qu'elle se racontait des histoires.

— Fichons le camp, haleta le chien bleu. Je trouve que leurs bras remuent un peu trop... et je ne sens pas le moindre courant d'air.

— Il faut éviter de courir, murmura l'adolescente, ne leur montrons pas que nous avons peur.

Essayant de conserver leur dignité, les deux amis se mirent en marche. La tête droite, l'air faussement assuré, ils s'engagèrent dans l'allée principale, entre deux rangées de déguisements écailleux au profil de crocodile.

« Encore vingt mètres avant la sortie... », pensait Peggy.

Elle avait parcouru la moitié du chemin quand elle sentit une main lui frôler l'épaule. Elle ne se retourna pas, convaincue que l'un des costumes avait essayé de l'attraper au passage.

« Encore dix mètres... », lui souffla le chien.

Ils n'en menaient pas large. Au fur et à mesure qu'ils se rapprochaient de la porte, la salle s'emplissait d'un crissement de griffes et de crocs. Comme si les déguisements s'irritaient de voir partir leurs visiteurs.

Peggy Sue et le petit animal franchirent les derniers mètres en deux bonds. Toutefois, au moment où elle se faufilait dans le couloir et se retournait pour claquer la porte, Peggy nota que l'un des portemanteaux était vide...

Sans prendre le temps de réfléchir, elle prononça la formule magique qui verrouillait la serrure.

— Brrou ! haleta le chien bleu, on a eu chaud !

Peggy se mordit la lèvre, embarrassée.

— Je crois que nous avons fait une bêtise, avoua-t-elle. l'un des supports était vide...

— Oui, et alors ?

— Il ne l'était pas quand nous sommes entrés. Inutile de se raconter des histoires : nous avions laissé la porte ouverte, l'un des costumes en a profité pour s'échapper. J'espère que cela ne va pas provoquer une catastrophe.

Penauds, ils regagnèrent leur chambre et n'en bougèrent plus jusqu'à l'aube, tandis que, dans le parc, une inquiétante silhouette à la démarche malhabile se glissait entre les bâtiments de brique rouge.

Le vêtement vampire

Le réveil fut difficile. Les élèves se traînèrent au réfectoire d'une démarche de somnambules. Sitôt le petit déjeuner avalé, Mademoiselle Zizolia leur ordonna de se regrouper et les mena à la salle de cours. Diablox les y attendait, appuyé sur sa canne.

— Je ne suis pas conférencier, attaqua-t-il dès que les adolescents furent assis, aussi je n'irai pas par quatre chemins pour vous exposer les règles de base du métier de super-héros. Avant tout, sachez que sans votre costume vous n'êtes rien... *et qu'il est à la fois votre meilleur ami et votre pire ennemi.*

— J'y comprends rien ! chuchota un garçon à son voisin. Pour moi c'est du chinois.

Un adolescent leva la main pour réclamer la parole ; il faisait partie du groupe de gamins arrogants que Peggy Sue avait repéré la veille.

— M'sieur, lança-t-il, mes copains et moi on voudrait savoir quand vont commencer les cours de lutte à main nue ?

Diablox laissa échapper un grognement de colère, furieux d'être interrompu.

— Il n'y aura pas de cours de lutte, siffla-t-il. Ça ne vous serait d'aucune utilité.

— Mais pourquoi? protesta l'adolescent. Les super-héros se battent bien contre des monstres, non?

— Si tu m'avais laissé le temps de m'expliquer, reprit Diablox, tu n'aurais pas posé cette question idiote. Je te conseille de t'asseoir et de m'écouter. (Après s'être raclé la gorge, il reprit :) La force d'un super-héros réside dans son costume, fourrez-vous ça dans le crâne! C'est le costume qui se battra à votre place, c'est le costume qui possède la science du combat et la force nécessaire à un tel affrontement. Les pouvoirs sont en lui, *pas en vous*! Oubliez tous les films et les BD que vous avez pu lire. Ils mentent! La force ne sera jamais *en* vous... elle restera toujours *extérieure* à vous. Elle restera cachée dans votre déguisement.

Un murmure d'incrédulité parcourut la salle. Peggy se pencha vers Naxos et murmura :

— Quand il a dit ça, hier, je croyais qu'il plaisantait.

— Manifestement non, souffla le garçon aux cheveux d'or.

Diablox frappa le bois de l'estrade avec sa canne pour ramener le silence.

— Je sais que c'est difficile à admettre, lança-t-il, mais c'est ainsi. J'étais comme vous, jadis, je m'imaginais qu'un super-héros était forcément quelqu'un à qui une araignée, une fourmi, ou un moustique extraterrestre avait inoculé son venin.

Un gamin dont le corps subissait une mutation compliquée au terme de laquelle il se transformait, voyait sa musculature doubler de volume... Tout cela, c'est de la blague, de la pure invention de romancier. Si je suis là, aujourd'hui, c'est pour vous dire la vérité et balayer les fadaises dont on vous a encombré la tête. Je le répète : *la force est dans le costume, pas en vous.* Je pense qu'une petite démonstration saura vous en convaincre.

Sortant une télécommande de sa poche, il pressa un bouton. L'un des murs de la salle pivota, démasquant un robot à six bras, dont la tête touchait presque le plafond, et un portant [1] à roulettes auquel se trouvaient suspendus plusieurs déguisement bariolés.

— Voici un androïde de combat, expliqua Diablox. En temps normal, c'est un robot de guerre, mais il a été réglé sur le mode « entraînement », de façon à ne pas vous estropier dès la première rencontre. Vous allez voir de quoi il est capable.

Le vieux héros actionna un nouveau bouton. Aussitôt, le robot se mit en position de combat, comme l'aurait fait un karatéka de métal.

— Waou ! fit le chien bleu, il bouge tellement vite qu'on n'a même pas le temps de suivre ses mouvements.

— Quelqu'un parmi vous veut-il l'affronter ? ricana Diablox. Parmi tous ces jeunes gens, s'en trouve-t-il un qui pense pouvoir se montrer plus

---

1. Sorte de tringle montée sur roulettes, à laquelle on accroche des cintres.

rapide que lui ? Je vous signale que, pour le mettre hors de combat, il faut réussir à presser le bouton rouge installé au sommet de sa tête.

Peggy leva les yeux. Le fameux bouton se trouvait à trois mètres de haut, quant aux six bras d'acier ils formaient un barrage infranchissable tant ils bougeaient avec rapidité.

« Et il s'agit d'un simple mode " entraînement ", songea-t-elle. Je préfère ne pas penser à ce que ça peut donner en combat réel ! »

Les garçons hésitaient. On les sentait proches de relever le défi. Un nouveau mouvement des bras d'acier les en dissuada. Le robot semblait une pieuvre de métal capable de repousser dix attaques simultanées.

Diablox frappa le portant du bout de sa canne.

— Ces costumes sont pour vous, déclara-t-il. Ils sont vieux, et leurs pouvoirs presque épuisés, mais ils vous permettront de comprendre ce que j'essaye de vous expliquer. Ils appartenaient à des super-héros aujourd'hui oubliés. J'ai besoin de deux volontaires...

Peggy et Naxos avaient levé la main en même temps, ce qui les fit rire.

— Approchez ! leur ordonna Diablox. Choisissez un déguisement et enfilez-le.

Peggy examina les costumes. De loin ils lui avaient paru rutilants et presque neufs, de près, elle voyait qu'ils étaient vieux et raccommodés. Elle en chercha un à sa taille. Certains étaient bleus, parsemés d'étoiles d'or aujourd'hui ternies, d'autres rouges et agrémentés d'éclairs d'argent écaillés.

« On dirait d'anciens vêtements de clown... »,
songea-t-elle avec tristesse. Sous les doigts, ils
donnaient l'impression d'avoir été taillés dans un
cuir granuleux. Une fermeture Eclair, sur le ventre,
permettait de s'en revêtir.

— Dépêchez-vous, Mademoiselle ! grogna Diablox, vous n'êtes pas en train de choisir une robe de
bal...

Peggy rougit et décrocha un costume au hasard.
Il était dur, si cartonneux qu'il aurait pu tenir
debout tout seul.

« Une armure de caoutchouc, pensa l'adolescente en s'y glissant. Ou une combinaison de
scaphandrier... »

Elle ajusta le casque sur sa tête. Bizarrement, dès
qu'elle eut remonté la fermeture, elle eut l'illusion
que le vêtement rétrécissait sur elle, comme s'il
s'adaptait automatiquement à ses mensurations. Le
cuir, qui lui avait paru rigide, s'avérait maintenant
d'une extraordinaire souplesse. C'était à n'y rien
comprendre.

— Bien, fit Diablox, à présent que vous êtes
équipés, essayez d'attaquer le robot.

Après une brève hésitation, Peggy s'élança. Il se
produisit alors une chose incroyable, elle décolla du
sol et s'éleva jusqu'au plafond ! Dans la minute qui
suivit, elle découvrit qu'elle était capable d'accomplir
mille pirouettes invraisemblables, de voltiger dans
l'espace et de se déplacer avec une telle rapidité que
les bras du robot avaient désormais l'air de se
mouvoir au ralenti !

Elle reçut un message mental du chien bleu qui disait :

« Nom d'une saucisse atomique ! C'est à peine si je te vois bouger. Tu files comme l'éclair et tu frappes avec la force d'un éléphant, tu as déjà tordu l'une des pattes de l'androïde ! Je n'en crois pas mes yeux. »

C'était grisant, et Peggy sentait le vertige la gagner. La tête lui tournait. Elle aurait voulu que cette formidable expérience dure toujours. Malheureusement, alors qu'elle amorçait une nouvelle pirouette, le robot la frappa, la projetant sur le sol. Quand elle voulut se relever d'un bond, elle constata que le costume ne répondait pas à ses sollicitations. D'un seul coup, il renâclait, devenait pataud, l'embarrassant comme une armure aux articulations rouillées.

« Que se passe-t-il ? », se demanda-t-elle avec stupeur.

— Ça suffit, décréta Diablox. La démonstration est terminée. Otez ces vêtements et expliquez à vos camarades ce que vous avez éprouvé.

Peggy et Naxos obéirent. En émergeant du scaphandre la jeune fille eut la désagréable surprise de se découvrir épuisée. Elle ne put se retenir de bâiller.

Se tournant vers Diablox, elle raconta du mieux possible ce qui s'était passé, la manière dont, sitôt le vêtement bouclé, elle s'était métamorphosée.

Diablox leva la main pour l'interrompre.

— Voilà où je voulais en venir, lança-t-il. Tu ne t'es pas « métamorphosée », comme tu dis. Tu as simplement senti le costume qui bougeait sur toi. *Car c'est le costume qui a tout fait à ta place.* Il a su, d'instinct, réagir aux agressions du robot. Il a su comment se comporter, comment esquiver, ou frapper... Avoue qu'à aucun moment tu n'as eu l'impression de prendre la moindre décision...

— C'est vrai, admit Peggy Sue. J'étais trop étonnée pour savoir quoi faire. C'était comme si le costume pensait et décidait tout seul de la conduite à tenir.

— Et c'est exactement ce qu'il faisait! tonna Diablox. Ces déguisements possèdent l'instinct du combat dans leurs molécules. Ils réagissent plus vite qu'aucun être humain ne saurait le faire.

— Alors, ce sont des vêtements magiques? hasarda Naxos.

— On peut dire ça, grommela Diablox. En réalité, leurs pouvoirs viennent de ce qu'ils ont été fabriqués avec la peau d'animaux fabuleux qui n'existent pas dans notre monde. De grands prédateurs, des fauves dix fois plus dangereux que nos lions, nos tigres qui, à côté d'eux, font figure de chatons.

— A quoi servons-nous, alors? s'enquit Peggy Sue.

— D'abord vous leur tenez lieu de squelette, d'armature, ricana Diablox. Sans vous ils ne pourraient pas tenir debout. Ensuite, vous leur servez de carburant...

— De carburant? s'étonna la jeune fille. Je ne comprends pas.

— Les costumes ont besoin d'énergie pour accomplir leurs exploits, répondit Diablox. Ils consomment beaucoup, comme les bolides des courses automobiles. Cette énergie, ils la tirent de vous, ils la puisent dans votre organisme. Comment te sens-tu, petite?

— Très fatiguée, avoua Peggy. J'ai l'impression de ne pas avoir dormi depuis soixante-douze heures au moins.

— C'est ce que je voulais te faire dire! triompha le vieux héros. Les vêtements magiques sont en fait des vêtements vampires. *Ils s'alimentent de la force vitale de celui qui les endosse.* Si vous les portez trop longtemps, ils vous épuiseront... et même, ils vous tueront. Il est impossible à un super-héros de combattre un ennemi plusieurs heures d'affilée. Cet affrontement entraînerait une telle consommation d'énergie qu'il en mourrait. Cela s'est déjà produit. Voilà pourquoi certains super-héros ont disparu du jour au lendemain. Ce ne sont pas les monstres qui les ont tués, mais leur propre costume!

Il avait martelé les derniers mots en frappant le sol de sa canne.

Un murmure consterné parcourut les rangs des élèves. Aucun d'entre eux n'avait jamais imaginé une telle chose. On était bien loin des exagérations surnaturelles dont les bandes dessinées étaient prodigues. D'un seul coup, l'existence des super-héros se dessinait sous un jour beaucoup moins enthousiasmant.

— Voilà, la leçon est terminée pour aujourd'hui, conclut Diablox. Nous allons passer aux travaux pratiques, vous allez tous revêtir un costume magique et combattre le robot. Je précise encore une fois que ces vêtements sont usés, et qu'ils ne peuvent vous causer de grands préjudices. Il en ira différemment quand vous endosserez une tenue neuve, toute gorgée de puissance, de celles qui consomment énormément d'énergie vitale.

Excités, les élèves se bousculèrent pour s'approcher du portant. Tous voulaient connaître l'ivresse de la surpuissance. Diablox dut séparer d'un coup de canne ceux qui se battaient pour la possession d'un déguisement.

Fatigués, Peggy et Naxos s'installèrent à l'écart.

— Tu as envie de dormir ? demanda le garçon.

— Oui, bâilla Peggy Sue. Mes yeux se ferment tout seuls. J'ai moins de force qu'un nouveau-né.

— Il va vous falloir faire une sacrée cure de vitamines si vous voulez jouer les Spiderman, grommela le chien bleu. Ces vêtements ont l'air de vrais gloutons.

Lorsque sonna la fin des travaux pratiques, le robot et les tenues magiques disparurent dans leur niche, à l'intérieur du mur. Diablox leva la séance.

— Réfléchissez à ce que vous avez appris aujourd'hui, conclut-il. Il ne s'agit pas d'un jeu vidéo. Si vous ne savez pas contrôler votre costume, il risque de vous tuer. Maintenant allez vous reposer, vous avez des têtes de morts vivants.

Effectivement, ils éprouvaient tous une intense fatigue. Mademoiselle Zizolia les conduisit au réfectoire où on leur servit un repas bourré de vitamines. Les garçons grommelaient, mécontents de la tournure des événements.

— En résumé, cracha Jeff, un grand type au crâne rasé qui ambitionnait de jouer les chefs de bande, nous ne serons jamais que des portemanteaux vivants... Le vrai héros, ce sera le costume, nous, nous lui servirons de valet et de carburant. Il accomplira ses exploits à nos dépens. Et chaque fois qu'il triomphera d'un méchant, ce sera en nous volant un peu de notre vie. Vous parlez d'un cadeau !

— Il n'a pas entièrement tort, murmura Naxos qui s'était assis en face de Peggy pour déjeuner. mais je trouve que ça vaut quand même le coup.

La jeune fille allait répondre quand, regardant par la fenêtre, elle aperçut une silhouette inquiétante qui se glissait entre les bâtiments. Cela ne dura qu'une fraction de seconde mais elle comprit qu'il s'agissait du costume de guerre échappé du vestiaire interdit. Elle se crispa. Le vêtement avait des allures d'homme-serpent. Argenté, couvert d'écailles, il se terminait par un casque dont l'aspect général évoquait la coiffe gonflée d'un cobra en colère.

« Hé ! lui chuchota mentalement le chien bleu, tu as vu ?

— Oui, lui répondit Peggy par le même moyen. C'est le déguisement que nous avons laissé sortir. Je crois que personne ne l'a encore repéré. J'espère que ça ne va pas créer de problème. Que crois-tu qu'il puisse faire ?

— Aucune idée. A priori ce n'est qu'un vêtement... mais après ce que nous a raconté Diablox, je ne sais plus à quoi m'attendre. »

Le déjeuner terminé, Mademoiselle Zizolia ordonna aux enfants d'aller faire la sieste. Ils ne se firent pas prier car ils étaient tous exténués.

A peine la tête sur l'oreiller, Peggy sombra dans un sommeil sans fond.

Les fringales de l'homme-serpent

Dès le lendemain, au réfectoire, la rumeur circula : deux garçons avaient surpris le costume en fuite rôdant sous les fenêtres du collège.

— J'l'ai vu comme je vous vois, affirma Jeff en agitant ses grands bras maigres. Au début j'ai cru qu'il s'agissait d'un quelconque super-héros d'il y a cinquante ans, mais quand la lune est sortie d'un nuage et l'a éclairé, j'ai vu que son casque était vide... Vous entendez : *il n'y avait personne à l'intérieur du déguisement.* C'était juste un vêtement qui marchait tout seul, sans personne pour le porter.

— Comment ça se peut ? demanda l'un de ses voisins de table, puisque Diablox a dit que les costumes avaient besoin d'armature pour tenir debout...

— J'en sais rien, en attendant, celui-là s'en passait, je peux te l'affirmer. Il marchait comme toi et moi. Ça m'a sacrément surpris quand j'ai vu cette tête de serpent qui me reluquait de l'autre côté de la vitre. S'il n'y avait pas eu de barreaux à la fenêtre, je crois bien que cette saloperie aurait essayé d'entrer.

Peggy baissa les yeux, mal à l'aise. Elle ne savait que faire. Avait-elle commis une bêtise en se glissant dans le vestiaire interdit ?

« Comment savoir ? lui murmura le chien bleu par transmission de pensée. Rappelle-toi que nous ne sommes pas ici de notre plein gré, et que nous ne savons toujours pas si nous devons accorder notre confiance aux gens qui dirigent cet établissement pour le moins bizarre. »

La jeune fille hocha la tête. Elle comprenait ce que le petit animal essayait de lui dire. Il ne fallait pas écarter l'hypothèse que cette histoire de collège obligatoire fût un piège... Un piège dont le but était de se débarrasser des adolescents impliqués dans la lutte contre les super-méchants. Oui, pourquoi pas ?

Alors que les élèves sortaient du réfectoire, la voix de Monsieur Calamistos, le directeur, résonna dans le haut-parleur. Tous les enfants étaient convoqués dans le hall pour une communication de la première importance.

— Allons-y, murmura Naxos, je suppose que ça a un rapport avec l'homme-serpent en cavale...

Grimpé sur l'estrade, le micro à la main, Calamistos les attendait en tapotant le sol d'un pied impatient. Quand ils furent rassemblés, il dit :

— Je suppose que vous savez tous qu'un costume de super-héros s'est échappé du vestiaire de combat et qu'il rôde dans le parc... La serrure de la salle d'exposition n'ayant pas été forcée, nous ne comprenons pas comment la chose a pu se produire, mais il est évident que ce vêtement n'a pu s'évader sans bénéficier d'une complicité parmi les élèves... *parmi vous!* En attendant que le coupable soit identifié, nous vous demandons d'éviter de vous promener dans le parc. Ce costume est dangereux. Il s'agit d'un déguisement datant de l'Antiquité égyptienne. Il représente le dieu serpent Apopi, une divinité peu sympathique [1]. Cette tenue est très puissante... trop puissante, c'est pourquoi nous la tenons enfermée dans une chambre forte. On ne peut l'utiliser qu'en cas de guerre, lorsque la situation est désespérée. Encore faut-il savoir qu'elle a la fâcheuse habitude de tuer ceux qui l'endossent.

— Comment cela? demanda le grand Jeff.

Calamistos s'agita, mécontent d'être interrompu.

— Pour accomplir ses exploits, elle consomme beaucoup d'énergie vitale, lâcha-t-il avec réticence. Tellement d'énergie, que ceux qui la portent vieillissent de trente ans en une heure. Lorsqu'ils s'en revêtent ils ont 18 ans, quand ils l'ôtent, une heure plus tard, ils en ont 50, et leurs cheveux sont devenus blancs. Voilà pourquoi on la tient au secret. On ne la sort du coffre qu'en cas d'extrême nécessité, et

---

1. Dans la mythologie égyptienne le dieu Apopi est représenté sous les traits d'un serpent géant qui, chaque nuit, essaye de faire chavirer la barque du dieu soleil, ceci afin d'empêcher que le jour revienne sur la terre. Les marins qui dirige la barque du dieu Râ doivent donc le repousser à coups de lance.

encore faut-il trouver un kamikaze [1] qui accepte de courir le risque de s'en habiller. Chaque fois que ça s'est produit, le candidat n'a pas survécu à l'aventure. Voilà pourquoi je vous conseille de ne pas vous frotter à ce costume en attendant que nous élaborions un plan pour le capturer. Diablox, votre professeur principal, est en train d'étudier une stratégie d'approche.

— Pourquoi Apopi vient-il rôder sous nos fenêtres ? demanda Naxos. A sa place j'aurais fichu le camp depuis longtemps.

— Il a besoin d'énergie, soupira Calamistos. Il va bientôt tomber en panne sèche. Il entrera alors en hibernation, comme les tortues. Pour l'heure, il fonctionne encore sur sa réserve, mais celle-ci ne tardera pas à s'épuiser, surtout s'il s'obstine à courir d'un bout à l'autre du parc. C'est pourquoi je vous supplie de ne pas l'approcher. Si Apopi parvenait à capturer l'un d'entre vous, il l'utiliserait comme une pile électrique et en profiterait pour recharger ses batteries. La seule solution est d'attendre qu'il se fatigue et tombe en panne. Alors seulement, nous le ramènerons dans la chambre forte dont il n'aurait jamais dû sortir.

Diablox se hissa sur l'estrade et prit le micro des mains du directeur.

---

1. Mot japonais qui signifie « Vent divin ». Il désigne les jeunes aviateurs qui, pendant la Seconde Guerre mondiale, se suicidaient en jetant leur avion sur les bateaux américains pour ralentir la progression des troupes d'invasion. Ces garçons étaient célébrés comme de grands héros.

— Surtout n'essayez pas de jouer aux héros! lança-t-il. Apopi est plus fort et plus rusé que vous. Les gens qui s'en revêtaient, dans l'Antiquité, étaient toujours des grands prêtres, des initiés, des sorciers. Il leur était indifférent de mourir au bout d'une heure de combat car ils étaient prêts à faire le sacrifice de leur vie. Souvent, il arrivait que plusieurs d'entre eux se succèdent à l'intérieur du déguisement au cours de la même journée, et tous mouraient d'épuisement. Vous n'êtes que des débutants, c'est pourquoi je vous conseille de ne pas vous en mêler. C'est compris?

Les élèves grommelèrent un vague assentiment. En réalité ils étaient tous excités à la perspective de cette aventure.

En raison de l'état d'alerte, les cours furent supprimés car Diablox et les autres super-héros s'étaient réunis dans le bureau du directeur pour essayer de comprendre comment Apopi avait pu s'enfuir. Peggy était confuse de se trouver à l'origine de ce tumulte. Elle maudissait la curiosité qui l'avait poussée à entrer dans le vestiaire interdit.

— On ne pouvait pas deviner que ces frusques étaient aussi dangereuses, grogna le chien bleu. A première vue c'étaient seulement de vieux vêtements accrochés à des cintres.

Mademoiselle Zizolia consigna les élèves dans la bibliothèque avec l'ordre d'étudier les manuels relatifs aux aliments énergétiques qu'on pouvait trouver dans la nature, à l'état sauvage.

— Quand vous serez épuisés d'avoir trop longtemps porté votre déguisement, expliqua-t-elle, il
vous sera fort utile de savoir que telle plante, telle
écorce, recèle de quoi reconstituer vos forces. Vous
n'aurez pas toujours un supermarché à portée de la
main, surtout si vos aventures vous mènent au beau
milieu de la jungle! Certains insectes géants, par
exemple, sont gorgés de vitamines [1], il suffit d'en
croquer deux pour se retrouver en pleine forme.

Un murmure dégoûté salua cette révélation.

— Tout est consigné dans ces manuels, martela
Mademoiselle Zizolia. Prenez des notes. Vite! au
travail...

On s'exécuta en maugréant, mais cette application ne dura pas longtemps; très vite, les adolescents abandonnèrent leurs livres de classe pour se
poster devant les fenêtres grillagées, et surveiller le
parc. Au moindre frémissement de buisson, on
croyait voir surgir Apopi.

— Ah! j'enrage! s'exclama Jeff. Dire que nous
sommes cloués ici, à lire ces trucs idiots alors que
nous pourrions donner la chasse à cette bestiole du
diable.

— Et comment t'y prendrais-tu? demanda Naxos
d'un ton narquois. Tu te crois assez fort pour résister à la gourmandise de l'homme-serpent?

— Un peu, oui! siffla Jeff. Le baratin des profs,
j'y crois pas beaucoup. Je pense surtout qu'ils
veulent garder ce costume pour leur usage person-

---

1. Exact!

nel, parce qu'il a des pouvoirs fabuleux. Ça leur ferait mal au ventre qu'un élève s'en empare, car il pourrait alors devenir le maître du collège, et y faire la loi.

— Oui, oui, approuvèrent ses copains, c'est sûrement ça.

Naxos allait répliquer, mais quelqu'un crut distinguer une ombre à l'angle d'un bâtiment. Un silence tendu s'installa...

Le parc, désert, avait pris un aspect menaçant. Le déguisement reptilien pouvait se cacher n'importe où ; il y avait tant de bosquets, de haies et de maisons abandonnées... Les anciens collèges, recouverts de lierre, ressemblaient plus que jamais à de monumentales stèles funéraires dressées sur les tombes d'une armée de géants morts au combat.

— Ça ne donne pas envie d'aller pique-niquer..., remarqua le chien bleu.

Peggy Sue se dandina d'un pied sur l'autre. N'y tenant plus, elle entraîna Naxos à l'écart et lui dit :

— Je dois t'avouer quelque chose, c'est moi qui ai libéré l'homme-serpent, par mégarde.

Et elle lui expliqua en quelle circonstance elle avait commis cette erreur. Le garçon aux cheveux d'or écarquilla les yeux mais ne lui fit aucun reproche.

— Tu as eu de la chance, lâcha-t-il, si l'un des déguisements t'avait attrapée, il t'aurait volé ton énergie vitale. A l'heure qu'il est, tu serais plus desséchée qu'une momie.

— Je sais, soupira la jeune fille. D'ailleurs j'ai bien vu qu'ils essayaient de nous empêcher de sortir.

Sur le moment je n'ai pas compris pourquoi. En fait ils voulaient du « carburant ». Je suppose qu'ils en ont assez de se morfondre dans la chambre forte. Ils ont tous envie de s'échapper pour reprendre leur vie d'aventure.

— Que comptes-tu faire ?

— Je me disais que je pourrais peut-être me faufiler dans le parc et forcer Apopi à me poursuivre, de cette manière il épuiserait ses réserves d'énergie et perdrait connaissance. Ensuite, je le ramènerais au vestiaire. Ma bévue serait réparée.

Naxos réfléchit deux secondes, puis un sourire illumina son visage d'elfe rêveur. (Il était encore dix fois plus mignon lorsqu'il souriait, ce qui n'était pas peu dire.)

— C'est une super-idée, décréta-t-il, mais je ne te laisserai pas y aller seule. Je t'accompagne.

— Tu es gentil, mais ça risque d'être dangereux, objecta Peggy Sue.

— Ecoute, souffla Naxos, mes cheveux sont en or et Apopi vient d'Egypte...

— Oui ?

— A l'époque des pharaons on croyait que la chair des dieux était en or pur [1]. Plus particulièrement celle de Râ, le soleil. Si Apopi me voit, il pensera que je suis son vieil ennemi, celui qu'il essaye de noyer chaque nuit, et il se lancera à ma poursuite. Qu'en dis-tu ?

— Bien imaginé, apprécia le chien bleu. Tu es sacrément courageux, mon petit gars. (Puis, se

_____
1. Exact !

tournant vers Peggy, il ajouta :) De toute manière il faut être plusieurs pour se relayer à la course, sinon nous ne tiendrons pas la distance. Pendant que l'un courra, les deux autres se reposeront, et ainsi de suite. N'oubliez pas que vous vous attaquez à un déguisement taillé dans la mue[1] d'un dieu de l'Antiquité.

— Tu as raison, fit Naxos. Nous ferons comme tu dis. Et puis, en tant que chien, tu cours beaucoup plus vite que nous.

Les trois amis se glissèrent hors de la salle d'étude. Rasant les murs, ils gagnèrent le hall. La porte d'entrée était verrouillée, mais Peggy n'eut qu'à répéter sur la serrure l'enchantement de Granny Katy pour que le battant s'entrouvre. Une fois sortis, ils fermèrent derrière eux car Apopi aurait pu mettre cette ouverture à profit pour s'introduire dans le collège et y causer des ravages.

Ils se dépêchèrent de se cacher dans un buisson et, une fois à l'abri du feuillage, scrutèrent les environs. En réalité, maintenant qu'ils étaient dehors, ils n'en menaient pas large. Il faut dire que le parc abandonné, avec ses allées vides, n'inspirait pas la joie.

— Un vrai jardin public pour fantômes! grommela le chien bleu.

Curieusement, la présence du soleil n'arrangeait pas les choses. Elle accentuait bien au contraire

---

1. Vieille peau que les reptiles laissent derrière eux à chaque changement de saison, lorsqu'ils se refont une beauté.

l'aspect insolite de ce lieu dépourvu du moindre promeneur, de ces bâtiments rouges aux fenêtres murées. On eût dit l'un de ces décors qui peuplent les cauchemars, une espèce de toile peinte, faussement rassurante, qu'une horde de monstres risquait de déchirer d'une seconde à l'autre pour bondir sur la scène du théâtre et dévorer les acteurs.

— Je prends le premier tour, décida Peggy Sue après avoir rassemblé son courage. Dès que je serai fatiguée, je reviendrai de ce côté. Naxos, tu n'auras qu'à jaillir du buisson. Tes cheveux hypnotiseront Apopi, il m'oubliera et se lancera à ta poursuite. D'accord ?

— D'accord, fit le garçon, c'est toi qui commandes.

— Quand tu seras épuisé je prendrai le relais, lança le chien bleu. Je suis petit mais je me faufilerai entre ses jambes pour lui mordre les mollets. J'en profiterai pour goûter à la peau de serpent. Il paraît que ça a la saveur du poulet.

— On marche comme ça, conclut la jeune fille. J'y vais. Souhaitez-moi bonne chance.

Et elle s'élança hors du bosquet.

Dès qu'elle fut seule dans l'allée, entre les pelouses, elle se sentit vulnérable. Tous les dix mètres elle se retournait pour voir si la défroque de l'homme-reptile lui avait emboîté le pas. Elle commençait à se repentir de son idée et frémissait dès qu'un taillis bougeait dans le vent. Les mains dans les poches de son jean, elle s'efforça de prendre un air dégagé.

Tout à coup, alors qu'elle longeait une haie de troènes, une main jaillit au ras du sol pour lui saisir la cheville! Elle poussa un cri de frayeur et tomba, le nez dans la poussière, persuadée qu'elle allait faire une crise cardiaque. Alors qu'elle se débattait, on la tira à l'abri des feuillages. Elle s'attendait à voir surgir l'horrible face du cobra géant, mais ce fut le visage d'un serviteur en tenue rayée qui se pencha sur elle. Elle reconnut l'homme qui bouchait les fissures des bâtiments condamnés, et avec qui elle avait bavardé la veille.

— Hé! haleta-t-elle, qu'est-ce que vous faites?

— Tais-toi, lui ordonna le valet. Je guette Apopi. Je veux le capturer. *Il est pour moi.* Pas question que tu me le piques. Si tu ne te tiens pas tranquille, je t'assomme. Compris?

— Vous êtes fou, protesta la jeune fille. Ce déguisement est dangereux. Il ne se laissera pas attraper, c'est vous, au contraire, qu'il capturera.

— Tais-toi, répéta l'homme. Je sais ce que je fais. C'est un costume très puissant. Peut-être l'un des plus puissants au monde. Si je m'en empare, je deviendrai le maître du collège, Calamistos ne pourra plus me retenir prisonnier, je m'évaderai enfin de cette prison.

— Vous êtes donc retenu prisonnier? s'étonna Peggy.

— Oui, lâcha le valet d'un ton hargneux. Je suis un ancien professeur, comme tous les serviteurs en tenue rayée. Si plus de 70 % de nos élèves échouent à l'examen final, nous sommes déchus de notre titre d'enseignant et rétrogradés à celui de valet.

— Quoi? hoqueta Peggy. 70 % d'échec! Ça paraît énorme...

— C'est que l'examen est très difficile. Quand trois élèves sur dix le réussissent, on s'estime heureux. Hélas, il arrive que tous soient tués lors des épreuves finales. Dans ce cas, les professeurs sont châtiés. C'est ce qui m'est arrivé. Un seul élève de ma classe a réussi à obtenir son diplôme, mais il est mort deux jours après des suites de ses blessures. Calamistos et l'affreuse Zizolia ne me l'ont pas pardonné. J'ai été destitué, et me voici, dans la défroque d'un esclave... Mais j'en ai assez. L'heure de la revanche a sonné. Je vais m'emparer du costume d'Apopi et je détruirai ce maudit collège, j'écrabouillerai Calamistos, je...

Il écumait de rage. Peggy Sue se demanda s'il n'était pas un peu fou. En tout cas il semblait décidé à aller au bout de ses projets. L'adolescente n'osait bouger de peur de se faire assommer.

Soudain une ombre étrange se dessina sur les gravillons de l'allée, une silhouette qui n'avait rien d'humain. Peggy retint son souffle. L'homme-reptile venait de sortir de sa cachette, à la recherche d'une proie. Sans doute avait-il flairé l'odeur de la chair fraîche?

— C'est lui! C'est lui! hoqueta l'ancien professeur, les yeux hors de la tête. Ses pouvoirs sont immenses. Dès que j'aurai enfilé sa défroque [1], je deviendrai le maître de l'univers.

---

1. Vieux vêtement.

— Vous êtes dingue, murmura Peggy en se cramponnant à lui, il va vous dévorer tout cru !

— Mais non, idiote ! siffla l'homme, ce n'est qu'un costume, il n'a ni dents ni estomac...

— Il n'en a pas besoin, insista l'adolescente. Il va s'alimenter de votre énergie vitale.

— Je suis bien assez fort pour lui tenir tête, depuis des mois j'avale de pleines poignées de pilules vitaminées. Laisse-moi !

Et il se dégagea d'un coup sec. La seconde d'après, il avait bondi hors du buisson pour ceinturer le déguisement en peau de serpent qui s'effondra sur le sol sans opposer de résistance.

— Je l'ai ! Je l'ai ! cria-t-il sottement.

D'où elle se tenait, Peggy Sue put examiner le vêtement reptilien dont les écailles argentées luisaient au soleil. La tête du cobra, avec sa coiffe dilatée [1], était vraiment horrible.

Poussant des halètements d'impatience, l'ex-professeur se glissa à l'intérieur du vêtement de cuir.

« Quel imbécile ! songea Peggy, il ne comprend donc pas qu'Apopi se laisse faire pour lui voler son énergie ? »

Mais l'homme, déjà, avait bouclé la fermeture Eclair du costume, scellant son destin. Peggy l'entendait ricaner sous le masque du cobra.

---

1. Quand il est en colère, le cobra gonfle son cou, ce qui lui fait une énorme tête aplatie, disproportionnée par rapport au reste de son corps. Quand il est calme, il ressemble à un serpent ordinaire.

— A nous deux, Calamistos! hurla-t-il en se tournant vers le collège. Il est temps de régler nos comptes. Prépare-toi à prendre une bonne raclée!

D'un pas malhabile il entreprit de remonter l'allée. Pendant une minute il gesticula en vociférant, puis ses cris s'affaiblirent et Peggy eut la nette impression qu'ils se changeaient en plaintes sourdes. Brusquement, Apopi s'immobilisa. Sa main écailleuse saisit la tirette de la fermeture à glissière et la ramena vers le bas d'un geste sec. Quand le vêtement s'entrebâilla, Peggy faillit pousser un cri de stupeur. *A l'intérieur du costume se tenait un squelette tout propre, d'un beau jaune ivoirin.* L'énergie vitale du professeur déchu avait été aspirée jusqu'à l'os.

Apopi s'ébroua, faisant tomber les ossements sur le sol. Il bougeait plus rapidement et ses gestes avaient perdu leur raideur. Le « carburant » emmagasiné lui avait rendu sa souplesse.

« C'est bien ma chance, songea Peggy, maintenant il va courir deux fois plus vite! »

Elle comprenait ce qu'avait essayé de leur expliquer Diablox. Il fallait vraiment posséder une robuste constitution pour envisager d'endosser l'un des costumes de guerre du vestiaire interdit. Seul un surhomme ou un sorcier aurait pu le faire, encore en serait-il sorti amoindri, sous l'aspect d'un vieillard précocement usé.

« Tant pis, décida-t-elle, j'y vais... »

Elle bondit hors de sa cachette, ramassa une poignée de gravillons et les jeta sur les omoplates d'Apopi.

— Hé! cria-t-elle, toi, la couleuvre, essaye un peu de m'attraper...

Elle démarra aussitôt en direction du buisson où se terraient Naxos et le chien bleu. Son seul espoir était que l'homme-reptile brûle très vite ses réserves de carburant. Le professeur dont il avait aspiré la vie ne lui avait sans doute pas permis de « faire le plein »... En tout cas, elle l'espérait.

Le ventre noué par la terreur, elle entendit Apopi s'élancer à sa poursuite. Ses pieds griffus fouaillaient le gravier de façon menaçante. Peggy avait toujours été bonne en éducation sportive (c'était même la seule matière qu'elle appréciait lorsqu'elle fréquentait encore l'école!), aujourd'hui, cette qualité allait lui sauver la vie. Derrière elle, Apopi courait, bras tendus pour la saisir. Un instinct obscur lui soufflait qu'il devait au plus vite capturer cette adolescente s'il ne voulait pas tomber de nouveau en panne de carburant. La proie qu'il venait d'engloutir ne possédait pas assez d'énergie pour lui permettre de s'échapper du collège comme il l'envisageait. Il y avait bien trop longtemps qu'on le tenait enfermé, il s'ennuyait à mourir. Il rêvait de combats titanesques, d'affrontements qui feraient trembler le monde sur ses bases... Il avait connu cela, jadis, il y avait bien des siècles, et il en conservait la nostalgie. Il avait été conçu pour la guerre, deux mille ans avant J.-C., par les prêtres de pharaon, et il n'entendait pas finir ses jours au fond d'un vestiaire. En des temps anciens, des sorciers au crâne rasé l'avaient cousu à partir de fragments de peau récupérés sur les mues d'Apopi, il était alors promis à un grand destin ; hélas, aujourd'hui, les humains étaient devenus trop faibles pour supporter son contact. L'époque manquait cruellement de héros, aussi le laissait-on pendu à un cintre dans l'obscurité d'un placard. Il ne le supportait plus !

L'homme-reptile courait sur les gravillons sans se rendre compte que sa colère consommait une grande partie de l'énergie ingérée un instant plus tôt.

A bout de souffle, Peggy n'osait plus tourner la tête. Elle croyait déjà sentir les griffes de la créature se refermer sur sa nuque. Le cœur tambourinant contre ses côtes elle se laissa tomber sur la pelouse, incapable de faire un pas de plus, au bord de la syncope. Au même moment Naxos sortit du fourré, ses cheveux étincelant dans le soleil comme une auréole éblouissante.

— Hé ! cria-t-il, toi, le cobra, regarde-moi ! Je suis Râ ! Le dieu soleil, ton vieil ennemi... celui que tu poursuis depuis toujours... tu ne m'attraperas pas !

Et il s'élança vers la droite. L'homme-serpent se figea en plein élan, oubliant Peggy Sue. La chevelure d'or du garçon l'hypnotisait. Il la voyait danser au-dessus du sol tel un soleil miniature, un soleil qu'il lui fallait saisir et avaler. Oui ! Il devait capturer cette boule d'énergie pure et la glisser dans sa poitrine, elle lui fournirait assez de carburant pour vivre un siècle, si ce n'est plus, et pendant tout ce temps il pourrait se dispenser de prendre un « locataire », l'un de ces petits humains puants qui salissaient son cuir en transpirant comme des porcs. Oui ! *le soleil,* il devait capturer Râ et le manger, comme un énorme gâteau de feu... Il s'en régalait d'avance.

Profitant de ce qu'Apopi courait derrière Naxos, le chien bleu sortit du buisson et, saisissant le tee-shirt de Peggy entre ses mâchoires, l'aida à se glisser sous le feuillage. La jeune fille n'avait pas encore recouvré son souffle.

— Repose-toi ! lui ordonna-t-il. Ça va être bientôt mon tour d'entrer en scène. Tu devras être prête à me relayer quand je commencerai à tirer une langue de 30 centimètres.

Naxos fit le tour complet du collège sans trop souffrir car la créature reptilienne courait déjà moins vite. Il était néanmoins à bout de souffle quand il plongea dans le taillis. Aussitôt, le chien bleu bondit tel un minuscule démon. Filant entre les jambes d'Apopi, il lui mordit le mollet droit, le faisant trébucher. La créature s'affala sur le gravier, ne comprenant rien à ce qui lui arrivait. Déjà, le petit animal revenait à la charge, lui arrachant la moitié d'une fesse. Il avait beau n'être pas plus grand qu'un chiot, ses crocs et ses mâchoires possédaient une force redoutable dont il usait avec une science consommée. La colère obscurcit l'entendement d'Apopi. Oubliant Naxos, il n'eut plus qu'une idée : réduire en charpie cette boule de poil bleuâtre qui lui manquait de respect !

Mais le chien bleu était vif, insaisissable, virevoltant, et trop petit pour l'homme-reptile dont les gestes devenaient hésitants.

Ce qu'avait prévu Peggy Sue se produisit enfin, Apopi se mit à bouger de plus en plus lentement et le chien bleu en profita pour redoubler ses harcèlements, le faisant tourner en bourrique. L'homme-serpent tituba, battit des bras, et s'effondra. Le chien bleu sauta alors sur lui pour lui arracher l'autre fesse qu'il entreprit, sur l'heure, de déguster.

Peggy et Naxos, encore essoufflés, émergèrent du bosquet. Le chien les regarda s'approcher d'un air dégoûté.

— C'est immonde ! déclara-t-il en crachant un morceau de peau écailleuse. Ça a le goût du poisson. C'est de la nourriture pour chat !

— En tout cas, haleta le garçon aux cheveux d'or, nous formons une sacrée équipe !

— C'est vrai, admit Peggy Sue, sans toi j'étais fichue. Je n'aurais pas tenu une seconde de plus.

Naxos rougit, ce qui dessina deux taches écarlates sur ses joues d'une pâleur irréelle. Il parut soudain très embarrassé et, pour masquer son trouble, saisit le costume reptilien sous les aisselles.

— Ramenons ça au vestiaire, lança-t-il. Je crois que Jeff et ses copains ont suivi notre équipée à travers la fenêtre de la bibliothèque. Ils doivent nous détester de leur avoir volé la vedette.

— Sans aucun doute, soupira Peggy, mais je ne sais ce qu'en ont pensé les profs. Je m'attends au pire. Diablox ne sera peut-être pas content d'avoir été éclipsé par trois de ses élèves.

Remorquant le vêtement toujours inconscient, ils prirent la direction du collège.

— Vraiment immonde! grommela le chien bleu en crachant quelques miettes de fesse écailleuse qui étaient restées coincées entre ses crocs.

De bien étranges révélations

Comme Peggy l'avait pressenti, Mademoiselle Zizolia ne tarda pas à se manifester. Son visage balafré était encore plus sévère que de coutume, ce qui n'était pas peu dire.

— Tu es convoquée chez Monsieur le Directeur, lança-t-elle à l'adolescente qui, penchée sur un livre de botanique extraterrestre, essayait de se faire oublier. File ! Ne le fais pas attendre. Ce n'est pas le moment d'aggraver ton cas.

Peggy se leva, les dents serrées, et suivit la surveillante sous les ricanements des autres élèves, et notamment de la bande du grand Jeff.

— Je t'accompagne ! lança Naxos en se dressant, pas question que tu écopes toute seule d'une punition.

— Non ! Pas toi, siffla Mademoiselle Zizolia. Tu restes là et tu apprends par cœur la liste des pachydermes de la planète Mars.

La jeune fille dut donc se résoudre à se rendre chez l'affreux Calamistos accompagnée du chien bleu.

— S'il m'agace, je le mords, annonça le petit animal. Après tout, ses mollets ne pourront pas avoir plus mauvais goût que les fesses de l'homme-serpent.

Après avoir interminablement déambulé à travers les couloirs, Peggy dénicha enfin le bureau du Principal. Une lourde porte en chêne en défendait l'accès. Elle frappa d'un doigt timide. « Entrez », ordonna une voix étouffée. L'adolescente obéit. Elle pénétra dans une pièce très sombre, encombrée de statues de marbre géantes représentant les super-héros les plus célèbres : Batman, Spiderman, Hulk... Des livres tapissaient les murs jusqu'au plafond. Assis derrière un bureau monumental, Calamistos paraissait plus figé qu'une momie. Assis à sa droite, un autre professeur, Boris Delfakan, semblait l'assister. Delfakan avait les cheveux gris, coupés en brosse. Il portait un nœud papillon à pois rouges dont les élèves se moquaient depuis le premier jour de classe. Peggy hésita. Les deux hommes avaient l'air bizarre. On eût dit qu'un maléfice les avait changés en pierre. Leurs yeux fixaient Peggy Sue sans la voir. L'espace d'une seconde, elle crut qu'on les avait assassinés et qu'elle se trouvait en face de deux cadavres !

— Assieds-toi, dit une voix qui ne sortait pas de la bouche des profs. Nous avons à te parler.

L'adolescente obtempéra sans bien comprendre ce qui se passait. Qui venait de prononcer ces mots ? Ni Calamistos ni Delfakan n'avaient bougé les lèvres... *alors ?*

Elle s'assit néanmoins.

— Je sais que tout cela te paraît étrange, reprit la voix, mais nous sommes forcés de prendre des précautions car nos ennemis sont partout.

A ce moment, Peggy Sue comprit enfin que les paroles qu'elle entendait s'échappaient du gros livre ouvert sur le bureau de Calamistos!

— Tu as deviné, fit la voix. Je savais que ça ne te prendrait pas longtemps. Tu es très futée.

— Ce livre est vivant? demanda Peggy, c'est ça?

— Non, dit son interlocuteur, ce livre est un vrai livre, mais la sixième virgule sur la première ligne du troisième paragraphe est vivante, elle. *Je suis cette virgule.* Je suis également le directeur du collège. Le vrai directeur.

— Mais Monsieur Calamistos?

— Calamistos est un robot que je commande par la puissance de ma pensée. Je suis un organisme extraterrestre minuscule mais très intelligent. Mon nom est Zooar. J'ai traversé le cosmos pour mettre sur pied cet institut. Mon existence doit demeurer secrète car j'ai beaucoup d'ennemis. Les forces du Mal travaillent à ma perte. Depuis des années elles cherchent à me détruire. Heureusement, ma petite taille me permet de me cacher aisément.

Peggy Sue écarquilla les yeux, époustouflée. Une autre voix s'éleva, sur sa gauche. Elle provenait de Delfakan, mais ne sortait pas non plus de sa bouche...

— Ne cherche pas, disait-elle, je suis l'un des douze pois rouges sur le nœud papillon de cet autre robot. Mon nom est Kazor, de la famille des amibes, je ne suis pas plus gros qu'un confetti, mais ma puissance mentale dépasse tout ce que tu peux imaginer. Je viens de la planète Mars. Les Terriens imaginent toujours les extraterrestres sous la forme de créatures menaçantes, ils se trompent, la plupart des formes de vie aliens sont microscopiques. Je connais des peuplades de trois millions d'âmes qui tiendraient dans l'une de vos boîtes d'allumettes. Je suis là pour seconder Zooar dans son combat contre les forces du Mal. A part toi, personne ne connaît notre véritable identité. Pas même les super-héros qui vous servent de professeurs.

— Pourquoi me dévoilez-vous un tel secret ? s'étonna Peggy. Je ne suis qu'une élève parmi tant d'autres.

— Non, fit la voix qui sortait du livre, nous connaissons ta marraine, Azéna, la fée aux cheveux rouges [1]. Elle t'a recommandée à nous. Elle affirme que toi seule peux venir à notre secours. Voilà pourquoi nous t'avons recrutée. Nous avions besoin de toi ici, entre ces murs.

— Je ne comprends pas, bredouilla la jeune fille. En quoi puis-je vous être utile ?

— Nous avons fondé ce collège pour lutter contre les forces du Mal, expliqua le nœud papillon rouge de Delfakan. Notre but était de former une légion de jeunes héros capables de combattre ce fléau. Hélas, il se trouve que nos ennemis se sont

---

1. Voir le premier tome des aventures de Peggy Sue : *Le Jour du chien bleu.*

débrouillés pour s'infiltrer dans le collège. Ils cherchent à nous localiser et à nous détruire, voilà pourquoi nous nous cachons avec tant de soin. Hélas! tôt ou tard, il y aura bien quelqu'un pour deviner que Calamistos et Delfakan sont des androïdes.

— Suspectez-vous quelqu'un en particulier? s'enquit la jeune fille.

— Tout le monde! rugit la virgule vivante depuis le paragraphe où elle se tenait recroquevillée. Il peut s'agir d'un professeur, d'un super-héros, voire d'un élève...

— Un élève?

— Un ou plusieurs! insista Kazor. *Nous avons la preuve que certains d'entre vous sont des créatures malfaisantes déguisées en enfants.* Il te faudra ouvrir l'œil. Méfie-toi de tout le monde. Si nos ennemis découvrent que tu travailles pour nous, ils chercheront à t'éliminer. Leur objectif est la destruction pure et simple de ce collège et la disparition des super-héros. Une fois le dernier super-héros éteint, personne ne pourra se dresser en travers de leur route, et ils auront beau jeu de dominer le monde, comprends-tu?

Peggy hocha la tête. Elle se demandait depuis un moment si elle ne rêvait pas. C'était la première fois qu'elle bavardait avec une virgule et un pois rouge imprimé sur un nœud papillon!

— Le danger peut surgir de n'importe où, de n'importe qui! haleta Zooar. Depuis six mois nous ne savons plus à qui nous fier. Tu es notre seule chance d'assainir l'école. Nous tenons Azéna en grande estime, nous t'accordons donc toute notre confiance, mais tu ne devras révéler la vérité à personne. Si nos ennemis apprenaient où nous nous cachons, ils s'empresseraient de brûler ce livre et ce nœud papillon pour nous tuer. Notre mort provoquerait la destruction de l'école qui n'existe que par la force de notre pensée. Si nous sommes tués, cet univers sera anéanti, avec tous ceux qui y sont enfermés : toi, ton chien, les autres élèves, mais aussi Diablox et les professeurs. Rien ne nous survivra. Vous serez désintégrés en une fraction de seconde.

— Ça va, j'ai compris ! s'impatienta Peggy qui n'aimait pas qu'on la prenne pour une écervelée. Je ferai de mon mieux pour vous secourir, mais m'aiderez-vous dans mon enquête ? Si je dois démasquer des méchants il serait bon qu'on me dispense de tout travail scolaire. Je pourrais *faire semblant* de passer cet examen, non ?

— N'y compte pas, répliqua la virgule. Il est hors de question que nous truquions les épreuves ou que nous te communiquions les réponses à l'avance, ce serait contraire à nos principes. Tu devras triompher toute seule des difficultés scolaires. Tu es de taille à t'en tirer, je crois. A l'école des super-héros, on ne triche pas ! Reste sur tes gardes, en permanence. De temps à autre, nous te convoquerons pour savoir comment progresse ton enquête. Potasse bien tes examens, si tu échouais, nous perdrions notre agent secret, ce qui serait bien fâcheux pour l'avenir du collège car la menace se fait de plus en plus présente.

Peggy fit la grimace. Elle trouvait que ces deux-là en prenaient un peu trop à leur aise. Comment allait-elle concilier son travail de détective et les devoirs qu'on lui imposait?

Le robot Delfakan parut soudain revenir à la vie. Se dressant, il marcha vers la porte.

— Il faut mettre fin à cet entretien, décida-t-il, s'il durait trop longtemps nos ennemis pourraient se douter de quelque chose. Officiellement tu as reçu un blâme pour mauvaise conduite. Une note confirmant cette sanction sera d'ailleurs punaisée sur le tableau d'affichage d'ici trente minutes. Il est bon qu'on te prenne pour une mauvaise élève, de cette manière, les espions infiltrés dans l'école se méfieront moins de toi. Ne crains pas de te montrer indisciplinée, cela peut même les pousser à se démasquer pour essayer de t'enrôler. Maintenant va-t'en, et ne cherche jamais à nous parler en public. Si tu as quelque chose d'urgent à nous communiquer, dessine une étoile bleue sur l'une des notes administratives du tableau d'affichage installé dans le préau. Bonne chance... et ouvre l'œil.

Peggy Sue sortit du bureau, le chien bleu sur les talons.

« Qu'en penses-tu? lui demanda-t-elle par télépathie.

— Quel sac de nœuds! s'exclama le petit animal. Tu as entendu? *Ils ont parlé d'ennemis déguisés en enfants!* Il va falloir se méfier de tout le monde. Quel bazar!»

La jeune fille éprouvait quelque difficulté à redescendre sur terre. La surprenante tournure des événements l'avait déboussolée. Par-dessus tout, il lui déplaisait de devoir mentir à Naxos dont elle appréciait l'amitié. Ce garçon triste mais courageux ne lui déplaisait pas. A première vue, parce qu'il ne roulait pas les mécaniques, on le prenait pour un elfe timide. Ses cheveux d'or et sa peau pâle lui donnaient un aspect fragile, mais il avait su prouver le contraire lors de l'affaire de l'homme-serpent où il s'était montré terriblement efficace.

Peggy regagna la salle d'étude. Naxos s'empressa de lui demander comment les choses s'étaient passées. Elle récita avec un peu de réticence la fable mise au point par Zooar et Kazor. Le garçon mit le trouble de son amie sur le compte de l'admonestation qu'elle venait de subir.

Derrière eux, le grand Jeff ricana de plus belle. Il ne pardonnait pas à Peggy Sue de lui avoir volé la vedette lors de la capture d'Apopi.

L'examen infernal

Au cours des jours qui suivirent, Peggy Sue ne perdit aucune occasion d'examiner ses camarades de classe. Les plus antipathiques étaient bien sûr Jeff et ses copains. Arrogants, vantards, souvent méchants, ils constituaient de parfaits suspects.

— Je suis comme toi, soupira le chien bleu, j'aimerais bien les croire coupables, toutefois il faut se garder des conclusions hâtives. Si les espions dont parle Zooar se sont déguisés en enfants pour infiltrer l'école, je les pense assez malins pour ne pas se faire remarquer. A leur place, je choisirais au contraire de prendre l'apparence d'un bon copain, d'une fille timide. Je ne la ramènerais pas à tout bout de champ.

— Tu as raison, approuva Peggy. Mais je ne sais vraiment pas comment me débrouiller pour les démasquer. Et puis, je n'aime pas tellement espionner les gens.

— Je le ferai à ta place, proposa l'animal. J'irai rôder près d'eux pour écouter leurs conversations. Ils ne feront pas attention à moi puisqu'ils me prennent pour un chien ordinaire.

Les choses se compliquèrent quand Mademoiselle Zizolia placarda sur le tableau d'affichage la date du premier contrôle. C'était dans deux semaines !

— J'attire votre attention sur le fait que si vous échouez à cette épreuve vous n'aurez pas le droit d'accéder au deuxième étage, déclara-t-elle. Vous serez mutés à la cantine où vous ferez la plonge jusqu'à ce qu'on vous emmure avec ceux qui n'obtiendront pas leur diplôme de fin d'études. Cela devrait vous faire réfléchir et vous convaincre de travailler dur. Ici, il n'existe pas de session de rattrapage. S'il en allait ainsi dans tous les collèges, les élèves auraient de meilleures notes !

Diablox leur tint le même langage.

— Je sais que les cours de botanique et de zoologie extraterrestres vous semblent absurdes, dit-il d'une voix sourde. Vous ne voyez pas à quoi cela peut servir, vous avez l'impression de perdre votre temps... Je puis vous assurer qu'il n'en est rien. D'ici deux semaines, votre survie dépendra de ce que vous aurez appris. Le deuxième étage est un environnement hostile, *très hostile*, et certains d'entre vous n'en reviendront jamais. Les connaissances que vous mémorisez aujourd'hui vous sauveront peut-être la vie le moment venu. Pensez-y lorsque vous aurez envie de balancer vos manuels dans le broyeur à ordures.

— C'est inadmissible ! protesta le grand Jeff, vous n'avez pas le droit de nous cacher la vérité. Qu'est-ce qui nous attend là-haut, hein ?

Mais Diablox se contenta de ricaner.

— Vous le découvrirez bien assez tôt, siffla-t-il en tournant les talons.

Peggy Sue, Naxos et le chien bleu prirent l'avertissement au sérieux, aussi se plongèrent-ils dans l'étude des étranges manuels entassés au long des étagères de la bibliothèque. Le chien bleu, toujours débrouillard, se contentait de lire dans l'esprit de Peggy, cela le dispensait de mettre le museau dans les livres. Il restait ainsi pelotonné sous la table, la truffe bien calée sur les pattes de devant.

Le contenu des ouvrages était, il est vrai, assez rébarbatif, il n'y était question que d'animaux monstrueux aux pouvoirs bizarres, de plantes invraisemblables plus dangereuses que des lions, de fleurs carnivores, de ronces empoisonnées, de tomates explosives remplies d'une mitraille de pépins de fer, et autres horreurs dont les adolescents finissaient par rêver lorsqu'ils s'abattaient sur leur lit, la tête alourdie par la migraine.

— J'ai vraiment l'impression qu'on va nous parachuter dans la jungle, soupira Naxos, un soir, en frottant ses yeux rougis par la lecture. Or nous allons simplement grimper d'un étage. Tu crois que ces horreurs grouillent au-dessus de nos têtes ?

— Diablox en semble persuadé, fit Peggy. Cette école est tellement bizarre qu'il faut s'attendre à tout. Lorsque nous serons là-haut, il faudra rester ensemble et veiller les uns sur les autres.

— C'est bien ainsi que je l'entendais, dit le garçon aux cheveux d'or. Je ne manque pas de courage mais je n'ai pas l'habitude des aventures. Dans mon pays je n'ai jamais rien fait d'extraordinaire. Je me sens dépassé.

— Ce n'est rien, murmura Peggy en lui prenant la main, je t'aiderai.

*

A la fin de la première semaine de travail, Mademoiselle Zizolia rassembla les élèves sous le préau pour leur expliquer comment se déroulerait l'examen.

— Afin d'éviter toute tricherie, déclara-t-elle, vous n'aurez pas le droit d'emporter quoi que ce soit. Livres, cahiers, crayons, stylos, gommes... tout vous sera remis le matin de l'épreuve. Chacun de vous recevra un cartable contenant les ustensiles nécessaires. Pour chaque matière vous changerez de salle. Ne lambinez pas. Des pièges vous seront tendus, ici et là. Ils ont pour fonction de tester vos capacités de réaction et d'improvisation. Restez sur vos gardes. Ne vous affolez pas.

— Tout cela n'est pas rassurant, fit observer le chien bleu. Comment vais-je m'en sortir puisque je ne sais pas écrire ?

— J'en ai discuté avec Diablox, lui expliqua Peggy. Toi et moi sommes indissociables. Je rédige la copie mais tu as le droit de m'aider. Par contre, si j'échoue, tu échoues aussi.

— Ah ! Tant mieux, soupira l'animal, je ne me voyais pas en train de me fourrer un stylo dans le museau! Nous vaincrons ou nous périrons ensemble, comme nous l'avons toujours fait!

— J'ai hâte que tout ça soit fini, gémit Peggy. Cette attente me rend folle et j'ai la tête qui explose. L'école, c'est vraiment l'enfer!

*

Le jour de l'examen arriva. Peggy Sue avait l'estomac si noué qu'elle ne put rien avaler au petit déjeuner. La présence du chien bleu la rassurait car le petit animal possédait une mémoire et un instinct infaillibles. S'il y avait des pièges, il saurait les détecter.

Un peu pâles, les élèves se rassemblèrent dans le hall. Conformément aux instructions, ils n'avaient rien emporté. Calamistos grimpa sur l'estrade pour leur asséner un discours d'encouragement. Peggy s'émerveilla du naturel avec lequel le robot s'acquittait de sa tâche. C'était vraiment du beau matériel, on n'aurait jamais deviné qu'il s'agissait d'un pantin d'acier revêtu de caoutchouc.

— C'est l'heure! annonça Mademoiselle Zizolia, tout le monde en file indienne, nous allons nous diriger vers le centre d'examen.

Naxos saisit la main de Peggy et la serra.

— Bonne chance, souffla-t-il. J'espère qu'on se retrouvera à la sortie.

— *On se tait!* intervint la surveillante. Je ne veux plus entendre un mot. Vous feriez mieux d'épargner votre souffle pour ce qui va suivre. Qui sait si vous n'aurez pas à courir?

Ils durent traverser une sorte de vestiaire où des valets leur remirent à chacun un cartable contenant les dictionnaires autorisés ainsi que les fournitures nécessaires : crayons, gomme, stylos. Peggy Sue eut la surprise d'y découvrir une paire de jumelles, ainsi qu'un briquet et une bougie... Voilà qui était pour le moins curieux. Tout le monde se vit attribuer le même équipement.

Chaque cartable possédait un grand numéro peint sur son rabat. Celui de Peggy était le 21.

— Attention, expliqua encore Mademoiselle Zizolia. A l'appel de votre numéro vous devrez courir vers la salle où vous êtes attendu. Ne lambinez pas. Le temps joue contre vous. Les épreuves sont chronométrées. Vous avez tout intérêt à vous montrer rapides. Plus vous traînasserez, plus les choses se compliqueront. Je ne vous en dis pas plus. L'élément de surprise fait partie de l'épreuve. A présent, tous en piste. De l'autre côté de cette porte s'ouvrent les salles d'examen. A vous de jouer... et bonne chance.

Tout était dit. D'un même mouvement les adolescents se précipitèrent vers les portes battantes derrière lesquelles allait se jouer leur destin. Peggy eut la surprise de découvrir un couloir interminable qui semblait s'étirer jusqu'aux confins de l'horizon. Ce passage, fort étroit et mal éclairé, était jalonné de salles de classe vides. Au-dessus de chaque entrée, un panneau lumineux comme on en voit dans les aéroports clignotait. Pour l'heure, ces pancartes électroniques affichaient toutes le chiffre 0.

La jeune fille chercha Naxos du regard, mais la cohue les avait séparés. De plus on y voyait mal car la lumière tombant du plafond provenait d'ampoules jaunâtres de faible puissance. Dans cette pénombre de fin du monde l'immense corridor prenait une allure inquiétante.

Brusquement les panneaux se mirent à crépiter, affichant des chiffres dans le plus grand désordre : 15... 3... 17... 2... 12... 7...

Hélas, comme le couloir était immense, ces numéros clignotaient en des points très éloignés les uns des autres. Si certains élèves n'avaient qu'à faire dix pas pour rejoindre leur salle d'examen, d'autres devaient courir sur plus de cinquante mètres pour répondre à la convocation !

— Voilà à quoi servent les jumelles ! lança le chien bleu. Les numéros peuvent apparaître à une telle distance qu'on ne peut les lire à l'œil nu !

La panique s'empara des candidats. Ce fut la ruée, brutale, instinctive. Chacun se mit à courir sans savoir où il allait. Or, à peine s'était-on mis en mouvement qu'on dut affronter le premier piège : *le parquet, ciré à l'extrême, était aussi glissant qu'une patinoire !* D'emblée, dix élèves perdirent l'équilibre et roulèrent cul par-dessus tête, entraînant leurs voisins.

Peggy Sue se plaqua le dos au mur pour éviter d'être bousculée et, tirant les jumelles de son cartable, scruta la longue file de salles. Elle repéra enfin le numéro 21 qui clignotait à plus de soixante mètres de l'endroit où elle se tenait. Elle s'élança, s'appuyant au mur pour assurer son équilibre. Elle avait l'illusion de se déplacer sur un lac gelé, ses semelles trop lisses ne cessaient de déraper. Elle avait conscience de perdre un temps précieux. Elle tomba deux fois mais réussit à se redresser sans trop de mal. Enfin, elle franchit le seuil de la salle 21. La pièce ne comportait qu'un tableau noir, un pupitre et une chaise. Une feuille de papier blanc était posée sur la table.

— Attention ! nasilla une voix sortant d'un haut-parleur, le compte à rebours est déjà commencé. En fait, il a commencé dès que votre numéro est apparu sur le tableau lumineux. A partir de cet instant, les conditions de l'examen se dégradent. La question écrite au tableau commence à s'effacer. La feuille sur laquelle vous devez écrire la réponse adéquate commence à rétrécir. Si vous continuez à perdre du temps, la question aura disparu avant que vous ayez pu la lire et la feuille sera devenue trop petite pour que vous écriviez dessus. Lorsque vous aurez rédigé votre réponse, inscrivez votre numéro et la mention « terminé » sous la dernière ligne. Cette inscription arrêtera aussitôt le processus de rétrécissement de la feuille. Mais dès lors, vous ne pourrez plus rien ajouter sur le papier. Les jeux seront faits, vous devrez vous lever et quitter la pièce. Les panneaux lumineux du couloir vous indiqueront où vous attend la deuxième question de l'examen. A présent bonne chance, vous n'avez déjà que trop tardé...

Paralysée par la stupeur, Peggy demeura figée au seuil de la salle. A la surface du tableau noir un long paragraphe tracé à la craie blanche s'effaçait lentement.

— Nom d'une saucisse atomique! gronda le chien bleu. Les mots deviennent transparents! Si tu attends encore, ils vont disparaître tout à fait. Vite! Remue-toi!

Peggy se précipita vers le pupitre, ouvrit le cartable pour saisir un stylo. Ses mains tremblaient tellement qu'elle faillit le laisser échapper.

Les yeux plissés, elle entreprit de déchiffrer la question. On lui demandait d'énumérer les pachydermes de la planète Mars et de faire un dessin du plus gros d'entre eux. Elle battit le rappel de ses souvenirs. Hélas, pendant qu'elle réfléchissait, la feuille blanche rétrécissait à vue d'œil. *Bientôt elle ne serait pas plus grande qu'un livre de poche!*

— Vas-y! Vas-y! s'impatientait le chien bleu. N'attends pas qu'elle se change en timbre-poste!

Peggy se mit à écrire aussi petit que possible. Diable! c'est que la liste des pachydermes martiens était longue. Au fur et à mesure qu'elle traçait ses mots, Peggy les voyait rapetisser, devenir illisibles, comme s'ils avaient été dessinés par une patte de mouche. Quand elle commença à gribouiller le dessin, la copie avait atteint la taille d'une carte de visite. N'y tenant plus, Peggy inscrivit le numéro 21 et la mention « terminé » de peur que le morceau de papier ne se change en confetti.

— Viens! C'est fini! lui cria le chien bleu. Secoue-toi! Le 21 vient déjà d'apparaître sur un autre panneau lumineux. Il faut courir là-bas.

Peggy Sue s'élança sur les traces du petit animal. Le couloir était devenu le théâtre d'un véritable chaos. Non contents de déraper, les candidats se piétinaient, se battaient, dans un tonnerre d'insultes et de cris de colère.

Peggy glissa et s'affala. Cette fois elle se fit mal et ne put continuer qu'en boitillant. Dans la salle suivante la question inscrite au tableau était déjà presque illisible. La jeune fille saisit son stylo pour répondre mais celui-ci refusa d'écrire. L'encre semblait s'être évaporée, quant à la pointe, elle inscrivait de stupides griffures sur la copie qui, elle, rétrécissait à une vitesse vertigineuse... Le temps que Peggy attrape un autre stylo au fond de son cartable, la feuille de papier avait l'apparence d'un timbre-poste! Horrifiée, Peggy Sue la vit diminuer encore jusqu'à devenir un minuscule point blanc à la surface du pupitre.

— C'est fichu! haleta le chien bleu, tant pis! courons vers la prochaine salle!

Alors commença un ballet infernal. Tantôt il fallait aller de l'avant, tantôt revenir sur ses pas. La bousculade était indescriptible. On marchait sur les élèves, on piétinait les cartables, les mains et les ventres. Les pièges se multipliaient. Peggy ne tarda pas à remarquer que son cartable pesait de plus en lourd, la ralentissant dans ses déplacements. Quand elle l'ouvrit, elle s'aperçut que son dictionnaire devenait de plus en gros, comme si le nombre de pages le composant ne cessait d'augmenter. Elle fut tentée de s'en débarrasser.

— Non! grogna le chien bleu. Ne fais pas ça, c'est sûrement un piège. Si tu le jettes, tu le regretteras.

Le petit animal avait vu juste. Dans la troisième salle Peggy Sue dut déchiffrer une question rédigée en langue vénusienne. Sans l'aide du dictionnaire, elle n'y serait pas arrivée. Mais quand elle voulut remettre le volume dans le cartable il n'y entra qu'à grand-peine tant il avait enflé au cours des dernières minutes. Les pages ne cessaient de se multiplier!

Peggy quitta la pièce l'épaule sciée par le poids du bouquin infernal.

Au cours de ses allées et venues elle croisa Naxos, blême, le visage luisant de sueur, il courait tel un somnambule. En proie à une terrible angoisse, il ne la reconnut même pas.

Heureusement pour Peggy Sue, le chien bleu était beaucoup moins émotif que les humains, et c'est souvent lui qui soufflait les bonnes réponses à son amie. La jeune fille avait parfaitement conscience que, sans l'aide du petit animal, elle n'aurait jamais triomphé des pièges de l'examen.

Après une heure de folie, elle était épuisée, à bout de souffle et de résistance. Tout se mélangeait dans son cerveau, et cette confusion empirait lorsque ses outils d'écolière la trahissaient. D'abord, la gomme se mit à trouer le papier, émiettant la feuille déjà minuscule ; puis les stylos entrèrent en scène, parfois ils refusaient d'écrire, à d'autres moments ils lâchaient de grosses taches d'encre, ou encore formaient les lettres à l'envers. *L'un d'entre eux traçait des mots qui s'effaçaient au bout de 30 secondes !* Si bien que, lorsqu'on arrivait au bout d'une phrase, on découvrait que celle-ci s'était déjà à moitié volatilisée...

Le dictionnaire, quant à lui, était devenu si gros que Peggy ne pouvait plus l'extraire du cartable. Il finit d'ailleurs par exploser dans un grand éparpillement de feuilles, déchirant le cuir de la sacoche.

Si le chien bleu ne l'avait harcelée pour l'encourager à continuer, Peggy aurait jeté l'éponge. La migraine lui sciait la tête.

— Laissons tomber, gémissait-elle, j'ai tout raté, je n'ai répondu que des bêtises.

— Non ! Non ! insistait le chien, il faut poursuivre. Les autres n'ont pas été meilleurs que toi. Regarde la tête qu'ils font !

Enfin, alors que l'épuisement les gagnait tous, les panneaux lumineux s'éteignirent d'un seul coup. L'examen était terminé. Un grand silence succéda au vacarme. Hagards, les élèves se dévisageaient. Ceux qui s'étaient battus saignaient du nez. L'un d'eux avait été blessé par l'explosion de son dictionnaire. Assommé, il gisait sur le sol, recouvert d'un monceau de pages colorées.

Peggy retrouva Naxos qui tremblait dans un coin. Même le grand Jeff avait perdu son assurance habituelle. La bouche molle, il ne cessait de s'essuyer le front d'une main hésitante.

— Les épreuves sont terminées, annonça le haut-parleur, vous pouvez aller vous reposer dans le parc. Les résultats seront affichés à 15 heures sur le panneau du hall principal.

Abandonnant les cartables sur le sol, les adolescents se précipitèrent hors du centre d'examen. En débouchant dans le parc, Peggy fut éblouie par la lumière du jour. La tête lui tournait. Elle s'assit sur l'herbe. Naxos vint la rejoindre.

— Alors ? s'enquit-il, ça s'est passé comment ?

— Une catastrophe..., soupira la jeune fille. J'avais l'impression de devenir folle.

— Moi aussi, avoua le garçon, je ne m'attendais pas du tout à ça. J'ai dans l'idée que les questions et les réponses n'avaient aucune importance... En fait, on cherchait à éprouver nos réactions, notre degré d'émotivité.

— Je pense la même chose, renchérit le chien bleu. C'était un test. Reste à savoir quelle interprétation en feront les juges.

Peggy consulta sa montre. Elle avait hâte de voir Mademoiselle Zizolia afficher les résultats.

— Que se passera-t-il si on échoue ? s'inquiéta Naxos.

Le grand Jeff, qui se tenait assis non loin d'eux, grommela :

— On sera muté à la cantine, pour faire la plonge, servir la bouffe. Jamais on ne rentrera chez nous.

— Tu crois que c'est vrai? insista Naxos.

— Sûr! lâcha le grand escogriffe. Les profs ne plaisantent pas dans cette boîte. Quant à s'évader, ça ne doit pas être facile. Il faudrait explorer les environs, essayer de savoir quelle est la ville la plus proche.

Peggy Sue s'abstint de donner son avis. Comme le chien bleu, elle pensait que le collège était en réalité dissimulé dans une caverne, un abri souterrain, loin de la surface. Le ciel, l'horizon n'étaient qu'un décor de théâtre. Voilà pourquoi il n'y avait ni grilles ni gardes aux alentours. Si le collège avait l'air de se dresser en pleine nature, c'était parce que cette « nature » n'existait pas.

Très vite, les conversations cessèrent. Chacun attendait avec angoisse la publication des résultats.

« La prochaine fois que je rencontrerai le nœud papillon et la virgule, se promit Peggy Sue, j'exigerai de savoir ce qu'il advient réellement des recalés. J'en ai assez des contes à dormir debout qu'on chuchote au réfectoire. »

Mais au fond d'elle-même elle n'était guère rassurée. Zooar et Kazor se prenaient visiblement très au sérieux.

« M'ont l'air complètement paranos, oui..., grommela télépathiquement le chien bleu. Faut se méfier de pareils zigotos. Ils voient des ennemis partout, et si ça se trouve ces ennemis n'existent que dans leur imagination. »

Jusqu'à 15 heures le temps coula lentement. Enfin, Mademoiselle Zizolia apparut. Elle marcha vers le panneau d'affichage pour y punaiser une feuille. Ce fut la ruée.

Le soupir de soulagement fut général : ils étaient tous reçus.

Alors qu'ils se congratulaient, un ricanement se fit entendre. C'était Diablox qui, appuyé sur sa canne, les observait depuis le seuil du hall.

— Ne vous réjouissez pas trop vite, siffla-t-il. Ces épreuves étaient un jeu d'enfant. Vous rirez moins au deuxième étage. Certains d'entre vous ne riront même plus du tout.

— Pourquoi? lança Jeff avec arrogance.

— *Parce qu'ils seront morts,* souffla Diablox en lui tournant le dos.

Les mystères du deuxième étage

Le lendemain, Diablox les rassembla dans le parc pour leur donner de plus amples renseignements sur ce qui les attendait. Assis en cercle, sur la pelouse, les élèves écoutèrent avec recueillement les conseils de l'ancien super-héros.

— Le deuxième étage abrite un zoo, commença ce dernier. Un zoo extraterrestre où l'on a rassemblé des espèces animales provenant de planètes lointaines. Les animaux que vous allez rencontrer là ne ressemblent en rien à ceux que vous connaissez. Leurs pouvoirs sont étranges et mortels. Ces créatures ne sont nullement apprivoisées, elles ne viendront pas vous manger dans la main... *elles vous mangeront plutôt la main!*

Jeff et ses amis émirent quelques rires forcés.

— Mais que devrons-nous faire une fois là-haut? s'impatienta Peggy Sue. Je suppose qu'il ne s'agira pas d'aller distribuer des cacahuètes aux singes, n'est-ce pas?

— Non, grogna Diablox. Le zoo du deuxième étage est un supermarché de la toute-puissance.

C'est là que votre existence va prendre le grand tournant. Je vous ai expliqué dès le premier jour que le pouvoir était dans le costume que vous porterez, exact?

Les élèves hochèrent la tête.

— Eh bien, c'est à l'intérieur du zoo que vous fabriquerez le costume qui vous rendra célèbre, *votre* costume de super-héros!

— Mais comment cela? balbutia Naxos.

— Il vous faudra choisir un animal fabuleux en fonction de ses pouvoirs, le tuer, le dépecer, et utiliser sa peau pour confectionner votre déguisement, répondit Diablox. C'est aussi simple que cela. Les pouvoirs de la bête imprègnent son cuir, ils passeront dans le costume.

— Je comprends, haleta Peggy, chaque fois que nous enfilerons ces vêtements, ces pouvoirs deviendront les nôtres.

— C'est cela même, approuva Diablox. Vous devrez donc choisir votre cible avec discernement, ne pas tuer n'importe quelle bête passant à votre portée. Etudiez bien votre proie, choisissez-la en fonction de vos goûts personnels. Par exemple, ne sélectionnez pas un oiseau si vous avez le vertige, ou une araignée géante si les araignées vous font horreur.

— C'est donc un safari[1]! s'exclama Jeff, c'est super! Ça me plaît de chasser des monstres!

---

1. Expédition regroupant des chasseurs dont le but est d'abattre le plus grand nombre d'animaux.

— Fais gaffe que ce ne soit pas eux qui te prennent en chasse ! gloussa Naxos.

— Ne vous emballez pas, intervint Diablox. Ce sera très dangereux. Ces animaux sont plus intelligents que vous le croyez, ils devineront d'emblée la raison de votre présence au deuxième étage, et ils se défendront. Comme la meilleure défense c'est souvent l'attaque, il est fort possible qu'ils vous tombent dessus à peine aurez-vous mis le pied dans la jungle. Soyez prêts à tout, sur vos gardes, la main sur votre arme.

Peggy Sue se tortilla. L'idée de tuer des bêtes, même monstrueuses, même féroces, ne l'emballait pas. Elle n'aimait pas la violence et se débrouillait toujours pour n'y avoir jamais recours.

— Vous allez vivre un grand moment ! s'enthousiasma Diablox. C'est dans cette forêt, au milieu des dangers, que vous allez devenir des super-héros. Je me souviens comme si c'était hier de mon propre passage au deuxième étage. C'était il y a quarante ans ! Je suis le seul de ma promotion à avoir survécu. Tous les autres candidats ont été dévorés par les bêtes qu'ils avaient essayé de capturer.

« Comme c'est encourageant ! » souffla mentalement le chien bleu dans la tête de Peggy Sue.

Diablox se redressa péniblement.

— Maintenant il va falloir vous préparer, annonça-t-il. Suivre des cours de survie. Là-haut vous ne pourrez compter que sur vous-mêmes, il sera inutile d'appeler au secours, personne ne viendra vous aider.

*

Ils durent effectivement apprendre comment tuer, dépecer et écorcher un monstre. Tout cela n'avait rien de très ragoûtant et Peggy fut bien souvent sur le point de vomir. Le chien bleu, lui, trouvait la chose plutôt intéressante.

— Une fois la peau détachée du cadavre, expliqua l'un des professeurs, vous serez obligés de la gratter et de la tanner, sinon elle pourrira. Vous trouverez des produits de tannage accéléré dans votre paquetage, toutefois, il est plus prudent que vous appreniez les méthodes naturelles qu'on utilisait dans l'Antiquité. Notamment celle qui consiste à faire mariner les peaux dans des décoctions de glands, ou encore...

Peggy Sue prenait des notes.

— Une fois la peau enlevée, demanda le chien bleu, est-ce que je pourrai manger le monstre ? Ce serait dommage de laisser perdre toute cette bonne viande.

Puis vinrent les cours de couture, car il faudrait donner à la défroque de cuir l'allure d'un vêtement. Or on ne coud pas la peau du crocodile comme une vulgaire cotonnade.

— Le dos du croco est si épais qu'il est impossible d'y faire un trou, expliqua le professeur. Il arrive même que les balles ricochent à sa surface. Seule la peau du ventre est utilisable.

Enfin, l'on passa au recensement des différentes créatures hantant la jungle du deuxième étage. Elles étaient effrayantes et très nombreuses.

— Apprenez le manuel par cœur, insista Diablox, car il est possible que vous perdiez votre sac à dos. Dans ce cas, vous devrez vous débrouiller avec ce que vous trouverez, manger des fruits, faire du feu, fabriquer des armes avec des bâtons, des silex. Vous ne partez pas en excursion, *vous allez vous infiltrer en territoire ennemi.*

La forêt de tous les dangers

Le matin de leur admission au deuxième étage, les adolescents durent subir un nouveau discours de Calamistos, discours auquel ils ne prêtèrent pas la moindre attention car ils étaient trop excités — ou trop effrayés — pour écouter la leçon de morale du directeur.

Avant qu'ils s'engagent dans l'escalier, les valets remirent à chaque candidat un sac à dos contenant une lampe électrique, des tablettes d'alcool solidifié pour le feu, un produit pour purifier l'eau, un testeur de poison, un briquet, une boussole, une trousse de première urgence, une solution de tannage concentrée, ainsi qu'une tente individuelle ultra-légère. Au réveil, on les avait priés de revêtir, au lieu de leurs habits ordinaires, une tenue de camouflage verte ainsi que de solides chaussures militaires. En ce qui concernait les armes, ils avaient reçu un arc et ses flèches, un couteau, un sabre de brousse, une pointe de javelot.

— Une dernière recommandation, souffla Diablox alors qu'ils s'élançaient dans l'escalier, ne cherchez jamais l'affrontement direct. Pour capturer les bêtes, utilisez plutôt des pièges. Creusez des fosses, garnissez-les de pieux, posez des nœuds coulants... Soyez rusés, invisibles, et vous aurez une chance de rester en vie. A présent, je vous souhaite bonne chance ! J'espère que vous serez nombreux à redescendre ces marches.

Peggy avait la gorge nouée. Le sac à dos lui sciait les épaules. L'arc, le sabre et le poignard l'encombraient. En outre, elle n'était pas certaine de savoir les utiliser convenablement.

Alors, pas à pas, les élèves entreprirent d'escalader les marches de béton gris. Ils s'aperçurent vite que l'escalier en comptait un grand nombre car, au bout d'un quart d'heure, ils n'avaient toujours pas atteint le palier du second !

— Nom d'une saucisse atomique ! gémit le chien bleu, ce truc grimpe jusqu'aux nuages !

Peggy n'était pas loin de penser comme lui. Ce puits de ciment grisâtre, nu, avait quelque chose d'inquiétant. Les marches, très hautes, fatiguaient les muscles des jambes. Et puis, il y avait l'odeur... Une odeur bizarre de pourriture végétale, de marécage. Une odeur chaude, moite, comme on en renifle dans les caves où poussent les champignons et où s'entassent les crottes de chauves-souris.

— La température s'élève au fur et à mesure que nous montons, nota Naxos dont le front brillait de sueur. C'est comme si un morceau d'Afrique nous attendait là, au prochain palier.

L'idée était formidable mais Peggy Sue réfréna son enthousiasme.

— C'est l'odeur de la forêt, murmura-t-elle, l'odeur de la jungle. Elle est là, quelque part entre ces murs, elle nous attend...

Il leur fallut encore grimper durant un quart d'heure. Quand le palier se dessina enfin dans la pénombre, ils poussèrent un cri de soulagement car ils avaient les jambes rompues.

Deux énormes portes coulissantes se dressaient là, plus hautes que celles d'un temple antique. Leur métal maculé de taches de rouille luisait telle la cuirasse d'un géant. A cet endroit l'odeur de la jungle prenait à la gorge. Peggy leva les yeux pour examiner le plafond, s'attendant presque à le voir recouvert de lianes auxquelles se seraient balancés des singes hurleurs. Puis elle reporta son attention sur les portes d'acier. Un gros bouton rouge dépassait du mur, à gauche. Diablox leur avait expliqué qu'il suffisait de l'enfoncer pour que les battants s'entrouvrent pendant dix secondes.

— Il faudra vous faufiler dans cet espace par petits groupes, avait-il décrété, car on ne peut pas courir le risque de laisser les portes ouvertes trop longtemps. Les monstres en profiteraient pour s'échapper. Faites vite, et ne restez pas ensemble à attendre qu'un fauve vous repère. Dispersez-vous dans toutes les directions. Le mieux, c'est de former des unités de trois équipiers. Rester seul est trop dangereux.

Les adolescents s'immobilisèrent devant la commande d'ouverture.

— Qui commence? demanda Jeff. Si ça se trouve, y a déjà un monstre derrière la porte qui attend de bouffer le premier qui franchira le seuil...

— Y a qu'à tirer à la courte paille..., proposa un garçon.

— Non, trancha Peggy qui en avait assez, j'y vais avec Naxos et mon chien.

— Si ça te va, ça me va, ricana Jeff en posant son pouce sur le bouton écarlate. Mais ne compte pas sur moi pour enterrer ce qui restera de ton cadavre!

Un grondement sourd fit vibrer le sol et les murs. Avec une lenteur exaspérante les deux moitiés de la porte s'écartèrent, ouvrant un minuscule passage dans lequel il fallait se faufiler. Peggy Sue s'élança. Elle avait hâte d'en finir. Elle agissait toujours ainsi quand elle avait peur, pour mettre fin à la torture de l'attente.

Suivie de ses deux amis, elle se glissa dans l'étroit passage. Plus elle avançait, plus l'odeur d'humus [1] devenait forte. L'acier des portes faisait un mètre d'épaisseur. De l'autre côté, les attendait un spectacle défiant l'imagination.

— Oh! soupira la jeune fille en s'immobilisant.

Devant elle se dressait une ligne d'arbres gigantesques, aux troncs épais, à l'écorce rouge vif, et dont le feuillage touchait le plafond de la salle qui, pourtant, culminait à plus de 40 mètres. La jungle

---

1. Pourriture formée de végétaux en décomposition.

était prisonnière de cette énorme boîte de béton comme d'une serre aux dimensions colossales. La ligne des arbres bouchait la vue, si bien qu'on ne pouvait se faire une idée de ce qui se cachait derrière. Une herbe rougeâtre, caoutchouteuse, recouvrait le sol. Vivante, elle bougeait sous les semelles tel un millier de vers de terre.

— Ça me chatouille les pattes, constata le chien bleu. C'est rigolo! On dirait des carottes râpées vivantes.

Il faisait très chaud. Une chaleur moite de bain de vapeur, qui vous collait instantanément les vêtements à la peau. Ici, on ne s'était pas donné la peine de peindre le plafond pour faire croire qu'il s'agissait du ciel, le béton brut, d'un gris désespérant, tenait lieu d'azur. Des oiseaux aux ailes membraneuses le frôlaient, rasant la cime des baobabs [1].

— Des ptérodactyles rouges! On se croirait en pleine préhistoire! haleta Naxos, ses cheveux d'or plaqués aux tempes par la transpiration.

Le claquement sourd de la porte se refermant derrière eux les tira de leur stupeur.

— Venez, ne restons pas là, ordonna Peggy, nous formons une trop belle cible. Allons plutôt nous cacher derrière ces rochers.

---

1. Arbres au tronc énorme, boursouflé, en forme de bouteille géante, couronné de courtes branches.

Dans les minutes qui suivirent, d'autres groupes d'élèves se faufilèrent entre les battants de la porte blindée. Ils choisirent de s'éparpiller. Certains se dissimulaient dans un fossé, les autres dans un bosquet de fougères géantes.

— Ces arbres ne m'inspirent pas confiance, marmonna le chien bleu qui scrutait l'orée de la forêt. Je ne sais pourquoi, mais ils me font penser à des dents plantées à l'entrée d'une bouche. Mon instinct me souffle qu'il s'agit d'un moyen de défense...

Peggy hocha la tête. Elle avait pour habitude de respecter les avertissements du petit animal.

— Attendons, décida-t-elle.

Sortant les jumelles du sac à dos, elle examina les baobabs écarlates qui formaient une véritable barrière.

— Ils sont plantés très serré, constata-t-elle. C'est à peine s'il y a 50 centimètres entre chaque tronc, et... *oh!*

— Quoi? s'impatientèrent Naxos et le chien bleu.

— C'est bizarre, chuchota Peggy. *Il y a beaucoup de squelettes entre les racines.*

— Des squelettes?

— Oui, des squelettes d'animaux... ils sont brisés, éparpillés.

— Allons voir ça de plus près, fit le garçon, on ne peut pas rester ici à se tourner les pouces.

S'attendant à tout, les trois amis quittèrent leur cachette. Sous leurs semelles, l'herbe caoutchouteuse avait la consistance des anémones de mer.

Parvenus à la lisière de la forêt, ils s'immobilisèrent. Peggy grimaça. Les jumelles ne l'avaient pas trompée. Il y avait bel et bien de nombreux squelettes entassés au pied des arbres.

— Ils sont en morceaux, nota le chien bleu. La bête qui les a mis en pièces possédait une sacrée mâchoire !

— Bizarre, fit Naxos qui s'était accroupi et jouait avec un tibia. Les cages thoraciques sont écrasées. Et il n'y a pas la moindre trace de griffe ou de croc sur les os. Regardez !

— Tu veux dire que ce n'est pas un prédateur qui a fait ça ? insista Peggy Sue.

— Ça me paraît peu probable, les crocs des lions laissent de profondes éraflures sur les squelettes, rien de comparable ici. A mon avis le danger vient d'ailleurs.

Peggy leva la tête. Au premier abord elle avait supposé que des fauves se tenaient embusqués dans les branchages, attendant qu'un promeneur se hasarde dans la forêt pour lui tomber dessus. De toute évidence, elle s'était trompée.

Immobiles au pied des baobabs, les trois amis ne savaient quelle conduite adopter.

Tout à coup, la jeune fille remarqua quelque chose qui scintillait dans l'herbe, entre deux arbres.

— Hé ! haleta-t-elle, vous voyez ça ? c'est une armure ! Une armure complètement aplatie !

— Oui, renchérit Naxos, on dirait qu'elle est passée sous un rouleau compresseur.

— Oh ! je crois que j'ai compris, balbutia l'adolescente. Ce sont les troncs ! *Ils se rapprochent les uns des autres !* Ils gonflent jusqu'à former une sorte d'étau qui écrase tout ce qui a eu la mauvaise idée d'entrer dans la forêt. Voilà pourquoi leur écorce a cet aspect caoutchouteux. Je suppose qu'ils pompent l'eau du sol pour doubler de volume.

— Tu as raison, approuva le chien bleu, c'est la pression exercée par les baobabs qui a fait exploser la cage thoracique des squelettes.

— On les a plantés là pour décourager les curieux et pour retenir ceux qui auraient dans l'idée de fuir la jungle, murmura Peggy Sue. Je me demande de quelle manière ils s'y prennent pour détecter la présence des intrus.

— Ils n'ont pas d'yeux..., constata Naxos. Je suppose qu'ils réagissent aux effleurements.

— Sûrement, approuva le chien, dès qu'on pose le pied sur une racine ils commencent à gonfler. A voir le nombre de victimes entassées sur le sol, leur temps de réaction est rapide.

— Il va falloir faire attention, soupira la jeune fille. Marchez bien entre les racines, et ne touchez surtout pas l'écorce des arbres. Si nous n'entrons jamais en contact avec eux, ils ne détecteront pas notre présence.

— Facile à dire, grogna le chien bleu. Tu as jeté un coup d'œil par terre ? *Il y a des racines partout.*

— Ce sera comme d'avancer dans un champ de mines, fit Naxos, le sourcil froncé. Mais nous n'avons guère le choix.

— Tu l'as dit, conclut Peggy Sue. Il faut se décider à y aller... ou bien renoncer.

Retenant leur souffle, ils s'engagèrent dans la forêt. Les baobabs géants tissaient un plafond de feuilles rouges au-dessus de leurs têtes, installant une pénombre qui ne facilitait guère le repérage des obstacles.

Les dents serrées, Peggy scrutait le sol à la recherche d'un endroit où poser la semelle. A aucun prix elle ne devait toucher le contour d'une racine, or celles-ci, fort nombreuses, formaient un entrelacement des plus serrés. Parfois, la jeune fille se retrouvait dans de telles positions qu'elle manquait de perdre l'équilibre.

« Quelle gymnastique ! pensa-t-elle. C'est à se déboîter les articulations. »

La sueur lui piquait les yeux. Elle avait peur. A trois reprises elle faillit tomber. Parfois, la rage au cœur, elle devait rebrousser chemin car les racines s'enchevêtraient à tel point qu'il était inutile d'espérer trouver un passage.

Elle avait l'impression de piétiner depuis des heures. La vue des squelettes amassés au pied des arbres n'avait rien de rassurant. Certains d'entre eux avaient littéralement explosé. Quand elle arriva à la hauteur de l'armure aplatie, Peggy s'agenouilla pour entrebâiller la visière du casque. Elle poussa un gémissement : il y avait un crâne à l'intérieur du heaume ! Un crâne plus disloqué qu'une coquille de noix qu'on aurait écrasée sous le talon.

Des cris retentirent sur sa gauche, dans le lointain. Elle comprit que des élèves imprudents venaient de se laisser prendre au piège de la forêt. Sans doute avaient-ils été victimes de leur impatience. Il faut dire que cette progression au ralenti mettait les nerfs les plus solides à rude épreuve.

A présent qu'elle se tenait au cœur des bois, dans l'intimité des baobabs, Peggy voyait la sève palpiter dans les veines de l'écorce caoutchouteuse. Ces veines formaient de grosses canalisations capables de pomper à grande vitesse l'eau du sol. Quand cela se produisait, l'arbre gonflait telle une chambre à air.

La jeune fille marqua une pause car des crampes menaçaient ses mollets contractés depuis trop longtemps.

Autour d'elle, les arbres géants respiraient, palpitaient à la façon des pachydermes endormis. Un rien pouvait les tirer de leur assoupissement.

— Tu crois qu'on va bientôt en voir le bout? s'impatienta le chien bleu. Ça fait une éternité qu'on marche.

— Mais non, tempéra Peggy. Tu as cette impression parce que nous progressons lentement. Je pense qu'une fois franchie cette couronne d'arbres nous allons déboucher dans la savane.

Hélas, ce qui devait arriver arriva... Fatiguée par la tension nerveuse, contrôlant mal ses gestes, Peggy Sue dérapa sur la mousse et, perdant l'équilibre, expédia un coup de coude dans l'un des troncs!

— Alerte! cria-t-elle. Je viens de toucher un arbre! Vite!... Eloignez-vous de moi!

— Pas question! rugit le chien bleu. Le mieux c'est de se mettre à courir pour les prendre de vitesse! Le temps qu'ils commencent à gonfler nous serons loin!

Les adolescents s'élancèrent d'un même mouvement, pour comprendre presque aussitôt que l'idée du petit animal était mauvaise. En effet, il était impossible de courir au milieu des racines entremêlées sans trébucher. Or, chaque fois qu'ils tombaient, ils heurtaient un nouveau tronc qui, lui aussi, s'éveillait et doublait de volume.

Très vite, l'espace se mit à rétrécir autour des fuyards. A deux reprises, Peggy faillit se retrouver coincée entre deux murs d'écorce. Naxos l'en dégagea alors qu'elle commençait à suffoquer. Un peu partout le labyrinthe se refermait, les minces couloirs séparant les arbres se comblaient.

— J'ai une idée, balbutia Peggy en tirant son poignard, si nous sectionnons les veines situées au ras du sol nous priverons les arbres de leur alimentation en eau! Sans sève, ils ne pourront plus gonfler!

— Génial! siffla le garçon, vite, dépêchons-nous...

Les trois amis se ruèrent dans le dernier passage qui s'ouvrait encore devant eux. Au fur et à mesure qu'ils avançaient, ils sectionnaient les canalisations naturelles permettant aux baobabs martiens de se remplir. L'écorce caoutchouteuse n'opposait guère de résistance aux lames aiguisées comme des rasoirs. Sitôt les veines du bois entaillées, la sève jaillissait, aspergeant les trois compagnons comme l'eau s'échappant d'un tuyau d'arrosage.

Cette technique contrariait efficacement la stratégie des arbres et retardait d'autant leur gonflement. Sans cette ruse, jamais nos amis n'auraient réussi à échapper à l'étreinte mortelle de la forêt.

Titubants, inondés de sève de la tête aux pieds, les adolescents émergèrent enfin de la jungle pour tomber à genoux dans la savane. Les hautes herbes jaunes, brûlées par le soleil, s'agitaient dans le vent en produisant un crissement continu.

Le chien bleu s'ébroua puis se roula par terre pour se sécher. Peggy et Naxos luttaient pour recouvrer leur souffle. Quand elle regarda par-dessus son épaule, la jeune fille s'aperçut que les arbres, qui avaient continué à gonfler, étaient à présent collés les uns aux autres, formant une gigantesque palissade. Aucun espace libre ne subsistait entre les troncs désormais scellés.

« Quelle curieuse technique ! songea Peggy. Si nous n'avions pas été méfiants, nous serions à présents plus aplatis que des hamburgers ! »

Elle voulut se relever, elle constata alors qu'elle était *paralysée*. Ses vêtements l'enveloppaient comme une coquille de pierre. Naxos se trouvait dans le même état. Sa tenue s'était changée en un carcan qu'on ne pouvait ni plier ni ôter.

— C'est la sève ! cria Peggy Sue. *Elle a amidonné nos vêtements.* En séchant, elle les a rendus plus durs que le marbre. Je ne peux plus bouger !

— Moi non plus ! gémit le garçon.

Seul le chien bleu, qui avait pris soin de s'ébrouer, jouissait encore de sa liberté de mouvement. Il s'approcha des adolescents pour flairer leurs habits.

— Nom d'une saucisse atomique ! grommela-t-il, on croirait que vous êtes recouverts de ciment. La sève a séché au contact de l'air. Il faudrait un marteau-piqueur pour vous sortir de là !

— Un amidon naturel..., murmura Peggy. Un amidon martien. Les arbres se sont vengés. Nous nous sommes crus plus malins qu'eux, quelle erreur ! Ils avaient une arme secrète...

— Que va-t-il nous arriver ? s'inquiéta Naxos. Paralysés comme nous le sommes, nous constituons des proies magnifiques pour les prédateurs des alentours. Si les hyènes ou les lions viennent nous renifler, nous ne pourrons ni nous défendre ni nous enfuir. Ils n'auront aucun mal à arracher ce qui dépasse des vêtements : nos têtes, nos mains !

— Tu as raison, souffla Peggy en scrutant les hautes herbes. La savane est le territoire préféré des fauves. Ils ne vont pas tarder à détecter notre présence.

Le chien bleu, qui ne se décourageait jamais, se jeta sur Peggy, les crocs en avant, pour essayer d'arracher la carapace dont elle était recouverte. Ses crocs crissèrent sur les vêtements durcis sans même y creuser une éraflure.

— C'est comme si je mordais un caillou, cracha-t-il, dégoûté. Je n'arriverai à rien de cette manière. Je vais plutôt essayer de trouver de l'aide.

— Personne ne viendra à notre secours, soupira Naxos d'un ton désabusé. En tout cas, sûrement pas Jeff et ses copains. Dans ce genre d'épreuve, c'est chacun pour soi. Je pense même qu'il ne lui déplairait pas de nous savoir en difficulté.

— Il faut pourtant tenter quelque chose ! grogna le petit animal.

— Attendez ! intervint Peggy, j'ai une idée ! L'amidon, c'est un liquide, n'est-ce pas ? Il durcit en séchant... C'est ce qui se passe quand on amidonne une chemise, par exemple. Mais si on mouille de nouveau cette chemise, elle redevient molle...

— Oui, bien sûr ! s'enthousiasma Naxos. Tu as raison ! Il nous faut de l'eau ! Il faut dénicher une mare, un étang, où nous pourrons plonger.

Le chien bleu jappa.

— S'il y a des animaux, il y a forcément de l'eau, affirma-t-il. Le problème c'est de savoir où. Je vais explorer les environs, il n'y a pas d'autre solution. Quand j'aurai localisé une mare, je vous y traînerai un par un, à la force des mâchoires. Espérons que ce point d'eau ne sera pas trop éloigné. Je vais faire aussi vite que possible.

Et il plongea dans les hautes herbes, la truffe palpitante, cherchant à localiser l'odeur d'un marigot. Peggy et Naxos se retrouvèrent seuls, prisonniers des habits-carapaces. Ils savaient qu'ils étaient dans de sales draps. Un lion pouvait surgir d'un instant à l'autre et leur arracher la tête d'un coup de patte, pour s'en faire un sandwich.

— Si seulement il se mettait à pleuvoir ! gémit le garçon.

— Nous sommes dans une salle en béton, lui rappela la jeune fille. Une serre gigantesque, je ne pense pas qu'il faille compter sur une averse.

Elle se sentait horriblement nerveuse. Il lui déplaisait d'être ainsi offerte en pâture.

« Pourvu que le chien bleu ne fasse pas de mauvaise rencontre, se dit-elle. Ce serait affreux s'il croisait la route d'un lion. Il est bien trop petit pour lutter contre ce genre de fauve. »

Le temps passait sans que leur situation s'améliorât. De temps à autre, des rugissements éclataient dans le lointain. Des animaux chassaient au cœur des hautes herbes, invisibles mais redoutables.

— Il ne faudrait pas que le vent leur apporte notre odeur, soupira Naxos. Mais y a-t-il du vent ?

— Oui, il y a un circuit de ventilation. J'entends tourner ses hélices.

Ils se turent, ils n'osaient même plus parler de peur de signaler leur présence. Tout à coup, les herbes frémirent... Quelqu'un venait vers eux ! Peggy se crispa, s'attendant à voir surgir le mufle d'un lion, mais c'était le chien bleu qui revenait, couvert de poussière, tirant une langue de 30 centimètres.

— Il y a une mare, annonça-t-il, ce n'est pas trop loin, mais il y a aussi des fauves en maraude, j'ai dû me cacher. Je vais vous traîner là-bas l'un après l'autre. J'espère que j'en aurai la force.

Sans plus attendre, il prit son élan et bondit sur Peggy Sue pour la renverser. Quand l'adolescente fut couchée sur le sol, il saisit l'un des bras enveloppés entre ses crocs et s'arc-bouta.

Comme beaucoup d'animaux, ses mâchoires jouissaient d'une force considérable [1], mais il lui fallut tout de même s'arrêter fréquemment pour se reposer.

— Je me demande comment tes dents tiennent le coup! s'émerveilla Peggy.

— C'est notre grande supériorité, à nous les bêtes, soupira le chien bleu, physiquement, nous sommes beaucoup mieux conçues que les humains.

Ils connurent une grande frayeur quand un rugissement retentit, tout près. Un fauve maraudait, peut-être alerté par le fumet des adolescents. Il fallut se tapir contre une souche pourrissante dont la puanteur masquait leur présence. Le prédateur finit par s'éloigner.

« Pourvu qu'il n'aille pas dévorer Naxos! » s'alarma la jeune fille.

Enfin, après un trajet interminable ponctué de haltes fréquentes, ils arrivèrent au bord d'un marigot. L'eau était boueuse, et ses abords conservaient les empreintes de grands pachydermes. Le chien bleu pénétra dans la mare et tira Peggy à sa suite.

---

1. N'oublions pas qu'une lionne peut traîner un buffle mort de la même façon!

Quand elle fut au trois quarts immergée, il se retira à l'écart pour se reposer.

— Je suis trop épuisé, haleta-t-il, je ne peux pas repartir tout de suite.

— Je comprends, bredouilla l'adolescente qui essayait de garder la tête hors de l'eau. C'est déjà un miracle que tu aies réussi à me traîner jusqu'ici.

Peggy feignait d'être soulagée ; en réalité, elle ne cessait de surveiller les abords de la mare. Elle savait que les animaux sauvages ont coutume de venir boire à la tombée du jour, et elle appréhendait de voir surgir cette faune de cauchemar dont elle ignorait tout puisqu'il s'agissait de créatures ramenées d'une autre planète.

Quand le chien bleu eut en partie recouvré ses forces, il se dressa sur ses courtes pattes.

— Ça m'embête de te laisser seule..., grommela-t-il.

— Tu n'y peux rien, l'encouragea Peggy, on ne peut pas abandonner Naxos, c'est un garçon tout ce qu'il y a de bien.

— Je sais, soupira le petit animal. J'y vais.

Et il disparut entre les herbes.

Peggy Sue se sentait un peu ridicule ainsi plongée dans la mare. Toutes les deux minutes, elle essayait de bouger pour voir si ses vêtements s'amollissaient. Hélas, la chose semblait réclamer plus de temps qu'elle n'aurait voulu.

Le chien bleu était parti depuis un quart d'heure quand la jeune fille repéra un friselis suspect à la surface de l'étang...

« Comme si une bête nageait entre deux eaux... »,
songea-t-elle l'estomac serré.

Un crocodile? Un requin extraterrestre? On
pouvait s'attendre à tout en un pareil endroit!

L'animal aquatique allait et venait, se rapprochant, s'éloignant, comme s'il jaugeait sa future
proie. Peggy se mit à hurler avec l'espoir de
l'effrayer, mais cela ne lui fit ni chaud ni froid. D'ailleurs, comme il avait les oreilles pleines d'eau, sans
doute n'avait-il rien entendu.

Il fit encore deux passages, se rapprochant de
plus en plus. Puis, soudain, il passa à l'attaque et, à
la vitesse d'une torpille, se rua vers l'adolescente.

Terrifiée, Peggy Sue, au travers des remous
vaseux, distingua un mufle allongé bordé de crocs,
analogue à celui d'un alligator, à cette différence
près que les écailles du saurien étaient roses.

« C'est fini, songea-t-elle, je suis fichue! »

Elle ne réussit pas à bouger. Paralysée par la
carapace des vêtements amidonnés, elle ne pouvait
se hisser sur la rive pour se mettre hors de portée.

La bête fut sur elle... Les mâchoires, énormes, se
refermèrent sur son bras droit. Le choc fut épouvantable, et la jeune fille eut l'impression d'être
heurtée par une automobile.

Poursuivant sur sa lancée, l'alligator arracha
l'adolescente du trou de vase où elle se tenait recroquevillée pour l'entraîner avec lui, dans son sillage,
tout en essayant de mâchonner le bras par lequel il
l'avait saisie.

Toutefois, il n'avait pas prévu que la carapace
dont Peggy se trouvait enveloppée allait opposer

une résistance farouche. Il avait beau mordiller, ronger, rien n'y faisait, ses crocs ne parvenaient pas à faire éclater la coquille de l'amidon magique. Le saurien, qui commençait à s'énerver, frappait la surface avec sa queue, soulevant de grandes gerbes d'éclaboussures. Peggy ne pouvait rien faire pour lui échapper. Elle s'appliquait seulement à conserver la tête hors du marigot pour ne pas se noyer car le monstre l'avait tirée au beau milieu du point d'eau.

« S'il me lâche maintenant, je suis perdue, songea-t-elle. Le poids de la carapace va m'entraîner au fond et il me sera impossible de nager. »

Elle enrageait, oubliant presque sa peur. Echapper à la dévoration pour finir noyée, c'était tout de même trop fort !

Ce qu'elle redoutait arriva : dégoûté, l'alligator ouvrit les mâchoires et l'abandonna. Elle était décidément trop difficile à manger ! Dès que le saurien ne fut plus là pour la soutenir, Peggy se sentit couler. Le poids de la coquille l'entraînait vers les profondeurs bourbeuses du marigot. Elle gonfla ses poumons pour résister le plus longtemps possible à la noyade et entama sa lente descente vers le fond. L'eau était si trouble qu'elle n'y voyait rien. Dans un réflexe désespéré, elle s'agitait, essayant de vaincre la résistance de la carapace. Bientôt l'air viendrait à lui manquer, elle serait forcée d'avaler cette eau sale...

Alors que ses tempes bourdonnaient et qu'elle se croyait perdue, elle sentit les vêtements céder sous sa gesticulation furieuse. L'étoffe, imbibée de liquide, avait perdu la consistance de la pierre pour prendre enfin celle du carton. Brusquement, veste et pantalon se déchirèrent, et Peggy put s'en extraire comme d'une pelure gluante. A demi asphyxiée, elle frappa la vase des deux pieds et remonta vers la surface à la vitesse d'une fusée.

Il était temps ! Sans regarder derrière elle, elle nagea en direction de la berge, avec l'espoir que l'alligator ne reviendrait pas sur sa décision.

Elle atteignit la rive à bout de souffle et... toute nue, car ses habits étaient restés au fond.

Confuse, elle se cacha dans les hautes herbes alors même que le chien bleu surgissait de la savane, tirant Naxos à la force des mâchoires. Il était manifestement si épuisé que Peggy Sue, oubliant qu'elle n'avait plus rien sur elle, alla lui prêter main-forte. Ce n'est qu'en voyant Naxos ouvrir des yeux ronds qu'elle prit conscience de son état et devint rouge comme une pivoine.

Les naufragés de la savane

A l'aide de feuillages hâtivement tressés, Peggy improvisa une espèce de pagne dans lequel elle se sentait tout à fait ridicule. Une fois Naxos plongé dans le marigot, elle s'assit sur la berge, un tas de pierres à portée de la main pour en bombarder l'alligator s'il lui prenait l'envie de revenir.

Une chaleur moite, qui poussait à la somnolence, planait sur la savane. Pendant que les vêtements du garçon se ramollissaient, elle expliqua qu'elle avait perdu son sac à dos au fond de l'étang, lorsqu'elle avait failli se noyer.

— C'est embêtant, soupira-t-elle, il y avait un tas de choses utiles dedans.

— Une chose est sûre, fit le chien bleu, nous ne sommes pas en sécurité dans cette prairie. D'après ce que j'ai pu en voir, c'est le terrain de chasse favori des fauves du coin. Il serait urgent de se trouver un abri. Une caverne... ou quelque chose d'approchant.

Dès que Naxos eut récupéré sa liberté de mouvement, ils levèrent le camp. Le garçon grimpa dans un arbuste desséché pour examiner les alentours. De l'autre côté de la savane se dressait une forêt dont les arbres, quoique fort grands, avaient une apparence à peu près normale.

— Allons dans cette direction, décida Peggy Sue. Avec un peu de chance nous pourrons nous installer en hauteur, sur une grosse branche.

Les herbes de la savane s'élevant à près de trois mètres, ils en furent réduits à progresser à l'aveuglette.

— Espérons que nous ne tournerons pas en rond ! soupira Naxos. Ce n'est pas facile de se servir d'une boussole quand on ne dispose d'aucun repère visuel.

Ils avancèrent en silence, rentrant instinctivement la tête dans les épaules dès qu'un rugissement se faisait entendre. Le risque était grand, en effet, de se retrouver nez à nez avec un fauve attiré par l'odeur de la chair fraîche.

Par bonheur, ils atteignirent la forêt sans faire de mauvaise rencontre. D'un seul coup, ils quittèrent la prairie pour entrer sous le couvert des grands arbres. Cette fois, il ne s'agissait pas de baobabs. Les troncs orange portaient des rayures noires, rappelant le pelage des tigres. Les branches, très feuillues, semblaient solides.

— On pourrait facilement y construire une plate-forme, dit Naxos. Ce serait plus commode pour dormir.

Peggy Sue allait approuver quand une voix féminine s'éleva derrière eux.

— A votre place je n'en ferais rien, conseilla-t-elle. Ce sont des arbres-tigres, leurs feuilles sont carnivores. Elles ont pour habitude de dévorer les oiseaux et les singes qu'elles attirent en émettant des odeurs sucrées très appétissantes.

Les trois amis se retournèrent d'un même mouvement. Une belle jeune fille à la peau noire les observait. Sa tête était couverte de petites nattes serrées. Elle était vêtue d'une peau de bête tachetée et portait un grand arc de guerre en bandoulière. Elle devait avoir 16 ans. Son corps, musclé, était celui d'une guerrière.

— Salut, dit-elle, je m'appelle Loba, je suis prisonnière de cet endroit maudit depuis trois ans.

— Salut, répondirent les adolescents. C'est notre première journée ici, et ça n'a pas bien commencé.

Loba éclata d'un rire moqueur.

— *Au contraire*, lança-t-elle, puisque vous êtes encore en vie c'est que les choses sont allées pour le mieux. Comme tous les nouveaux arrivants, vous êtes très naïfs, vous n'avez aucune idée de ce qui vous attend ici. (Elle fit un geste de la main pour inviter les jeunes gens à la suivre, et ajouta :) Venez, il ne fait pas bon rester trop longtemps à la même place, cela permet aux prédateurs de vous repérer. Suivez-moi, je vais vous conduire chez les naufragés de la savane.

Sans plus s'expliquer, elle se mit à courir souplement entre les arbres. L'odeur d'humus prenait à la gorge. Buissons, lianes, feuillages et fruits ne ressemblaient à rien de ce qu'on rencontre sur la Terre. Tout avait une allure bizarre. Les melons et les courges évoquaient des visages grimaçants, les lianes des serpents, les arbres écailleux d'interminables cous de dinosaures... Toutes ces choses bougeaient continuellement : les fruits, les légumes... mais aussi les buissons. Dès qu'on les fixait pendant deux minutes, on les voyait ramper, rouler, ou trottiner sur leurs racines.

— Ne touchez jamais aux fruits, dit Loba, ils vous cracheraient des pépins de fer à la figure et vous risqueriez de perdre un œil. Ici, la nature est un grand piège qui n'a qu'une idée : vous dévorer. Même les végétaux se nourrissent de chair.

— Alors, comment fait-on pour ne pas mourir de faim ? s'inquiéta Peggy Sue.

— Il faut savoir reconnaître les espèces les moins dangereuses et s'entourer de précautions pour les consommer, expliqua la jeune chasseresse. Ainsi, méfiez-vous des cacahuètes, les écorces sont remplies d'un gaz qui explose lorsqu'on le libère. Ça peut vous arracher un doigt ou deux. Ici, la moindre noisette, la plus petite fleur sont équipées d'un système défensif. C'est un monde sauvage, habitué à la guerre. Nous n'y sommes pas à notre place.

Elle se tut et désigna un trou dans le sol dissimulé par un tapis de lianes tressées.

— Voilà l'entrée de notre bunker [1], chuchota-t-elle. Descendez un par un, je passerai la dernière pour refermer la trappe.

Les adolescents obéirent. Peggy prit le chien bleu sous son bras gauche et tâtonna pour trouver l'échelle de bambou qui s'enfonçait dans les profondeurs de la terre. Une fois en bas, elle découvrit un paysage de tunnels qu'éclairaient des lampes à pétrole suspendues à la voûte. Il fallait baisser la tête pour ne pas s'y brûler les cheveux.

— Trop cool ! s'exclama Naxos qui, comme tous les garçons, aimait les installations militaires.

Les boyaux serpentaient à la façon d'une taupinière. Parfois, une meurtrière défendue par un grillage s'ouvrait à ras de terre, permettant de surveiller la jungle.

Une dizaine de jeunes gens se tenaient recroquevillés dans la pénombre. La plupart étaient vêtus de guenilles ou d'habits rudimentaires tressés avec des fibres végétales. Quelques-uns étaient affublés de casques en bois improvisés à partir d'une demi-noix de coco.

Loba fit les présentations, mais Peggy Sue ne réussit pas à mémoriser les noms chuchotés dans la pénombre. Tous ces gens avaient les mains moites ; il était évident qu'ils mouraient de peur, et cela depuis longtemps.

---

1. Installation militaire souterraine.

— Un jour, il y a de cela plusieurs années, nous avons franchi le seuil du deuxième étage, comme vous, expliqua Loba. Nous ne savions pas, alors, que nous n'en ressortirions jamais.

— Pourquoi ? s'étonna Peggy.

— Parce que les chances de revenir en arrière sont presque nulles, soupira un jeune homme dont le visage s'ornait d'une courte barbe. C'est déjà un miracle que nous soyons arrivés vivants jusqu'ici. Les animaux et les végétaux apprennent vite... on ne réussit jamais à les tromper deux fois de suite.

Peggy s'empressa de raconter de quelle manière elle avait trouvé le moyen de traverser la forêt des arbres gonflables, mais le récit de cet exploit lui valut une série de haussements d'épaules.

— Peter a raison, renchérit Loba, ça ne marchera pas deux fois. Les baobabs se souviendront de ce que tu leur as fait, ils développeront une technique de riposte en conséquence. Si tu essayes de forcer le passage en employant la même ruse, tu auras une mauvaise surprise.

— Mais vous menez une vie affreuse ! protesta Naxos. Je ne pourrais pas rester enterré toute la journée comme vous le faites ! J'aurais l'impression d'être une taupe !

Peter ricana.

— Tu dis ça parce que tu débarques, siffla-t-il avec mépris. Nous en reparlerons quand tu auras failli te faire dévorer à trois ou quatre reprises !

Les autres approuvèrent en hochant la tête. Ils paraissaient tous beaucoup plus vieux que leur âge. L'angoisse permanente avait durci leurs traits.

Loba, devinant que le ton allait monter, s'empressa d'intervenir.

— Vous allez rester ici quelques jours, décida-t-elle, le temps de vous mettre au courant. Ensuite, vous ferez comme vous voudrez. Chacun est libre d'aller où bon lui semble, mais je ne vous laisserai pas partir dans l'état de naïveté qui est le vôtre. Vous n'êtes pas dans un parc à thème peuplé de vieux lions fatigués gavés de sucreries. Les bêtes et les légumes qui rôdent au-dehors n'ont qu'une idée en tête : avoir votre peau.

*

Dans l'heure qui suivit, la jeune chasseresse dénicha de nouveaux vêtements pour Peggy et lui fit visiter les installations souterraines.

— A l'origine, expliqua-t-elle, c'était un atelier de couture...

— Un atelier de couture ? s'étonna l'adolescente.

— Bien sûr, répliqua Loba. Pourquoi es-tu venue ici ? Pour te tailler un costume de super-héros dans la peau d'un animal fabuleux, n'est-ce pas ?

— Oui.

— Eh bien, une fois que les élèves avaient tué la bestiole qui leur convenait, ils venaient ici, pour travailler à l'abri, dans une sécurité relative. Ils écorchaient la bête, tannaient son cuir, puis essayaient de se coudre un vêtement à peu près convenable. Toutes ces opérations se déroulaient ici, sous la terre, loin des fauves en colère.

A la suite de Loba, Peggy traversa tour à tour la salle de tannage avec ses bacs, ses cadres où l'on tendait les peaux. Il y flottait une odeur de chair corrompue, et le sang avait rouillé la lame des racloirs avec lesquels on grattait intérieurement les peaux écorchées pour les débarrasser de leurs dernières lamelles de graisse.

— Hum! déclara le chien bleu tout ragaillardi, ça sent bon ici! L'eau m'en vient aux babines.

Peggy se dépêcha de quitter l'endroit. Plus loin, se tenait l'atelier de couture, avec ses grandes tables de coupe, ses patrons, ses mannequins. D'énormes machines à coudre s'empoussiéraient dans les coins.

— Découper et tailler une peau de monstre est loin d'être facile, soupira Loba. Beaucoup s'y cassent les dents. Il ne suffit pas d'une paire de ciseaux, d'une aiguille et d'une bobine de fil pour venir à bout du problème. Une peau de monstre ne se coud qu'avec des outils spéciaux.

Elle désigna un établi où s'alignaient d'étranges ciseaux semblables à des épées, des aiguilles aux allures de poignards, des bobines de fil où s'enroulaient des câbles d'acier...

— Même mort, chuchota-t-elle, l'animal continue à se défendre. Il faut tout le temps s'en méfier. J'ai vu des gars et des filles poignardés par le costume qu'ils essayaient de coudre.

— Tout cela semble abandonné, observa Peggy. Il ne vient plus personne?

— Si, encore... de temps à autre, mais de plus en plus rarement. Peu d'élèves arrivent à survivre.

— Mais toi, insista l'adolescente, tu n'as jamais essayé de te coudre un costume?

Loba baissa les yeux.

— J'y ai renoncé quand j'ai failli mourir pour la deuxième fois, fit-elle en écartant sa tunique.

Une grande balafre serpentait au-dessus de son nombril, comme si on avait essayé de la couper en deux avec un sabre.

— C'est le costume qui m'a fait ça, murmura-t-elle. Je le croyais mort, étendu sur la table, bien gentiment, et soudain il m'a arraché les ciseaux des mains pour me poignarder. Mon copain, Dany, s'est interposé. J'ai survécu, mais lui y est resté. Le costume l'a décapité avant de prendre la fuite. Ce jour-là, j'ai abandonné l'idée de devenir une super-héroïne, tu comprends?

Peggy hocha silencieusement la tête.

— Quand on lit les BD, reprit Loba, ça paraît cool, les super-pouvoirs, tout ça... Mais dans la réalité c'est beaucoup moins drôle.

— C'est pour ça que tu n'es jamais repartie?

— Oui, j'ai peur de revenir sur mes pas, de traverser une nouvelle fois la savane, puis la ceinture de baobabs... J'ai usé ma réserve de chance, il y a trop longtemps que je survis ici. Mes copains pensent comme moi. Nous ne nous éloignons jamais du bunker. Quand on connaît bien la flore des environs, on peut se nourrir de fruits, de légumes, sans prendre trop de risques.

— Tu comptes rester là combien d'années encore?

Loba détourna la tête avec gêne.

— Je ne sais pas, avoua-t-elle. J'attends que le courage me revienne... Je me dis que si j'arrive à me tailler enfin un costume magique je réussirai à triompher des pièges du dehors et à rentrer chez moi. C'est à cette seule condition qu'on peut s'en retourner, tu sais? Le costume te permet d'être plus rapide, plus forte, plus résistante. D'un seul coup, tu cesses d'être une proie pour les fauves qui rôdent à l'extérieur. Tu deviens leur égale. Parfois même, tu es plus forte qu'eux, alors ils te laissent en paix, et tu peux t'en aller.

Loba s'ébroua, parut sortir de son rêve et posa son bras sur les épaules de Peggy.

— La visite est finie! lança-t-elle d'un ton claironnant, allez viens, il est temps d'aller manger.

*

Le repas fut morne. Il se déroula à la lueur oscillante des lampes suspendues au plafond. Les jeunes gens tressaillaient dès qu'une bête rugissait dans la jungle. On mangea une soupe au goût de potiron et de grosses tranches d'un pain bis que Loba fabriquait en utilisant la farine d'une plante qui ressemblait au blé. Dans l'ensemble, c'était bien meilleur que ce qu'on sert d'ordinaire dans les cantines scolaires.

« C'est assez agréable de jouer les Robinson, songea Peggy Sue.

— Ça le serait encore plus s'il n'y avait pas toutes ces bestioles, dehors, qui rêvent de nous transformer en sandwiches!» lui souffla le chien bleu.

Plus tard, alors qu'ils s'allongeaient pour dormir sur des paillasses de fibres tressées, Naxos se rapprocha de Peggy.

— Il ne faut pas rester avec ces gens-là, lui souffla-t-il. Ce sont des lâches... A leur contact nous allons perdre tout courage. Ils vont nous refiler leur couardise et nous finirons comme eux. Dans dix ans nous serons encore là... Tapis au fond du bunker, à claquer des dents chaque fois qu'un lion rugira dans la savane.

— Ce n'est pas faux, bâilla le chien bleu. La peur est contagieuse, c'est bien connu.

— Nous partirons quand Loba nous aura expliqué tout ce qu'il y a à savoir, décida Peggy. Elle en connaît bien plus que nous sur ce qui se passe dans la jungle. Si nous voulons survivre, nous aurions intérêt à l'écouter.

— C'est bien ça qui m'inquiète, grommela Naxos, quand on veut survivre à tout prix, on ne devient jamais un héros.

Peggy haussa les épaules. C'était bien là une réflexion de garçon! Puis elle ferma les yeux et s'endormit.

*

Le lendemain, Loba demanda aux trois amis de l'accompagner dans la forêt pendant qu'elle irait cueillir les fruits nécessaires à l'alimentation des naufragés. Elle en profita pour leur indiquer les légumes qu'on pouvait consommer sans trop de danger.

— En règle générale méfiez-vous de ce qui sent bon, dit-elle. Les parfums annoncent souvent un piège végétal. Les plantes s'en servent pour attirer leurs proies.

— D'accord! intervint Naxos que le ton professoral de la guerrière agaçait, je sais que tu as raison; le problème c'est que je ne suis pas venu ici pour me fabriquer un costume de super-héros en écorce de melon! *Où sont les animaux?* Nous sommes là pour les chasser, non?

Loba lui adressa un sourire ironique.

— Oh! minauda-t-elle, mais c'est que nous avons là un terrible chasseur assoiffé de sang! Il lui faut du gibier!

Soudain, elle cessa de rire et prit une expression féroce.

— Les animaux? siffla-t-elle, mais mon petit bonhomme, ils sont partout autour de nous, en train de nous guetter en ce moment même... ils pensent : « Est-il sage de les attaquer lorsqu'ils sont encore groupés... ou bien dois-je attendre qu'ils se séparent? » Les animaux te trouveront avant que tu les trouves. Ne joue pas les héros.

Sentant venir la querelle, Peggy Sue s'interposa.

— Dis-nous plutôt quelle sorte de bêtes nous devons nous préparer à rencontrer..., s'enquit-elle. Les manuels qu'on nous a donnés à étudier n'étaient guère précis.

Loba se redressa. Elle pointa la main vers le nord, en direction de la savane.

— Tout dépend des pouvoirs que vous désirez acquérir, soupira-t-elle. Là-bas, vivent des moutons invisibles. La laine [1] qui les couvre est à l'origine de ce prodige, si tu les tonds, et que tu files ce poil, tu pourras te tricoter un vêtement qui te rendra invisible chaque fois que tu le souhaiteras.

— Des moutons? s'étonna Peggy. Eh! ça me plaît bien. Je n'avais pas envie de tuer un animal, s'il faut seulement les tondre, ça me convient.

— Tu auras du mal à les trouver, fit remarquer Loba. Ils deviennent transparents au moindre danger, si bien qu'on ne sait jamais où ils se cachent. C'est l'astuce qu'ils ont trouvée pour survivre dans cet univers hostile.

— Mon chien m'aidera, s'entêta Peggy. Avec son flair, il n'aura aucun mal à repérer des moutons, même invisibles.

— Qu'y a-t-il, à part les moutons? s'impatienta Naxos.

— Je vois, ricana Loba, tu désires quelque chose de plus « guerrier ». Eh bien, il existe une licorne rouge qui vit en bordure des bois noirs. Elle a le pouvoir de projeter la corne qui pousse sur son front comme s'il s'agissait d'un javelot. Dès qu'elle voit une proie, hop! la corne s'arrache de son front, vole à travers les airs, et se lance à la poursuite du gibier...

---

1. Dans l'Antiquité, on pensait que la laine avait des pouvoirs magiques. A Rome, pour se protéger des mauvais esprits, les demoiselles se tricotaient des couronnes de laine.

— Tu veux dire qu'elle ne se contente pas de voler en ligne droite? bredouilla Naxos.

— Exact, marmonna Loba. Elle est capable de prendre des virages, de tourner, de virer, jusqu'à ce qu'elle rattrape sa cible et la transperce. Elle peut perforer un mur de pierre ou passer au travers d'un arbre.

— Mais que se passe-t-il ensuite? s'inquiéta Peggy. Quand la licorne est désarmée?

— Oh! elle ne le reste jamais bien longtemps, car à peine la première corne est-elle lancée, qu'il lui en repousse une autre, au même endroit. Si Naxos tue cet animal, il devra prélever sa tête, la naturaliser pour s'en faire un casque. Dès lors, il aura le même pouvoir que la licorne. Il pourra lancer des projectiles d'os qui transperceront l'acier.

— Cool! haleta le garçon aux cheveux d'or. Ça me plaît.

— Mais pour ça, il te faudra tuer cette pauvre bête! protesta Peggy Sue.

Loba éclata de rire.

— Ce que tu peux être naïve, ma fille! s'écriat-elle. Ici, il n'y a pas de « pauvre bête ». Tous les animaux qui t'entourent sont féroces [1].

Elle reprit son sérieux pour ajouter :

— Vous n'êtes pas obligés de vous contenter d'un seul animal. Certains font des combinaisons. Leur costume devient un vrai puzzle : une tête de lion, une veste en peau de serpent, un pantalon en

---

1. Dans l'Antiquité, et encore au Moyen Age, la licorne était considérée comme un animal terriblement méchant.

cuir d'éléphant... de cette manière, ils additionnent les pouvoirs. Le problème, c'est que plus on a de pouvoirs, plus il est difficile de les contrôler. Mieux vaut n'en avoir qu'un seul et apprendre à bien s'en servir. De toute manière, vous n'en êtes pas encore là.

Pendant une heure encore, Loba poursuivit la leçon, puis un étrange bruit s'étant fait entendre à travers le feuillage, elle décida qu'il était temps de regagner le bunker.

— Je vous donnerai une carte, dit-elle en remettant soigneusement la trappe en place. Mais ne nourrissez pas trop d'illusions. Toutes les cartes du « zoo » sont approximatives car personne n'a eu le loisir de l'explorer en entier.

— Pourtant, objecta Naxos, il n'occupe que le deuxième étage de l'école ! On devrait pouvoir en faire le tour assez rapidement.

— C'est là que tu te trompes, souffla Loba. Le deuxième étage ouvre sur un univers parallèle, une fraction de l'espace-temps qui n'obéit pas aux lois terrestres. De l'extérieur, ça n'occupe qu'un étage, comme tu dis si bien, à l'intérieur, c'est tout un monde. Je ne suis pas une scientifique, je ne peux donc pas t'expliquer ce prodige, mais c'est ainsi que ça fonctionne. Une fois franchies les portes du deuxième étage, tu pénètres dans un autre univers. C'est comme si tu étais transporté sur une autre planète. Cette salle aux murs de béton qui, considérée du dehors, ne mesure pas plus de 30 mètres sur 100 s'allonge jusqu'à prendre des proportions gigantesques. Une fois dans la jungle, tu prends conscience qu'elle mesure en réalité 30 kilomètres sur 100! Les distances originelles ont été multipliées par 1 000! Cela représente 3 000 kilomètres carrés d'un assez joli petit enfer.

Les adolescents s'abstinrent de tout commentaire. Ils commençaient à comprendre qu'ils étaient tombés dans un piège.

Prise d'une soudaine inspiration, Peggy demanda :

— As-tu entendu parler de Diablox?

— Oui, fit Loba, il a laissé un mauvais souvenir de son passage. C'était un élève sans pitié. Jamais il ne s'est soucié d'aider un camarade en difficulté. Il ne pensait qu'à lui... Il y a trois ans, j'ai rencontré un vieux type qui l'a bien connu. Ils appartenaient tous deux à la même promotion. Un vieux bonhomme qui, comme moi, n'a jamais eu le cran de sortir de la jungle... Il m'a raconté des choses... Des trucs que je ne devrais peut-être pas répéter.

— Quoi donc? supplia Peggy que la curiosité mettait à la torture.

Loba hésitait, mal à l'aise. Enfin, elle se décida :

— Ce vieux type, chuchota-t-elle, il prétend que Diablox n'a pas fabriqué son costume, qu'en réalité il s'est contenté de le voler à l'un de ses camarades gravement blessé. En fait, il paraît que Diablox n'a jamais chassé le moindre animal. Il restait peureusement caché dans le bunker, sans prendre de risques. A la fin, quand tous ses copains se sont fait tuer, il a tiré les marrons du feu en volant ce que les pauvres gars avaient si péniblement conquis. Voilà toute l'histoire. Selon la rumeur, c'est ainsi que Diablox serait sorti vainqueur de l'épreuve du deuxième étage, en volant le costume d'un moribond.

Peggy et Naxos échangèrent un regard ébahi. Pour une révélation, c'était une sacrée révélation !

— Je pense qu'il n'est pas le seul dans son cas, insista Loba. La peur pousse les gens à d'étranges comportements. Quand vous aurez passé quelques semaines ici, vous comprendrez mieux.

Le repas fut expédié. On occupa le reste de la soirée penchés sur les cartes approximatives esquissées par la jeune guerrière.

— Elles reposent sur un ensemble de témoignages, expliqua celle-ci. Des récits de chasseurs, de blessés, de types devenus fous... alors, bien sûr, on ne peut pas s'y fier à 100 %. Je pense que les moutons invisibles et la licorne rouge vivent dans cette zone, à deux jours de marche. Ça paraît tout près sur le papier, mais le terrain est difficile, et puis il vous faudra contourner le territoire des lions à crinière paralysante.

— Les lions à quoi ? balbutia Naxos.

— Des lions martiens, dont la crinière est constituée d'une bonne centaine de serpents. Leur morsure est mortelle. Ils veillent pendant que le lion dort. S'ils repèrent une proie, ils s'agitent et sifflent pour alerter leur maître. Ne vous frottez pas à eux.

Par chance, les lions se hasardent rarement hors de leur territoire.

— Existe-t-il encore d'autres surprises du même genre? s'enquit Peggy Sue que le découragement gagnait peu à peu.

— Oui, lui asséna Loba, les éléphants éternueurs. Quand ils localisent un intrus, ils pointent leur trompe vers lui et éternuent très fort. Le souffle vous percute avec la puissance d'un boulet de canon, vous disloquant les os. Par ailleurs, ces éternuements ont le pouvoir de rendre amnésique. En une fraction de seconde ils effacent tout ce que contenait le cerveau de la victime qui se retrouve aussi démunie qu'un bébé.

— Quoi? hoqueta Naxos.

— Je n'invente rien, martela Loba. Si un éléphant éternue dans ta direction, tu oublieras ton nom, tu ne sauras plus ni parler ni te tenir debout. Tout ce que tu auras appris au cours de tes 14 années d'existence s'effacera le temps d'un claquement de doigts.

— Quelle drôle de méthode! s'étonna Peggy.

— Non, fit Loba, c'est très malin au contraire. Une fois qu'on est amnésique, on ne sait plus rien faire, on ne pense même plus à fuir, on est totalement vulnérable. L'éléphant ne court plus aucun danger. Parfois il se désintéresse de sa victime et continue sa route, parfois, également, il la piétine pour plus de sûreté, ou la mange.

— Génial..., soupira Peggy Sue. Je sens que ça va être une vraie partie de plaisir.

— Je vous avais prévenus, conclut Loba. Rien ne vous oblige à partir. Vous pouvez rester ici, avec nous.

*

Inquiets, les trois amis allèrent se coucher car il s'agissait de prendre des forces avant de se lancer dans la grande aventure.

Peggy dormait depuis deux heures quand elle fut réveillée par le chien bleu qui lui mordillait le bout du nez.

— Quoi ? s'inquiéta-t-elle.

« Ecoute ! » lui souffla mentalement le petit animal.

L'adolescente tendit l'oreille. Elle entendit un bruit strident comme en produiraient dix craies crissant ensemble sur un tableau noir.

— Ça te fait penser à quoi ? demanda le chien.

— A... à des griffes raclant une porte en acier..., haleta la jeune fille.

— Exactement. Je te propose d'aller jeter un coup d'œil avant de donner l'alerte.

Ils se levèrent et, se guidant sur le bruit, s'enfoncèrent dans la taupinière de l'abri souterrain. La nuit ajoutant à l'obscurité naturelle du lieu, les tunnels devenaient encore plus angoissants qu'à l'accoutumée. Après avoir tâtonné, les deux complices déterminèrent enfin la direction à prendre. Les crissements se firent plus proches. Ayant traversé plusieurs salles désertes, Peggy et son compagnon à quatre pattes arrivèrent dans un cul-de-sac. Une caverne où se découpait une porte d'acier solidement verrouillée. Quelque chose se tenait derrière cet obstacle, frappant sur le battant, essayant de forcer la serrure ou d'arracher les gonds. Quelque chose de prodigieusement fort...

— Il y a un prisonnier là-dedans, constata Peggy. Je me demande de qui il peut s'agir...

— Mieux vaut pour toi que tu ne le saches jamais, fit la voix de Loba dans son dos. Car cette rencontre te serait fatale.

Peggy Sue pivota sur ses talons.

— Qui est enfermé dans cette geôle ? demanda-t-elle. Tu as omis de nous dire que le bunker servait aussi de prison...

Loba baissa les yeux.

— Je vous ai menti, avoua-t-elle. J'ai eu tort. *C'est mon costume qui est là...* mon costume de super-héroïne, celui qui a essayé de m'ouvrir le ventre. Il s'est enfui mais j'ai réussi à le capturer. Je l'ai bouclé là, dans cette caverne.

— Mais pourquoi ? C'est dangereux !

Loba se dandina.

— Je sais, soupira-t-elle, mais j'ai eu tellement de mal à le confectionner que je n'ai pu me décider à m'en séparer. C'est un vêtement aux pouvoirs formidables... Trop formidables, peut-être. J'ai eu tort de viser la perfection. Le mieux est toujours l'ennemi du bien. A force de raffiner, j'ai cousu un habit démoniaque, incontrôlable, d'une sauvagerie qui dépasse l'imagination. Un véritable costume de guerre digne des héros antiques.

— Qu'espères-tu?

— Avoir un jour le courage d'ouvrir cette porte, d'entrer et de le dompter... C'est là une chose dont tu devras te souvenir : une fois cousus, les costumes restent sauvages; il faut les dresser, leur apprendre à respecter leur maître. Ce n'est pas facile. Si tu sélectionnes des peaux d'animaux trop féroces, tu ne viendras jamais à bout du vêtement que tu as taillé. C'est l'erreur que j'ai commise, par orgueil, par volonté de puissance... J'ai été dépassée par ma création.

Peggy jeta un coup d'œil inquiet à la porte de métal.

— Il... il ne devrait pas être à bout de forces? demanda-t-elle. Il est enfermé depuis longtemps, non?

— Certains costumes possèdent une telle réserve d'énergie qu'il leur faut plusieurs années avant de se fatiguer, répondit Loba. Mais en ce qui concerne celui-ci, je le nourris en lui abandonnant de petits animaux que je capture au-dehors. Cela lui permet de se recharger. Je glisse les proies par cette chatière, vois-tu? (Elle désigna une petite trappe au bas de la porte.) Je ne veux pas qu'il meure, aussi je l'entretiens. Un jour, si je parviens à rassembler assez de courage, je l'affronterai enfin. J'entrerai dans la cellule et je m'en habillerai. Il n'y a que ce costume qui puisse me permettre de sortir du deuxième étage. Tu comprends? Grâce à lui, je triompherai des pièges de la savane, de la forêt de baobabs... Je pourrai enfin rentrer chez moi.

Elle semblait sur le point de pleurer. Peggy fit un pas vers elle, mais la jeune guerrière se détourna.

— Va dormir, fit-elle d'un ton sec. Demain tu entreprends un voyage dont tu ne reviendras peut-être pas.

Les moutons invisibles

Le lendemain matin, Loba remit aux adolescents des sacs à dos remplis de nourriture séchée et d'objets de première nécessité. Elle les accompagna à la lisière de la forêt d'arbres-tigres et leur indiqua la direction à suivre.

— Voilà, conclut-elle, je ne peux plus rien pour vous. Si la chance le veut, vous reviendrez un jour ici, avec les peaux des animaux fabuleux que vous aurez tués au prix de mille dangers. Ne m'en veuillez pas, mais j'ai horreur des adieux, je vous suggère que nous partions chacun de notre côté sans nous retourner.

Et, joignant le geste à la parole, elle s'enfonça au milieu des lianes pour regagner le bunker.

— Eh bien, fit Naxos, le sort en est jeté, il n'y a plus qu'à filer droit devant.

Les trois amis se mirent donc en marche sous l'implacable chaleur qui tombait des lampes à UV rivées au plafond. Cette température, déjà difficile à supporter, ne ferait que s'élever au cours des heures à venir, ils avançaient donc en silence, épargnant leur souffle. En outre, ce que Loba leur avait raconté à propos des dangers qu'ils auraient à affronter ne les disposait nullement à entonner une joyeuse chanson de route.

Comme chaque fois que son esprit vagabondait, Peggy se mit à penser à Sebastian. Où était-il en ce moment ? Vivait-il toujours une grande passion avec Isi, la jeune sorcière qui l'avait attiré dans ses filets ?

« Devrais-je lui pardonner s'il revenait maintenant ? se demanda-t-elle. Passer l'éponge et faire comme s'il ne s'était rien passé... Je ne suis pas certaine d'en être capable. Ce sera toujours là, entre nous, même si nous n'en parlons pas. »

Pour se fortifier dans sa décision, elle entreprit d'énumérer mentalement les défauts de son ex-petit ami. Il était emporté, violent, n'admettait pas d'avoir tort. Et surtout, surtout, ayant passé 70 ans prisonnier d'un maléfice qui l'avait empêché de vieillir physiquement, il avait perdu l'enthousiasme et la joie de vivre des vrais adolescents. Dès le début, Peggy et lui s'étaient toujours trouvés en décalage, désynchronisés. La jeune fille s'était peu à peu rendu compte que le garçon n'avait plus la même fraîcheur de regard. Il était *usé*, blasé. Tout ce qu'elle découvrait, il l'avait connu avant elle, bien des années auparavant. Ce déphasage avait été à l'origine de nombreuses disputes et bouderies. Peggy Sue avait fini par comprendre que Sebastian regrettait secrètement de ne pouvoir grandir pour *devenir enfin* un homme, un adulte, et mener la vie normale d'un honnête travailleur se rendant chaque jour à son bureau.

« Il s'est peut-être imaginé qu'Isi, en tant que sorcière, saurait le délivrer du maléfice qui l'empêche de vieillir ? » se dit-elle.

— Arrête de te torturer ! intervint le chien bleu, fais plutôt attention à ce qui nous entoure ou tu finiras par poser le pied sur un serpent. Sebastian, c'est de l'histoire ancienne ! Ce n'est qu'un garçon parmi tous ceux que tu rencontreras. Tu es trop jeune pour te contenter de cette unique histoire d'amour.

Il avait raison, elle s'ébroua. Elle ne devait pas oublier qu'ils progressaient sur un territoire où la mort les guettait à chaque pas.

— Pourquoi veux-tu commencer par les moutons ? demanda tout à coup Naxos dont les cheveux d'or flamboyaient dans la lumière.

— Parce que ce sont des animaux pacifiques, *gentils,* expliqua Peggy Sue. Ils ne nous feront pas de mal. Je me contenterai de tondre la laine de trois ou quatre d'entre eux et le tour sera joué. J'aurai de quoi tricoter un costume invisible sans verser une goutte de sang.

— C'est vrai, admit Naxos, mais l'invisibilité, je trouve ça dépassé... ça ne me suffirait pas, j'ai envie d'autre chose.

— Je comprends, soupira Peggy, tu es un garçon, tu veux pouvoir casser des choses, accomplir

des prouesses physiques, te battre avec des monstres. Moi, ça ne me tente pas. Je préfère la ruse. Si
je deviens invisible et si je peux traverser les murs,
je serai en mesure de rendre service à des tas de
gens. Je deviendrai une espèce d'espionne fantôme.
Ça me plaît bien.

— *Mmouais...*, grommela Naxos, peu convaincu.
(Il parut réfléchir, puis ajouta :) Comment feras-tu
pour tondre les moutons s'ils sont invisibles?

Peggy haussa les épaules.

— Loba m'a expliqué qu'on pouvait les voir
lorsqu'ils dormaient, dit-elle. C'est le seul moment
où il est possible de les localiser. Le sommeil les
empêche de contrôler leur pouvoir qui, dès lors,
cesse de fonctionner. Dès qu'ils s'endorment, ils
redeviennent visibles.

— Compris, fit Naxos. Un peu comme un vélo?
Si tu cesses de pédaler il n'avance plus, or c'est
difficile de pédaler en dormant.

Ils se turent car ils arrivaient à la frontière du
territoire des lions à crinière de serpents qu'il leur
fallait soigneusement contourner.

— Si l'on suit cette colline de pierre blanche,
décréta Peggy Sue en consultant la carte, on restera
hors de portée. Loba affirme qu'ils ne franchissent
jamais cette démarcation parce que de l'autre côté
pousse une herbe qui empoisonne les reptiles.

Courbés, ils longèrent la crête rocheuse. De temps
à autre, ils jetaient un coup d'œil entre les pierres,
pour essayer de surprendre les fauves vaquant à

leurs occupations. Ils étaient énormes, aussi volumineux que des bœufs. Autour de leur gueule épouvantable, les serpents formaient une crinière grouillante d'où montaient des sifflements menaçants.

— Nous n'aurions pas une chance contre de telles bestioles, souffla Peggy. (Et se tournant vers Naxos, elle jeta :) J'espère que tu n'as pas l'intention, comme Hercule, de te tailler une tunique en peau de lion?

Le garçon ne répondit pas. A la vue des monstres, il était devenu pâle. Cette pâleur accentuait son étrange beauté. Plus que jamais il avait l'air d'un elfe échappé d'un autre monde. Son nez et ses oreilles, presque transparents, semblaient avoir été modelés dans de la pâte d'amande. Peggy Sue constata soudain que les cheveux d'or de son compagnon avaient incroyablement poussé depuis leur entrée au deuxième étage. Ils atteignaient à présent ses épaules. Naxos surprit son regard. Il eut un sourire amer.

— Eh oui! fit-il, tu comprends pourquoi les gens me poursuivaient dans mon pays? J'étais pour eux un vrai trésor ambulant. J'ai passé des années, bouclé dans un cachot, à attendre qu'on vienne me raser la tête tous les dimanches. Je ne veux plus que ça se reproduise. C'est pour ça qu'il me faut ce costume. Oh! pas comme Jeff pour jouer les rouleurs de mécaniques, non, pour me défendre, simplement. *Pour me défendre...*

Il paraissait si désemparé que Peggy fut tentée de le serrer dans ses bras. Elle se ravisa à la dernière seconde.

*

Ils marchèrent, puis marchèrent encore... Ils furent attaqués par de curieux lapins cornus que les aboiements du chien bleu suffirent à mettre en déroute. Enfin, alors qu'ils atteignaient le sommet d'un monticule, ils entendirent hurler les loups.

Peggy se figea. Ce cri, en effet, ravivait en elle de tristes souvenirs, car elle ne pouvait le dissocier des aventures vécues sur Zantora [1]. C'était en grande partie parce qu'il s'était changé en garou que Sebastian avait cessé de l'aimer.

— Ça se gâte..., grommela le chien bleu. Normal, tout allait trop bien.

Les adolescents se recroquevillèrent entre les rochers pour se donner le temps de scruter les alentours. Naxos, qui avait toujours ses jumelles, sonda longuement le paysage.

— Je les vois! annonça-t-il. Des loups à pelage verdâtre, avec de longs museaux et un nombre incroyable de crocs. Ils forment une meute d'une vingtaine d'individus. Ils sont aussi gros que nos lions terriens. Ils semblent nerveux...

— Ils ont peur, je le sens, dit le chien bleu. Je flaire leur nervosité. Quelque chose les effraye.

— Sans doute un monstre plus puissant qu'eux, supposa Peggy.

— Je ne les vois plus..., lâcha Naxos, ils se sont enfoncés sous les arbres. En tout cas, nous savons

---

1. Voir le tome VII des aventures de Peggy Sue : *La Révolte des dragons.*

qu'il faudra compter avec eux. Je ne sais pas si nos arcs suffiront à les repousser. Il faudra décocher nos flèches rapidement. En serons-nous capables?

Peggy n'en avait aucune idée, elle non plus.

La fatigue se faisant sentir, les trois amis décidèrent de camper au sommet de la colline. L'endroit constituait un excellent observatoire d'où ils verraient venir le danger. Ils n'osèrent faire du feu, de peur de signaler leur présence. Au-dessus de leurs têtes s'entrecroisaient des oiseaux qui ne leur disaient rien qui vaille.

— L'un monte la garde, les deux autres dorment, décréta le chien bleu. Je prends le premier tour, je suis moins fatigué que vous.

Les adolescents ne protestèrent pas. Deux minutes plus tard, ils dormaient.

Peggy Sue se réveilla en sursaut. Elle venait de rêver qu'un éléphant martien éternuait au visage de Sebastian. Aussitôt, le garçon, devenant amnésique, *oubliait Isi.* Ne sachant même plus parler, il errait sur la plaine. Peggy le rattrapait de justesse alors qu'il pénétrait sur le territoire des lions à crinière serpentine. Elle entreprenait alors de l'éduquer comme un tout jeune enfant.

La jeune fille s'assit, le cœur battant.

— J'ai lu dans tes pensées, fit le chien bleu avec humeur. C'était un rêve stupide. *L'amnésie ne changerait rien à la nature profonde de Sebastian.* N'oublie pas qu'il t'a trahie une fois. Il recommencera, fatalement. Tu ne peux plus lui faire confiance.

— Tu es de parti pris, protesta Peggy. Tu ne l'as jamais aimé.

— Exact, admit l'animal, mais c'est parce que je savais qu'il te ferait du mal un jour ou l'autre. Vous n'étiez pas accordés. Quand tu t'amusais, lui s'ennuyait. Ça ne pouvait pas marcher.

Ils se turent. Comme elle était réveillée, Peggy prit le deuxième tour de garde. Elle resta là, adossée au rocher dans la nuit formidable, et toute pleine de cris effrayants, qui l'entourait.

Plus tard, Naxos prit le relais. Il ne se passa rien jusqu'au matin. Enfin, les lampes solaires accrochées au plafond s'allumèrent, illuminant la jungle. En dix minutes, la chaleur s'installa comme en plein midi. Les jeunes explorateurs déjeunèrent frugalement d'un fruit et de quelques-unes de ces galettes que Loba confectionnait à partir de la farine d'une des *rares* plantes martiennes qu'on pouvait cueillir sans se faire arracher la main.

— A présent, décida Peggy, il faut trouver les moutons. Si je parviens à filer leur laine, ce costume de passe-muraille pourrait nous rendre de grands services.

Naxos avait un peu honte de se lancer à la poursuite de ces pauvres bestioles; il aurait préféré un affrontement plus glorieux. Une de ces belles batailles qu'on ne se lasse pas de raconter, même dix ans après...

Suivis du chien, les adolescents descendirent le versant de la colline pour s'enfoncer dans les bois noirs. Les feuilles, les buissons, et même l'herbe, semblaient avoir été peints à l'encre de Chine. L'ambiance avait quelque chose d'oppressant. Presque aussitôt, ils furent entourés de frôlements, de galopades, comme si des bêtes bondissaient à l'abri des taillis. Naxos jugea plus prudent de sortir les sabres d'abattis [1] que Loba leur avait remis.

— Les loups..., souffla le garçon, ils nous encerclent.

Peggy scruta les buissons sans parvenir à repérer la meute. Soudain, un objet craqua sous sa semelle. Se penchant, elle vit qu'il s'agissait d'un os tout grignoté.

— Oh! fit-elle, je suppose qu'il provient d'un squelette de mouton. Ces pauvres bêtes doivent constituer le gibier préféré des loups. Voilà pourquoi ils sont la plupart du temps invisibles. C'est le seul moyen pour eux de ne pas être totalement anéantis.

Le chien bleu flaira les ossements.

— Il ne reste pas le moindre morceau de viande, constata-t-il. Regardez, on les a brisés pour en aspirer la moelle. Il faut être équipés de sacrées mâchoires pour faire ça.

— Tu as raison, soupira Peggy, ce squelette est presque en miettes. Même le crâne a été broyé. On ne peut plus en deviner la forme.

---

1. On appelle également ces instruments des « machettes ». Pourvus d'une grande lame, ils servent essentiellement à s'ouvrir un passage dans la végétation.

— Les loups n'ont pas voulu laisser la cervelle, fit le chien, en connaisseur. C'est très bon, la cervelle de mouton crue.

— Tais-toi! tu me donnes envie de vomir! protesta la jeune fille.

La machette au poing, les adolescents se remirent en marche. Peggy se voyait déjà réduite à un tas d'os desséchés sur l'herbe noire du sous-bois. Elle n'avait pas envie de rire.

— Nom d'une saucisse atomique! s'exclama le chien bleu, c'est un vrai cimetière!

Peggy Sue comprit ce qu'il voulait dire. Entre les arbres, le sol était tapissé d'os brisés, proprement nettoyés. On avait dévoré là des dizaines et des dizaines de moutons.

— Ce n'est pas de très bon augure, murmura Naxos, ça signifie que l'invisibilité ne constitue pas une bonne protection contre les loups.

— Peut-être reniflent-ils l'odeur de la laine? hasarda Peggy. A l'état naturel, la toison des moutons est grasse, elle empeste le suint [1]... Pauvres bestioles! Il s'agit peut-être ici d'une race en voie de disparition. Si ça se trouve, il n'en reste presque plus. Et si je tonds les derniers survivants, je les priverai de leur seul moyen de défense contre les loups. Ça ne m'emballe pas du tout. Ce sera comme si je les livrais sur un plateau à leurs prédateurs. Je ne peux pas faire ça.

---

1. La graisse.

— Tu es trop gentille, maugréa le chien bleu. Avec un tel état d'esprit, tu ne parviendras jamais à rassembler de quoi coudre ton costume !

Naxos s'immobilisa, le sabre levé ; le museau d'un loup venait de surgir au creux des buissons. Le monstre regardait fixement les adolescents sans gronder ni montrer les dents.

— Essaye d'entrer en contact télépathique avec lui, souffla Peggy au chien bleu, dis-lui que nous ne venons pas en ennemis.

— Tu parles qu'il s'en fiche ! pouffa le petit animal. Pour lui, il est évident que nous venons en tant que gigots bien saignants !

— Fais ce que je te dis ! insista la jeune fille. On ne risque rien à parlementer.

Pendant que le chien bleu se concentrait, de nouvelles têtes de loups jaillirent des buissons, à droite et à gauche, encerclant les jeunes aventuriers. Naxos en dénombra sept.

— Je n'y comprends rien, soupira le chien. Ils ont l'air d'avoir peur. On dirait que notre présence les rassure. Je crois qu'ils veulent faire la route en notre compagnie.

— C'est sûrement une ruse pour mieux nous dévorer ! haleta Naxos.

Peggy Sue haussa les épaules.

— Ils nous encerclent, lâcha-t-elle, pourquoi se donneraient-ils la peine de ruser, nous sommes à leur merci.

Déjà, les loups sortaient des taillis, la queue basse, pour se joindre aux adolescents. C'étaient des bêtes énormes qui empestaient. En les voyant approcher, Peggy songea qu'elle aurait pu sans mal grimper sur leur dos et les chevaucher comme des poneys. Ils ne semblaient pas animés de mauvaises intentions.

— Tout ça est incompréhensible, maugréa Naxos.

— Je crois que les sabres les fascinent, expliqua le chien bleu. Ils s'imaginent qu'il s'agit de grandes dents capables d'exercer de terribles ravages. Au lieu de leur faire peur, ça semble les rassurer. Une chose est sûre, ils viennent en paix.

Peggy, qui se rappelait les loups écarlates de Zantora, se sentait mal à l'aise.

Nantis de cette curieuse escorte, les jeunes gens poursuivirent leur chemin. Pendant qu'ils marchaient, Peggy Sue entendit gargouiller l'estomac des monstres qui l'encadraient.

— En plus, ils meurent de faim ! chuchota-t-elle.

— Je me faisais la même réflexion, renchérit le chien bleu. Ils n'ont que la peau sur les os.

— C'est parce qu'ils ont dévoré jusqu'au dernier mouton, expliqua Naxos. A présent qu'ils souffrent de la famine, ils sont traqués par un prédateur plus féroce qu'eux. Ça promet !

Peu à peu les arbres s'espacèrent, la troupe déboucha dans une clairière. Le soleil avait brûlé l'herbe qui craquait sous la semelle comme de la paille sèche. Il n'y avait pas âme qui vive à l'horizon. Naxos sortit une fois de plus ses jumelles pour scruter les alentours.

— Personne, annonça-t-il.

C'était pour le moins étrange car, depuis un instant, les loups donnaient des signes d'inquiétude. Ils s'agitaient en grondant, les crocs découverts, sans pour autant menacer les adolescents. Ils semblaient plutôt s'organiser pour affronter un ennemi venu de l'extérieur. La meute forma un cercle autour des jeunes gens.

— Ils ont senti quelque chose..., haleta Peggy.

— Moi aussi, fit le chien bleu. Ça... ça empeste la laine...

— *Les moutons invisibles!* haleta l'adolescente. Ils arrivent.

— Si c'est le cas, intervint Naxos, pourquoi les loups sont-ils terrifiés? Ils devraient au contraire se réjouir à l'idée de faire un bon repas. Je n'y comprends rien.

Peggy Sue écarquilla les yeux et laissa échapper un cri étouffé.

— Nous nous sommes trompés! hoqueta-t-elle. Nous avons interprété les choses à l'envers. Les ossements... ce ne sont pas des squelettes de moutons!

— Nom d'une saucisse atomique! gronda le chien bleu. Tu veux dire que, tout à l'heure, nous marchions sur des os de loups? Ça voudrait dire qu'ici ce ne sont pas les loups qui chassent les moutons mais le... *contraire!*

— Oui! martela Peggy, voilà pourquoi la meute a si peur. Elle fuit les assauts des moutons invisibles.

Elle se tut car, de toute évidence, les loups se préparaient à une attaque imminente. La jeune fille plissa les yeux pour scruter l'espace. En vain, l'herbe rase ne permettait pas de repérer l'approche de l'assaillant. Enfin, le vent lui apporta une odeur de laine sale, mais il était déjà trop tard, l'ennemi invisible fondait sur eux.

Ce fut un combat insensé, les loups, éperdus, expédiaient des coups de mâchoires de tous les côtés, ne sachant où mordre. Leurs crocs claquaient dans le vide, ratant les agresseurs transparents qui les harcelaient en toute impunité. Peggy fut bousculée par une masse laineuse et sentit que des dents essayaient de se refermer sur elle à travers l'épaisseur de ses vêtements. Elle frappa au hasard, du plat de sa machette, sur le dos de ce fantôme surgi de nulle part. C'était une bataille véritablement effrayante. Un loup avait été tué. Sa dépouille, tirée à l'écart, était en ce moment même dévorée par ses agresseurs. Peggy, hallucinée, regardait disparaître les morceaux de chair prélevés par les moutons invisibles. En entendant les os craquer, elle comprit que les bestioles laineuses étaient équipées d'une redoutable mâchoire.

Le chien bleu, aidé par son flair, réussissait mieux que les jeunes gens à localiser leurs adversaires. Se glissant sous le ventre des moutons, il les mordait cruellement tout en restant hors d'atteinte. Les loups faisaient de leur mieux, mais deux d'entre eux furent encore tués. Naxos frappait à coups redoublés en pivotant sur lui-même. Une fois sur trois, il faisait mouche, et sentait le sang invisible de son ennemi lui éclabousser le visage.

La confusion était totale. Peggy ne réfléchissait plus, elle tapait elle aussi, au hasard, moins pour blesser ses agresseurs que pour les tenir à distance. Enfin, les moutons battirent en retraite, emportant avec eux les dépouilles des loups qu'ils avaient égorgés.

— Ils vont s'installer à l'écart pour les dévorer tranquillement, déclara le chien bleu. Ensuite, le ventre plein, ils feront la sieste.

— Personne n'est blessé ? s'inquiéta Peggy qui tremblait de tous ses membres.

Naxos haletait, le regard fou. Arrachant des poignées d'herbe, il entreprit de se nettoyer.

— Je suis couvert de sang invisible, balbutia-t-il. C'est dégoûtant.

Les loups, eux, léchaient leurs blessures. De temps à autre, ils coulaient un bref coup d'œil en direction des trois amis.

— Ils sont contents que nous nous soyons battus à leurs côtés, traduisit le chien bleu. Ils n'avaient jamais vu d'êtres humains jusqu'à aujourd'hui. Ils croient que je suis un louveteau d'une autre race. Le « pelage » de Naxos (ils veulent dire ses cheveux) les impressionne beaucoup. Ils souhaitent que nous restions avec eux.

— Pourquoi pas..., haleta Peggy Sue. Ils pourraient devenir nos gardes du corps. Essaye d'en apprendre un peu plus sur les moutons.

— Ils disent que Naxos a blessé mortellement l'un d'eux, reprit le chien. En ce moment, il titube sur la plaine, il va s'écrouler d'une minute à l'autre et redeviendra visible.

— Cool! s'exclama le garçon, comme ça, nous pourrons récupérer sa laine sans danger!

— Non, précisa le petit animal, les loups disent que ça ne servira à rien. Quand un mouton meurt, sa toison perd ses pouvoirs.

— Evidemment! grogna Peggy, ç'aurait été trop simple!

Ils se turent car une tache tremblotante venait d'apparaître au milieu de la clairière. Il s'agissait du mouton moribond qui redevenait visible. Les jeunes aventuriers furent impressionnés par sa taille et ses mâchoires proéminentes hérissées de crocs. La laine qui le couvrait de ses boucles serrées était d'un jaune sale, mais des étincelles y crépitaient, comme des milliers de puces électriques. L'animal saignait d'une vilaine entaille à la nuque, là où le sabre de Naxos l'avait frappé. Il s'abattit sur le flanc, eut une convulsion, et cessa de bouger. Son aspect général était si effrayant que Peggy ne fut nullement émue par sa mort.

Les doigts des deux mains crispés sur sa machette, elle s'approcha de la dépouille à pas lents.

La laine magique avait cessé de crépiter. Les étincelles s'éteignaient les unes après les autres.

— Il est mort, diagnostiqua le chien bleu. Sa toison ne vaut plus rien. Et elle pue. Je te déconseille de t'en faire un pull si tu veux te dénicher un nouveau petit ami!

Ils furent bousculés par les loups qui se ruaient sur le cadavre pour le dévorer. Ce fut la curée.

Avec des grognements de fauves, la meute entreprit de ne rien laisser de la bête vaincue par Naxos.

— Je vais essayer d'en goûter un bout, déclara le chien bleu. Je n'ai jamais mangé de mouton invisible. Je ne veux pas rater ça.

Le sommeil fragile des monstres
qui digèrent

Le festin des loups ne laissa rien subsister de la dépouille du mouton, pas même les os. Les fauves, repus, s'allongèrent sur l'herbe et s'assoupirent.

— Voilà! chuchota Peggy, c'est exactement ce que sont en train de faire les moutons, de l'autre côté de la clairière.

— Que veux-tu dire? s'enquit Naxos.

— A l'heure qu'il est, ils ont mangé, et ils digèrent, eux aussi. Dans peu de temps ils vont s'endormir... *et redevenir visibles!* Il faut battre le fer pendant qu'il est chaud. Allons-y!

— Ah, zut! grommela le chien bleu, moi qui me préparais à faire une petite sieste.

— En route! le pressa Peggy Sue, je compte sur ton aide, il n'y a que ton flair qui puisse repérer la présence de ces horribles bestioles.

— Je vous accompagne, lança Naxos, pas question que je vous laisse y aller tout seuls, vous êtes mes amis.

Et, le sabre à la main, il leur emboîta le pas. Les trois compagnons traversèrent la clairière à pas prudents. Ce qu'ils allaient faire était dangereux. Le chien bleu allait en éclaireur, la truffe palpitante. Ils s'engagèrent sous les arbres, dans la pénombre de la voûte feuillue. Là aussi, des ossements tapissaient le sol. Il fallait prendre garde de ne pas marcher dessus car les craquements auraient pu alerter les redoutables ovins [1].

On progressa ainsi un quart d'heure durant, puis le chien bleu s'immobilisa, aux aguets.

— Je renifle leur odeur, souffla-t-il. Ils ne sont plus très loin. Tenez-vous sur vos gardes.

Dès lors, les adolescents s'appliquèrent à se cacher derrière les troncs. Enfin, ils distinguèrent des taches tremblotantes posées sur le sol.

« Les moutons ! triompha Peggy Sue. Ils s'endorment, le ventre plein. Au fur et à mesure qu'ils glissent dans le sommeil ils cessent d'être transparents. »

Elle s'accroupit derrière un arbre et attendit en rongeant son frein. Plus le temps passait, plus l'image des animaux se précisait. D'abord fantomatique, elle gagnait en détails, en réalisme. Quand cette image fut tout à fait nette, la jeune fille décida qu'il était temps pour elle de passer à l'attaque. Dans son sac à dos elle prit une paire de ciseaux aux lames bien aiguisées et une poche de toile qui lui servirait à entasser la laine qu'elle couperait sur le dos des bêtes. Loba lui avait assuré que les ciseaux étaient plus efficaces qu'un rasoir et

---

1. Nom scientifique des moutons... et d'autres bêtes qui leur ressemblent.

qu'avec un peu de chance, les animaux ne senti-
raient rien.

Retenant son souffle, Peggy quitta sa cachette
pour s'approcher des bêtes pas à pas. Des carcasses de loups traînaient un peu partout, rongées,
réduites en mille morceaux. Elles formaient un
tapis de brindilles qu'il fallait à tout prix éviter de
piétiner. Les moutons respiraient fort, par les
naseaux. La senteur âcre de leur toison prenait à la
gorge. C'étaient des bêtes de la taille d'un taureau
terrien, à la mâchoire démesurée. Peggy maudit ses
genoux qui tremblaient.

« Et dire que je croyais que ces charmantes
bestioles se laisseraient tondre gentiment ! songea-
t-elle. Je ne voulais surtout pas leur faire de mal...
Je ne savais pas de quoi je parlais ! »

Le cœur battant à tout rompre, elle contourna
une dernière carcasse et s'agenouilla contre l'un des
moutons endormis. Sa toison était si épaisse qu'il
en suffirait de la moitié pour remplir le sac de toile.
La bête dormait ; de ses babines dépassaient de
longs crocs tachés de sang séché. Peggy leva les
ciseaux, cueillit une mèche grasse, et la coupa. Les
lames ne firent pas le moindre bruit. Ragaillardie
par cet excellent début, la jeune fille s'empressa de
recommencer.

Elle avait coupé une dizaines de grosses mèches
huileuses quand elle fut assaillie par d'horribles
démangeaisons. D'abord elle ne comprit pas ce qui
lui arrivait, puis elle avisa de minuscules insectes
noirs sur ses mains et ses avant-bras, des insectes

qui couraient en tous sens... et la piquaient! *Des puces!* Les puces du mouton étaient en train de la dévorer vive!

Au début elle serra les dents, essayant de résister à l'envie de se gratter, mais la démangeaison devint insupportable.

« Les puces sont là pour veiller sur le mouton pendant qu'il dort! se dit-elle. Elles fonctionnent comme un système de protection. Si j'insiste, elles ne se contenteront pas de m'attaquer, elles piqueront le mouton pour le réveiller... »

Elle devait ficher le camp, au plus vite. D'ailleurs elle était couverte de cloques et de taches de sang. Si s'écorcher vive avait pu la soulager, elle l'aurait fait sans hésiter. Pliée en deux, elle battit en retraite. Elle expliqua à ses amis ce qui se passait; ils l'aidèrent à regagner la clairière. Hélas, les démangeaisons empiraient. Prise d'une véritable folie, Peggy voulut se racler la peau des bras avec la lame de son poignard. Naxos dut lui sauter dessus pour l'immobiliser. Comme elle se débattait, il la ligota et la coucha dans l'herbe.

— Libère-moi! hurlait la jeune fille, tu ne peux pas savoir! *Il faut que je m'arrache la peau jusqu'à l'os.* Il n'y a qu'ainsi que ça passera! Détache-moi, c'est horrible! Je deviens folle...

— C'est le venin des puces, diagnostiqua le chien bleu. Nous n'avions pas pensé à ça. Elles servent de gardes du corps aux moutons, minuscules mais très efficaces. Je suppose que tous ceux qui ont essayé de tondre ces charmantes bêtes ont fini par s'écorcher vifs.

— Sans doute, admit Naxos, c'est atroce. Je ne sais pas quoi faire. Nous n'avons aucun médicament. Peut-être que l'action du poison va diminuer au bout d'un moment.

— Espérons-le, grogna le petit animal.

*

Contrairement aux espoirs de Naxos et du chien bleu, l'état de Peggy ne s'améliora point. Bien au contraire, il empira, et la jeune fille fut bientôt gagnée par une telle frénésie qu'elle cassa ses liens pour recommencer à se gratter !

— Il faut faire quelque chose ! s'alarma le petit animal, on ne peut pas la laisser faire, elle va se mutiler.

Déjà, les ongles de l'adolescente avaient inscrit de longues balafres sanguinolentes sur sa peau. Si on l'abandonnait à son sort, elle ne mettrait pas longtemps à s'arracher la chair des avant-bras !

Naxos trépignait, désespéré. Quand il essaya de ceinturer la jeune fille, elle l'envoya voltiger comme si les démangeaisons avaient décuplé ses forces.

— Les loups tentent de me dire quelque chose..., intervint le chien bleu. Ils connaissent bien cette affection, ils prétendent avoir un moyen pour la soulager... ils se roulent dans une flaque de boue noire qui stagne dans une clairière, non loin d'ici. Ils proposent de nous y conduire.

— Il n'y a pas à hésiter, lança le garçon aux cheveux d'or en chargeant Peggy sur son épaule, qu'ils nous montrent le chemin, vite !

Aussitôt, la meute s'élança, indiquant la direction à suivre. Ils allaient si vite que Naxos avait du mal à se maintenir à leur hauteur. Enfin, ils s'arrêtèrent au bord d'un étang noirâtre et huileux qui semblait rempli de goudron.

— C'est quoi, cette horreur? s'inquiéta le chien bleu. On croirait du vomi de démon! Tu ne vas pas tremper Peggy là-dedans?

Naxos s'agenouilla, effleura la substance du bout des doigts, la renifla. Un sourire éclaira son visage.

— C'est du naphte..., annonça-t-il. Du pétrole à l'état naturel, si tu préfères. Dans l'Antiquité, on appelait ça du bitume. On s'en servait pour guérir les maladies de peau et... fabriquer des momies [1].

Sans plus attendre, il puisa dans la mare à pleine paume et étala cette confiture nocturne sur les bras de Peggy Sue. Le résultat fut immédiat, la jeune fille cessa de se gratter et devint flasque, comme si elle était soudain délivrée d'un sortilège. Les loups l'observaient en hochant la tête.

Une heure plus tard, l'adolescente émergea de sa torpeur. Les démangeaisons s'étaient enfin calmées. Comme elle avait vécu cette épreuve dans un état proche de la folie, elle ne conservait aucun souvenir de son comportement.

— En tout cas, soupira-t-elle, voilà qui classe définitivement le dossier. Inutile d'espérer tondre ces affreux moutons. Il va falloir que je trouve autre chose pour mon costume...

---

1. Exact!

Pendant qu'elle réfléchissait ainsi, à voix haute, de courtes flammes apparurent à la surface de la mare de bitume.

— Hé! fit Peggy, ce truc peut donc s'enflammer?

— Oui, confirma Naxos, il s'agit d'une substance huileuse et...

— Je viens d'avoir une idée, le coupa Peggy Sue. Il nous faut des noix de coco! Une dizaine de noix de coco! Vite.

— Pourquoi? bredouilla Naxos.

La jeune fille sauta sur ses pieds.

— Nous allons fabriquer des bombes! déclarat-elle, de cette manière, la prochaine fois que ces horribles moutons nous attaqueront, nous disposerons d'une arme pour leur répondre!

Les loups indiquèrent où dénicher des noix. Naxos et Peggy en cueillirent une douzaine qu'ils coupèrent en deux pour les vider de leur jus et de leur pulpe. Ils remplirent ensuite ces coquilles avec du naphte inflammable. Des morceaux de liane desséchée constituèrent d'excellentes mèches. A présent, il ne restait plus qu'à attendre.

Ils n'eurent pas à patienter bien longtemps. Les moutons s'étaient réveillés... *et ils avaient déjà faim.* Leur odeur de laine sale vint agacer la truffe du chien bleu.

— Ils arrivent! annonça-t-il. Ils viennent chercher leur déjeuner.

Peggy et Naxos scrutèrent inutilement les alentours. Le camouflage des moutons était parfait, leur invisibilité leur assurait une complète impunité.

— Seule leur odeur nous renseignera, souffla Peggy. Quand elle deviendra trop forte, c'est qu'ils seront tout près, hélas, à ce moment-là il sera trop tard.

Elle se tenait bien campée sur ses jambes, une noix de coco dans une main, le briquet dans l'autre. Elle savait qu'ils jouaient leur va-tout. S'ils ne se débarrassaient pas des moutons carnivores, ceux-ci ne les laisseraient pas sortir vivants de la forêt.

— Vingt mètres..., annonça le chien bleu. Ils avancent en formation serrée. Ils n'ont pas peur de nous. Ils sont aussi tranquilles qu'une ménagère qui va faire son marché.

Les loups s'étaient regroupés, constituant une seule ligne de combat. Ils grondaient, les crocs découverts, les babines dégoulinant de bave, décidés à se battre jusqu'à la mort.

— Dix mètres..., dit le chien.

— Allumons les mèches! ordonna Peggy.

Elle actionna la molette du briquet. Le feu prit instantanément. De toutes ses forces, elle projeta la première noix de coco devant elle, au hasard puisqu'elle ne distinguait aucune cible. Naxos l'imita. Dès lors, les adolescents se relayèrent sans relâche, poursuivant leur bombardement.

Comme l'avait espéré la jeune fille, les coquilles s'ouvrirent lorsqu'elles percutèrent les moutons. Le bitume aspergea la laine grasse des monstres et s'enflamma. On assista alors à un étrange spectacle.

Si les moutons étaient toujours invisibles, leur toison enflammée, elle, se transforma en une grosse boule de feu. Pour Peggy et ses amis, ces boules semblaient flotter dans les airs, menant une curieuse sarabande.

— Quel feu d'artifice! exulta le chien bleu. Qui veut du gigot d'agneau?

Les moutons qui ne s'attendaient pas à un pareil accueil battirent en retraite, se bousculant, projetant des flammèches en tous sens.

— Que ça leur serve de leçon! grogna Peggy Sue. Je suis plutôt une gentille fille, mais quand on m'embête, je deviens une teigne. C'est vrai, quoi? Je ne voulais pas les tuer, ces bêtes, seulement leur emprunter un peu de laine!

Les loups s'étaient tournés vers la jeune fille et la regardaient fixement.

— Ils sont impressionnés, expliqua le chien bleu. Ils souhaitent que tu deviennes leur chef de meute, leur reine, si tu préfères. Jusqu'à présent personne n'avait jamais réussi à vaincre les moutons invisibles.

— Euh..., bredouilla l'adolescente, pourquoi pas?

— Ils nous seront utiles, fit valoir le petit animal. Ils connaissent le pays mieux que quiconque, ils n'ignorent rien de ses dangers. On ne peut pas rêver meilleurs guides.

— J'espère qu'il ne leur prendra pas l'envie de nous dévorer, murmura Naxos.

— Je ne pense pas, dit le chien bleu, ils vous considèrent désormais comme de puissants sorciers.

— Eh bien, d'accord, lança Peggy. Grâce à eux nous serons peut-être moins vulnérables. Dis-leur que j'accepte. Tu comprends leur langue?

— Les animaux ne font pas de phrases, comme les humains, expliqua le chien. Ils communiquent au moyen d'images assemblées bout à bout, et qui forment une espèce de bande dessinée. Parfois les dessins sont difficiles à déchiffrer, mais je ne m'en sors pas trop mal.

— Tu crois qu'on peut leur faire confiance?

— Avons-nous le choix? Si tu refuses, ils seront vexés. Ils risquent de mal réagir. Mieux vaut accepter le pacte.

Le chien bleu transmit le message à la meute; c'est ainsi que Peggy Sue devint la reine des loups.

Le rêve de la tortue

Sa rencontre avec les moutons s'étant soldée par un échec, la jeune fille décida de reprendre la route sans tarder.

« Je dois dénicher un truc magique pour me fabriquer un costume, se répétait-elle. L'idéal serait de trouver quelque chose qui ne m'obligerait pas à massacrer de pauvres animaux. Mais quoi ? »

La forêt devenant très dense, il fallut s'ouvrir un chemin à la machette. Dès lors, on dut progresser en file indienne dans l'étroit passage où dégoulinait la sève des lianes sectionnées.

A la halte de midi, on eut une mauvaise surprise, *l'un des loups avait disparu.*

— Il a décidé de rebrousser chemin, c'est tout, supposa Naxos. La compagnie des humains lui déplaît sûrement.

— Je n'y crois pas, intervint le chien bleu. Peggy Sue est leur reine à présent, ils l'accompagneront où qu'elle aille, même s'ils désapprouvent ses décisions.

On se restaura en silence, sur le qui-vive. Dès qu'un froissement de feuilles ou un craquement de brindilles se faisait entendre, toutes les têtes se dressaient. Peggy ne pouvait se défaire de la pénible impression d'être observée.

Cette sensation s'amplifia lorsqu'on reprit la route. C'était comme si une menace invisible accompagnait les jeunes explorateurs pas à pas, marchant lorsqu'ils marchaient, s'arrêtant lorsqu'ils s'arrêtaient. A plusieurs reprises, la jeune fille crut entendre une respiration tout près d'elle.

A la pause de 16 heures, un autre loup fut porté manquant.

— Ils vont déserter les uns après les autres, grogna Naxos. Ces lâches fichent le camp. Bientôt nous nous retrouverons tout seuls.

— Il ne s'agit pas de ça, chuchota Peggy. Je suis persuadée qu'on nous suit.

— Qui ?

— *Les moutons...*, souffla l'adolescente. Ils reviennent à la charge. Seulement, cette fois ils ont changé de tactique. Ils ont dû prendre un bain dans la rivière pour se débarrasser du relent de suint qui imprégnait leur laine, si bien qu'on ne peut plus les repérer à l'odeur. Ils nous escortent... Je pense qu'ils marchent de part et d'autre du sentier, au même rythme que nous. De temps à autre, ils attaquent celui qui se trouve en queue de colonne, et l'égorgent sans lui laisser le temps de crier.

— Notre réserve de noix de coco inflammables n'est pas très fournie, fit observer Naxos. On ne peut pas s'offrir le luxe de bombarder les buissons au hasard. Ce serait gâcher nos munitions...

— Je sais, approuva Peggy. Procurons-nous de longues perches, nous les utiliserons pour tâter le terrain, autour de nous. Ça ôtera aux moutons l'envie de s'approcher.

Ils coupèrent des branchages et s'en servirent pour frapper les taillis. En vain, les moutons invisibles s'étaient éloignés. Ils revinrent, cependant, un peu plus tard... et s'emparèrent d'un troisième loup.

Ils avaient fini par comprendre que la ruse et la patience seraient plus payantes qu'une attaque frontale.

— Je n'arrive pas à les localiser, avoua le chien bleu. Ils ont dû se rouler dans l'argile et se rincer dans la rivière, ça les a décrassés. Plus moyen de renifler leur puanteur. Cette fois, ils sont bel et bien invisibles.

La chose n'avait rien de rassurant. Peggy comprit qu'à ce train-là ils succomberaient vite au harcèlement sournois dont ils étaient l'objet.

La menace pouvait surgir de partout. Ils auraient beau se tenir sur leurs gardes, les moutons resteraient aux aguets, profitant de la moindre occasion.

— Je vous déconseille de vous éloigner pour faire pipi! conseilla le chien bleu. Celui, ou celle, qui ira se cacher derrière un arbre n'en reviendra pas!

— Notre seule chance de nous en tirer est de rester groupés, insista Peggy. Resserrez les rangs.

Ils se rapprochèrent les uns des autres, de manière à former un peloton compact. Ainsi, si les moutons tentaient de s'en prendre à l'un d'entre eux, on s'en rendrait aussitôt compte.

— Je crois qu'ils sont nombreux, chuchota le chien bleu. Ils nous encerclent. Ils ont dû appeler des renforts.

— Ils s'amusent à nous terrifier, souffla Peggy. Ils se vengent de l'humiliation que nous leur avons fait subir lors de la dernière attaque.

Soudain, un grand froissement de branches se fit entendre dans l'un des arbres géants qui les dominaient. Ils levèrent la tête, se préparant au pire. Un homme maigre apparut, suspendu à une liane. Ses cheveux longs et gris lui pendaient sur les épaules. Pour tout vêtement, il portait un pagne en peau de léopard. Affublé de la sorte, il avait l'air d'un Tarzan septuagénaire [1].

— Hé! les gosses! cria-t-il du haut de son perchoir. Vous êtes dans de sales draps. Faut pas rester ici.

— Qui êtes-vous? s'enquit Peggy Sue.

— Un ancien élève du collège, comme vous, répondit l'étrange bonhomme. Il y a 60 ans que j'ai pénétré dans la jungle rouge, je n'en suis jamais ressorti. Vous pouvez me faire confiance, je sais de quoi je parle. Ici on m'appelle Ziko-Ziko. En langue martienne, ça signifie « Celui qui court plus vite que le lion ».

---

1. Qui a soixante-dix ans.

— Nous sommes encerclés par les moutons invisibles, lança Peggy. Nous ne savons pas quoi faire.

— Le seul moyen qui s'offre à vous c'est de filer en direction de la montagne qui grandit, répondit le vieillard à demi nu. Les moutons ne se risquent jamais de ce côté-là. Vous n'en êtes plus très loin à présent.

— Est-ce que nous ne pouvons pas tout simplement grimper avec vous ? proposa Naxos. Sur une haute branche nous serions à l'abri.

— Je vous le déconseille, lâcha Ziko-Ziko. La plupart des arbres sont aussi dangereux que les bestioles qui vous poursuivent. Leurs feuilles sont imprégnées de suc digestif, elles se colleraient sur votre peau. Vous seriez dissous en un quart d'heure, comme dans un estomac géant.

— Mais vous ? s'étonna Naxos. Vous êtes tout nu et vous sautez pourtant de branche en branche...

— Ma peau est enduite d'une pommade dont le goût est infect, expliqua le vieil homme. Un truc véritablement vomitif, ça dissuade les feuilles de me dévorer. Non, le seul moyen d'échapper à vos poursuivants c'est de foncer vers la montagne qui grandit, répéta Ziko-Ziko. Quand vous apercevrez un gros rocher rond, escaladez-le et attendez-moi à son sommet, je vous rejoindrai là-bas.

Sur ce, il disparut au sein du feuillage, laissant les adolescents hébétés.

— Allumons les noix de coco ! ordonna Peggy Sue, ça empêchera les moutons de passer à l'attaque.

Sortant les calebasses des sacs à dos, ils les brandirent au-dessus de leur tête et en allumèrent les mèches avec l'espoir que cette menace ferait refluer leurs ennemis invisibles.

Quand les noix furent sur le point de s'embraser, il fallut se résoudre à les lancer au hasard; hélas, aucune d'elles ne frappa au but et les jeunes gens n'eurent pas la satisfaction de voir s'enflammer la laine des ovins cannibales.

A présent le petit groupe de fuyards courait à perdre haleine, remontant le chemin creux dans la direction indiquée par Ziko-Ziko. Un énorme rocher rond leur barra bientôt la route. Rougeâtre et craquelé, il évoquait une potiche géante à demi enfouie dans le sol. Ils éprouvèrent quelque difficulté à l'escalader. Les pattes des loups dérapant sur la paroi trop lisse, les adolescents durent leur venir en aide.

— Une chose est sûre! haleta Peggy. Les moutons ne pourront pas nous suivre. Avec leurs sabots, il leur sera impossible de grimper sur cette crête!

— Peut-être, fit Naxos, mais il leur suffira de nous encercler et d'attendre au pied du rocher que nous dégringolions. Il faudra bien se décider à dormir, et alors...

Peggy s'agenouilla pour scruter les alentours. Elle vit l'herbe s'aplatir sous le poids des animaux invisibles tout autour de l'étrange roche ronde.

— *Ils sont déjà là...*, annonça-t-elle. Ils s'installent. Regardez... l'herbe trahit leur présence. Ils l'écrasent sous leur ventre.

— C'est ce que je prévoyais, fit Naxos. Ils attendent que l'un de nous perde l'équilibre. Ça ne saurait tarder, on est serrés comme des sardines.

Il avait raison. Les loups, les adolescents et le chien se gênaient mutuellement au sommet du rocher. Au premier faux mouvement, quelqu'un roulerait dans le vide, c'était fatal... Les moutons l'avaient compris. Ils attendaient que leur prochaine victime leur tombe du ciel.

— J'ai une crampe, souffla Naxos. Je suis mal installé.

— Moi aussi, admit Peggy Sue. Nous sommes si serrés que je peux à peine respirer... et les loups me tiennent affreusement chaud !

— C'est bizarre, marmonna tout à coup le chien bleu. Ce rocher ressemble davantage à une coquille qu'à un bloc de granit.

Au moment même où il prononçait ces mots, le « rocher » en question se mit à bouger...

La surprise faillit leur faire perdre l'équilibre. Ils se cramponnèrent les uns aux autres pour ne pas basculer dans le vide. Il se produisit alors une chose stupéfiante : quatre pattes écailleuses jaillirent de chaque côté de l'énorme pierre ronde tandis qu'une tête reptilienne pointait par-devant.

— Nom d'une..., hoqueta le chien. *C'est une tortue !* Nous sommes grimpés sur le dos d'une tortue géante !

Ils se serrèrent pour ne pas être éjectés de la monstrueuse carapace. La tortue, elle, donnait des coups de tête à droite et à gauche, faisant claquer ses mâchoires cornées. Cette gesticulation s'accompagnant d'un bruit d'os broyés, Peggy en déduisit que l'animal s'en prenait aux moutons invisibles.

« La tortue les voit ! se dit-elle. Elle a ce pouvoir ! Voilà pourquoi les moutons évitent son territoire. Elle n'en fait qu'une bouchée ! »

La bête rampa sur une centaine de mètres pour s'arrêter au milieu d'une clairière. Dès qu'elle se fut immobilisée, elle rentra sa tête, ses pattes, et parut se rendormir.

Ziko-Ziko sortit de la forêt. En trois bonds il escalada la carapace.

— Qu'est-ce que vous fichez là, les gosses ? s'étonna-t-il. Vous auriez pu tomber, pourquoi n'êtes-vous pas descendus à l'abri, dans la caverne ?

— Quelle caverne ? interrogea Peggy.

Au lieu de répondre Ziko s'agenouilla et, après avoir tâtonné, souleva l'une des grandes écailles de la carapace comme s'il s'agissait d'une trappe.

— Les tortues géantes sont de véritables cavernes montées sur pattes, expliqua-t-il. Leur carapace est creuse, elle constitue un refuge appréciable contre les prédateurs de la jungle.

Peggy se pencha au-dessus de l'orifice. Effectivement, la « coquille », vide, évoquait une grotte naturelle.

— Une fois là-dedans, continua Ziko, plus rien ne peut vous atteindre. C'est comme si on était bouclé à l'intérieur d'une armure géante. La foudre pourrait s'abattre sur la tortue sans que notre bestiole en soit le moins du monde dérangée. Ces animaux ont une capacité de sommeil de plusieurs siècles.

Pour donner l'exemple, il sauta dans le trou. Les adolescents l'imitèrent. Si le chien suivit Peggy, les loups refusèrent de descendre, comme s'ils flairaient là quelque piège; mais peut-être avaient-ils seulement peur d'être incapables de remonter?

Les jeunes gens rejoignirent Ziko qui s'était allongé sur le « sol », les bras croisés derrière la tête. L'intérieur de la carapace était tapissé de cuir rembourré, si bien qu'on avait l'impression de s'asseoir sur un canapé.

— Les tortues sont des animaux pacifiques, reprit le vieil homme. Les seuls qui, dans toute la jungle rouge, n'essayeront jamais de vous dévorer. Il ne faut pas avoir peur d'elles. Ce sont de vrais coffres-forts ambulants. Je m'y cache souvent, quand les moutons invisibles ou les lions à crinière de serpents me prennent en chasse. C'est le seul endroit où je puis dormir tranquille.

— C'est super! s'exclama Naxos, on se croirait dans un char d'assaut.

— Tu rigoles! s'esclaffa Ziko-Ziko, c'est bien mieux qu'un char d'assaut!

Peggy s'assit. Le chien bleu vint se presser contre elle. Machinalement, elle le grattouilla entre les oreilles, ce qu'il aimait par-dessus tout.

— Vous avez dit que vous étiez un ancien élève du collège..., murmura-t-elle. Vous êtes là depuis longtemps?

Ziko-Ziko hocha la tête. De près, il paraissait encore plus vieux.

— J'avais douze ans quand j'ai franchi les portes du deuxième étage, répondit-il. A l'époque je m'appelais encore Thomas, et je voulais devenir un super-héros. J'avais trois copains, tout aussi excités que moi à l'idée de ce qui nous attendait. *La grande aventure!* Quelle foutaise! Nous n'étions que de petits crétins, oui. L'un d'eux s'appelait Vincent, c'était le plus enragé d'entre nous. Il avait déjà tout prévu : quelle couleur aurait son costume, quelle forme... quel pseudonyme il prendrait. Il avait décidé de s'appeler *Diablox l'intrépide.* Quel nom idiot! Mais il est vrai que les super-héros ont toujours des noms idiots!

— Diablox! s'exclama Peggy. Vous avez connu Diablox? C'est notre professeur principal.

— Je sais, grogna Ziko, et ce n'est pas un cadeau qu'on vous a fait là!

— Loba, qui vit dans un bunker, à l'orée de la forêt, nous a dit qu'il s'était mal conduit..., insista Naxos.

— Loba ne vous a pas menti, marmonna le vieil homme. Le Vincent de douze ans que j'ai connu était un exalté. Il avait la tête farcie de jeux vidéo, il ne lisait que des *comics* racontant des aventures de super-héros. Il avait vu dix fois chacun des films qu'on leur a consacrés. Nous étions tous un peu comme ça, c'est vrai, mais chez lui, ça prenait une dimension inquiétante... Pour dire la vérité, il nous semblait un poil dingo. C'était un gamin chétif, plutôt maigre. A l'école, tout le monde lui tapait dessus, alors il voulait prendre sa revanche, bien sûr. Mais les choses ne se sont pas passées comme nous l'espérions. En fait de grande aventure, nous avons surtout connu la terreur des poursuites, des combats, des blessures... Cette année-là, il y a eu beaucoup de morts. Les lions à crinière de serpents étaient déchaînés. Ils n'ont fait qu'une bouchée de la plupart des élèves. Au bout d'une semaine, nous grelottions de peur au fond de nos trous, c'est à peine si nous osions dormir. Nous étions épuisés, affamés, blessés. L'aventure, nous ne voulions plus en entendre parler ! Je n'avais qu'une envie, rentrer chez moi et vivre la vie ordinaire d'un collégien tout ce qu'il y a de plus banal ! J'aurais donné n'importe quoi pour recommencer à m'ennuyer devant la télé en grignotant des chips ! L'aventure, j'en avais ras le bol, vous pouvez me croire !

Naxos le regardait, incrédule. Comme la plupart des garçons il avait du mal à admettre qu'il existait un abîme entre les fantasmes [1] et la réalité.

— L'un d'entre nous, un gars nommé David, a pourtant réussi à se confectionner un costume, reprit Ziko, d'une voix sourde. Un machin avec des cornes dont il avait récupéré la peau sur un monstre des terres hautes, un vilain coin, s'il en est. Il avait été salement amoché pendant la bataille, et j'ai cousu le déguisement à sa place, en espérant que ça lui donnerait la force de vivre.

---

1. Histoires qu'on s'invente et où l'on joue le rôle du héros.

— Et Diablox, s'enquit Peggy, que faisait-il pendant ce temps?

— Diablox..., ou plutôt Vincent, était mort de trouille. Il avait carrément renoncé à sortir de notre cachette. La nuit, je l'entendais claquer des dents. Parfois même, il sanglotait. Il était en train de se rendre compte qu'il ne serait jamais un super-héros, il n'était pas taillé pour ça. Moi non plus, du reste, mais ça ne me traumatisait pas trop. La suite, Loba a dû vous la raconter... Un matin, je suis sorti ramasser des fruits. Quand je suis revenu, David était mort et Vincent avait disparu... *en emportant le costume.* Il avait fini par céder à la tentation. Grâce au déguisement il a pu triompher des dangers se dressant sur la route du retour. Moi, je suis resté. Au cours des années, j'ai appris par les élèves ce qu'il était devenu. Diablox l'intrépide! Il faisait une belle carrière à ce qui se disait.

— Pourquoi êtes-vous resté? demanda Naxos.

— Sans costume on ne peut pas revenir en arrière, expliqua Ziko. C'est là le grand piège. Loba vous l'a sûrement dit. Sans déguisement, pas de ticket de retour... J'ai découvert que je n'avais pas l'étoffe d'un héros. Alors je me suis demandé si, en restant ici, il ne me serait pas possible d'aider les enfants que l'école s'obstine à jeter dans cet enfer. C'est la mission que je me suis donnée. Je suis peu à peu devenu une espèce de sauveteur. J'ai passé un accord avec les tortues géantes. Elles m'aident en mettant mes petits protégés à l'abri.

— Vous nous avez sauvés, c'est vrai, déclara Peggy. Sans vous, les moutons auraient fini par nous dévorer.

— Je n'ai fait que mon boulot, fit modestement Ziko. Ce qui est important, c'est que vous preniez conscience du piège dans lequel on vous a jetés. Ces histoires de super-pouvoirs sont glauques. Ne vous laissez pas abuser par la publicité, le cinéma. Le principe même de cette école est une aberration. Il faudrait la détruire, la raser, et pendre ses profs haut et court! J'ai eu votre âge, je sais ce que vous ressentez, vous croyez que devenir un super-héros c'est génial, vous vous trompez. En devenant LE sauveur, celui qui résout tous les problèmes, vous encouragez les gens à la paresse, à la faiblesse. Ils se reposent sur vous, et ne font plus rien par eux-mêmes, ils restent les bras croisés, à attendre que vous fassiez le boulot à leur place, au lieu de prendre leur destin en main et de lutter comme ils le devraient. Dès qu'un super-héros se pointe dans une ville, ses habitants deviennent d'horribles pleurnichards. Au moindre bobo, ils crient au scandale... Ils considèrent le super-héros comme un larbin [1] qui doit leur éviter tout désagrément. Ils se comportent en enfants capricieux, incapables d'affronter la réalité. A cause des super-héros, les gens deviennent lâches, peureux, indécis. Ils finissent par avoir peur de leur ombre. Quand on leur demande pourquoi ils restent là, comme des mollassons, au lieu de retrousser leurs manches

---

1. Serviteur.

pour se battre, ils vous répliquent que ce n'est pas leur job, que le super-héros est là pour ça. C'est désolant !

Il se tut, à bout de souffle. Peggy Sue hocha la tête. Ziko-Ziko n'avait pas tort. Elle n'y avait jamais réfléchi mais le vieil homme avait raison, le principe du super-héros avait quelque chose de pernicieux [1]. Naxos semblait moins convaincu, cela se voyait à son expression grincheuse.

— Assez discuté ! déclara Ziko en se redressant. Reposez-vous, je vais aller chercher de quoi manger. Demain, je vous parlerai des tortues. Elles sont votre unique chance de salut dans cet enfer.

S'aidant d'un pilier d'os qui se dressait au centre de la carapace telle une colonne vertébrale, il se hissa jusqu'à la trappe et bondit au-dehors.

— Curieux bonhomme..., souffla Naxos. Je me demande s'il ne serait pas un peu dérangé.

— Pour un fou, il fait preuve d'un solide bon sens, intervint le chien bleu. Ce qu'il a dit à propos des super-héros est loin d'être bête. Il y a du vrai là-dedans dès qu'on prend la peine d'y réfléchir.

— Il dit ça parce qu'il a tout raté ! protesta le garçon. S'il avait eu le courage de se fabriquer un costume, il penserait autrement.

— Pas sûr, riposta le chien.

— Pourquoi répète-t-il que les tortues vont nous sauver ? s'inquiéta Peggy. Je trouve ça curieux.

---

1. Nocif, mauvais.

Comme ils étaient épuisés par la longue fuite à travers la forêt, ils s'endormirent sans même s'en rendre compte. Quand ils s'éveillèrent, ils découvrirent les fruits que Ziko avait disposés à leur intention au fond de la « caverne », et les dévorèrent.

Le repas terminé, ils attendirent, mais le vieil homme ne se montra pas.

*

L'« écoutille [1] » refermée, les trois amis passèrent une nuit calme, à l'abri des monstres de la forêt. Peggy Sue, pour la première fois depuis qu'elle avait franchi les portes du deuxième étage, se sentit en sécurité. Elle dormit d'un sommeil lourd, sans rêves, dont elle émergea à grand-peine. Lorsqu'elle ouvrit les yeux, elle s'aperçut qu'elle n'avait aucune envie de se lever. Elle serait bien restée là, à paresser, indéfiniment... Cette mollesse, dont elle n'était pas coutumière, l'inquiéta. Que lui arrivait-il ? Roulant sur le flanc, elle secoua Naxos et le chien bleu, vautrés sur le cuir rembourré du sol.

— Hon... hon..., grogna le garçon, laisse-moi... il est trop tôt... j'ai encore sommeil...

L'animal réagit de la même manière. La tête lourde, Peggy escalada la colonne de vertèbres pour se hisser au niveau de la trappe qu'elle repoussa.

---

1. Terme de marine désignant une trappe dans le pont d'un bateau.

L'air du dehors, quoique alourdi par la puanteur de l'humus, lui fit du bien.

— Bizarre, songea-t-elle, j'ai l'impression d'avoir été droguée.

Elle vit que les loups avaient disparu. Sans doute étaient-ils retournés dans la forêt. Elle se rappela leur réticence lorsqu'il s'était agi de descendre dans la « caverne ».

— Ont-ils flairé quelque chose de pas net? se demanda-t-elle. J'aurais peut-être dû accorder plus d'attention à leur comportement.

Naxos et le chien émergèrent enfin de leur torpeur. Ils rejoignirent Peggy et s'assirent au sommet de la carapace pour contempler le paysage. A travers le voile de brume on distinguait les contreforts d'une montagne dont la cime touchait presque le plafond.

— C'est sûrement la montagne qui grandit dont parlait Ziko, remarqua Naxos. Pourquoi l'appelle-t-on ainsi?

— Aucune idée, avoua Peggy. Je suis peut-être un brin parano, mais je me méfie de Ziko. Je ne vois pas où il veut en venir. Il cherche à nous dissuader de continuer, c'est sûr... mais pour faire quoi? Je n'ai pas envie de rester prisonnière de la jungle rouge jusqu'à mon soixantième anniversaire.

— Moi non plus, fit Naxos.

Une vibration parcourut la carapace; la tortue se réveillait. Comme la veille, elle se mit à ramper, aplatissant tout sur son passage. Elle se déplaçait lentement mais avec l'efficacité d'un rouleau compresseur. Naxos refusa de descendre dans la « caverne », il se sentait dans la peau d'un général de l'Antiquité commandant la charge d'une cohorte d'éléphants de guerre.

— Le v'là qui se prend pour Hannibal [1] ! ricana le chien bleu.

La tortue avait un but bien précis. Elle entra dans la jungle, écrasant arbustes et buissons, avec l'intention de se nourrir. Les melons postés en sentinelles explosèrent, l'aspergeant d'une mitraille de pépins métalliques qui auraient réduit en charpie toute créature moins bien protégée. Les graines ricochèrent sur la carapace en sifflant. Naxos consentit enfin à abandonner son perchoir et à rabattre le couvercle de l'écoutille.

Pendant une heure, la tortue ravagea la forêt, dévorant tous les légumes qui se dressaient sur son chemin. Ceux-ci avaient beau exploser, vomir des jets de flammes ou projeter des noyaux hérissés de piquants d'acier, la tortue continuait à brouter, indifférente à ces agressions. Ses écailles la protégeaient parfaitement.

Quand le calme revint, les adolescents comprirent qu'elle avait regagné la clairière pour dormir et digérer ; ils ouvrirent l'écoutille et pas-

---

1. Hannibal est né en l'an 247 av. J.-C. à Carthage. Il est célèbre pour avoir utilisé des éléphants au cours des guerres qu'il mena à travers l'Espagne et les Alpes jusqu'en Italie.

sèrent la tête à l'extérieur. Ziko-Ziko apparut au même moment. Après s'être balancé au bout d'une liane, il effectua un atterrissage impeccable au sommet de la carapace.

— Salut, les gosses! lança-t-il. Bien dormi?

— *Trop bien*, répondit Peggy Sue décidée à clarifier la situation. Les fruits étaient drogués?

— Non, bien sûr que non! s'esclaffa le vieil homme. Vous avez simplement expérimenté le sommeil de l'hibernation.

— Quoi?

— Tu sais que les tortues hibernent, non? Quand le temps se refroidit, elles s'endorment pour plusieurs mois. Beaucoup de reptiles le font. Les tortues martiennes, elles, peuvent dormir un siècle entier si l'envie leur en prend.

— Un siècle? bredouilla Naxos, ébahi.

— Ou deux, ou trois..., reprit Ziko. Ça dépend de la situation à l'extérieur. Si elles jugent que les événements vont mal tourner, elles s'endorment et attendent que les choses rentrent dans l'ordre. Par exemple, s'il se met à faire trop froid, ou si la sécheresse se déclare... ou si la guerre fait rage, elles ferment les yeux et attendent sagement que l'orage s'éloigne. Pour cela, leurs glandes fabriquent un gaz soporifique qui emplit la carapace et circule au long des veines jusqu'à leur cerveau. Hier soir, vous avez respiré trois millimètres cubes de ce gaz. Oh! vraiment pas grand-chose... J'avais demandé à la tortue de vous y faire goûter, pour que vous sachiez de quoi il retourne.

— Vous parlez aux tortues ? s'étonna Peggy.

— Bien sûr, elles sont intelligentes. Ce sont les seuls animaux doués de sagesse vivant dans la jungle rouge. Vous feriez bien d'écouter ce qu'elles ont à vous dire.

— Et vous ? lança Peggy Sue, *qu'avez-vous à nous dire ?* J'ai l'impression que vous tournez autour du pot, non ?

Ziko-Ziko se caressa les joues. Ses ongles crissèrent sur les poils gris et rêches de son menton.

— Bon, soupira-t-il, je vois que tu es plus maligne que je ne le pensais. Donc, j'irai droit au but. Je suis là pour vous proposer un marché. La tortue offre de vous sauver, de vous mettre à l'abri... C'est votre seule chance de survivre à ce qui se prépare.

— Et comment nous sauvera-t-elle ? demanda Naxos.

— En vous installant à l'intérieur de la carapace creuse, dans la « caverne », expliqua Ziko. Quand la tortue s'endormira, cet espace s'emplira d'un gaz magique. Vous hibernerez avec elle, pendant un siècle ou deux, sans avoir besoin de manger, et vous vous réveillerez frais et dispos quand le danger se sera éloigné.

— Quoi ? explosa Peggy. *Dormir 200 ans !* Vous délirez ! Quand je me réveillerai, tous les gens que je connais aujourd'hui seront morts ! Il n'en est pas question ! Et à quel danger faites-vous allusion ?

Le vieil homme leva les mains pour endiguer le flot de protestations qui s'annonçait.

— Calme-toi! ordonna-t-il. Je ne viens pas en ennemi, j'essaye simplement de te sauver, comme j'ai déjà sauvé des centaines d'élèves promis à une mort certaine. C'est ma mission, ne l'oublie pas. (Il fit une pause, prit son souffle et dit :) Je dois d'abord t'expliquer une chose, les tortues sont capables de voir l'avenir dans leurs rêves. *Ne m'interromps pas!* Lorsqu'elles dorment, elles reçoivent des images du futur, or, depuis quelques années, ces images sont résolument effrayantes. Elles annoncent une catastrophe qui aura lieu ici même. Il semble qu'un effroyable conflit embrasera la jungle, et que personne n'y survivra. Voilà pourquoi les tortues ont d'ores et déjà pris la décision d'entrer en hibernation les unes après les autres. Dans leur grande bonté, elles m'ont offert de servir de canot de sauvetage aux enfants que je leur enverrai. Tous ceux qui accepteront leur hospitalité s'endormiront avec elles, et échapperont ainsi à la mort. Il faut savoir que les tortues martiennes sont indestructibles. Une fois plongées dans le sommeil, elles peuvent dériver à travers l'espace pendant une éternité, comme les météorites, sans craindre les rayons cosmiques... Avec elles, on est vraiment à l'abri, on ne risque pas d'être irradié ou réduit en cendre. On dort, c'est tout.

Peggy Sue demeura silencieuse, digérant ces inquiétantes informations. Devait-elle croire ce Tarzan décrépit?

— La catastrophe approche à pas de géant, insista Ziko. Il ne faut plus tarder à vous décider.

Presque toutes les tortues sont entrées en hibernation, la carapace remplie d'enfants endormis. Il ne reste plus tellement de places libres... Vous devez saisir votre chance.

— C'est gentil de vous soucier de notre avenir, déclara Peggy, mais tout de même, dormir deux siècles ! Ça ne me dit pas grand-chose...

— Je sens que tu me crois fou, se lamenta Ziko. Tu as tort. Le drame couve depuis dix ans. L'école va voler en éclats. *Et ce sera mérité !* Cette folie dure depuis trop longtemps... Je ne plains ni les monstres ni les professeurs, mais je ne veux pas que les élèves en soient victimes... Je voudrais te convaincre... Comment faire ? Il existe peut-être un moyen, accepterais-tu de partager les rêves de la tortue ? Si tu dors une nuit entière en conservant l'écoutille bien close, le gaz qui emplit la carapace fera éclore dans ton esprit des visions identiques à celles que perçoit l'animal... Le veux-tu ?

— Oui... enfin peut-être... je ne sais pas..., bredouilla Peggy.

Prise d'un doute, elle se demandait si Ziko n'avait pas par hasard l'intention de la sauver malgré elle...

« Une fois que je serai endormie, songea-t-elle, il lui sera facile d'ordonner à la tortue de me maintenir dans l'inconscience, et je me retrouverai embarquée pour une sieste de 200 ans ! Merci bien ! »

— D'accord, j'accepte, lâcha-t-elle, mais à la condition que mes amis restent dehors, pour me sortir de la « caverne » si j'avais du mal à me réveiller.

— Ça ne pose pas de problème, capitula Ziko, tu as tort, cependant, de voir en moi un ennemi. Mon unique préoccupation est de vous sauver la vie.

Disait-il la vérité ? Fallait-il se fier à son aspect débonnaire [1] de grand-père légèrement timbré ?

— Si les tortues possèdent le don de double vue, argumenta le chien bleu, il serait idiot de dédaigner une telle source d'information.

Peggy Sue accepta donc de se laisser enfermer à l'intérieur de la coquille. Naxos, le chien et Ziko-Ziko restèrent au-dehors. L'écoutille une fois refermée, la jeune fille s'assit en tailleur dans l'obscurité et attendit, le cœur battant. Elle ne tarda pas à flairer une odeur étrange, un parfum de cannelle et de citronnelle mêlées. Presque aussitôt la tête lui tourna et elle fut prise de vertige, comme si elle se tenait en équilibre au bord d'un précipice.

« Ça commence... », se dit-elle.

Alors les images jaillirent, l'enveloppant d'un décor de flammes et de brouillard sanglant. Tout était flou, mais la jeune fille devina qu'elle avait été parachutée dans la mêlée d'une bataille titanesque. Elle voyait désormais ce que voyait la tortue. Elle lisait dans les rêves de l'animal comme on assiste à la projection d'un film sur un écran géant. Et ce rêve venait directement du futur. Ce rêve, *c'était l'avenir...*

Peggy voyait des murailles s'écrouler, des monstres jaillir des lézardes de la maçonnerie. Elle

----

1. Bienveillant, rassurant.

voyait des super-héros en costumes chatoyants se battre contre des oiseaux aux ailes de cuir... C'était un tumulte horrifiant. Un chaos qui donnait envie de fermer les paupières et de se cacher au fond d'un trou.

« C'est le collège..., pensa-t-elle. Il est détruit... Tout le monde se bat, tout le monde meurt. C'est affreux. »

Elle sentait bien qu'elle assistait, impuissante, à une catastrophe irrémédiable. Les bâtiments s'écroulaient, les fauves dévoraient les élèves. Tout semblait promis à la destruction la plus totale.

La terreur s'empara d'elle. Elle se mit à trembler et ferma les yeux, mais cette précaution s'avéra inutile car les images étaient maintenant dans sa tête, pas autour d'elle. Ses cris alertèrent ses amis qui s'empressèrent d'ouvrir la trappe afin que le gaz divinatoire s'échappe de la « caverne ». Quand l'habitacle eut été suffisamment ventilé, Naxos sauta dans le trou pour ramener Peggy à l'air libre.

L'adolescente tremblait de tous ses membres et claquait des dents.

— Respire ! lui ordonna le garçon, il faut éliminer les vapeurs nocives qui emplissent ton cerveau.

Peggy l'entendait à peine. Les redoutables images s'accrochaient à son esprit tels des hameçons fichés dans la chair d'un poisson. Plusieurs minutes s'écoulèrent avant qu'elles ne pâlissent et s'effacent.

— Qu'est-ce que tu as vu ? lui demandèrent le chien et le garçon. Dis-nous...

Peggy se mit à bredouiller des mots sans suite. Elle savait qu'elle serait incapable de traduire au moyen de simples phrases ce qu'elle avait entra-perçu dans la chambre des rêves.

— C'était l'avenir..., balbutia-t-elle. Le chaos, la destruction, la mort... La guerre totale entre les animaux et les élèves. Le collège s'écroulait. Il y avait des flammes, du sang... Tout le monde mourait.

— C'est bel et bien ce qui va arriver, intervint Ziko-Ziko. Les tortues ne se trompent jamais. Vous voyez que je ne mentais pas. La catastrophe est en marche, on ne peut rien faire pour l'empêcher. La seule solution, c'est de remplir les canots de sauvetage avec le maximum de passagers avant que nous fassions naufrage. Je suis là pour vous offrir le moyen de survivre à cette horreur.

Une heure s'écoula, puis deux, puis trois... Peggy avait beau faire, elle restait prisonnière des terribles images véhiculées par le gaz divinatoire. Elle avait des accès de tremblements et ses dents se mettaient à claquer sans qu'elle puisse s'en empêcher.

— Ziko a raison, haleta-t-elle, il faut s'enfuir ou nous mourrons tous. Cette fois il n'y a plus rien à espérer. Saisissons l'occasion qui se présente à nous... embarquons à l'intérieur des tortues...

Le chien bleu grogna, il ne reconnaissait plus son amie. D'habitude, Peggy Sue se montrait plus combative et les épreuves avaient tendance à la gal-vaniser. Ce à quoi elle avait assisté à l'intérieur de la carapace devait être vraiment horrible pour la mettre dans un tel état !

— Tu as fait le bon choix, répétait Ziko-Ziko. Inutile de poursuivre cette aventure stupide. Vous êtes jeunes, vous devez vivre.

Au début, Naxos et le chien bleu se montrèrent sceptiques, mais peu à peu l'angoisse de Peggy Sue se fit contagieuse et ils commencèrent à se sentir inquiets. Le petit animal sonda par la pensée l'esprit de la jeune fille, il se heurta aux images qu'y avait installées le gaz divinatoire, et cette vision l'effraya à son tour. Il eut soudain très peur que Peggy ne soit tuée à l'occasion du cataclysme, et l'idée de s'enfermer durant deux siècles dans le ventre d'une tortue lui parut tout à coup beaucoup moins stupide.

La nervosité les gagna tous, maladive. Il leur devint impossible de dormir sans faire des cauchemars. Chaque fois qu'ils se réveillaient, haletants, le cœur battant à tout rompre, Ziko-Ziko s'asseyait à leur chevet pour leur tenir des propos rassurants.

— Pas de panique, radotait-il. Dans peu de temps vous serez à l'abri et plus rien de fâcheux ne pourra vous arriver. Je sais de quoi je parle. Les tortues sont de vrais coffres-forts. Même la foudre, si elle les frappait de plein fouet, ne pourrait fendre leur carapace. Vous dormirez dans leur ventre, bien au chaud, tandis qu'à l'extérieur le fer et le feu ravageront la terre, ne laissant que ruines et cendre. Les villes disparaîtront, les fleuves seront asséchés par la chaleur des explosions, les forêts se changeront en désert... mais les tortues, elles, demeureront intactes, préservées, plongées dans le sommeil de l'hibernation. Elles dormiront le temps qu'il faudra à la nature pour renaître. Cela prendra peut-être plusieurs siècles, voire un millénaire, qui sait ? Mais, quand leur instinct leur apprendra que les conditions sont de nouveau réunies pour que la vie reprenne son cours, elles s'éveilleront, et vous avec elles. Alors l'écoutille s'ouvrira et vous pourrez sortir. Un monde neuf s'étendra devant vos yeux éblouis... Un monde sans pollution, sans usines, sans autoroutes, sans voitures... Il vous faudra repartir de zéro en évitant les erreurs commises par vos parents. Ce sera un formidable défi, mais une chance formidable également... Vous deviendrez les bâtisseurs du nouveau monde, vous...

Quand il était lancé sur ce sujet, il pouvait discourir ainsi pendant des heures. Peggy Sue et ses amis l'écoutaient en hochant la tête.

« J'ai l'impression d'avoir la cervelle remplie de coton ! » se disait la jeune fille sans pour autant être capable de réagir. La voix de Ziko-Ziko la berçait, comme elle berçait Naxos et le chien bleu.

— Nous sommes complètement ramollis, fit observer le petit animal. C'est curieux, mais je n'ai plus la force de mettre une patte devant l'autre. Je ne me suis jamais senti autant fatigué de ma vie.

Naxos, lui, ne dit rien car il s'était déjà rendormi.

*

Un matin, la tortue se mit en marche d'un pas décidé, comme si elle était pressée d'en finir. Ziko-

Ziko s'était installé au sommet de la carapace et n'en bougeait plus. De temps à autre, il s'adressait aux adolescents qui sommeillaient au fond de la « caverne », ceux-ci lui répondaient par des grognements variés auxquels il était difficile d'attribuer un sens.

— Nous approchons de la montagne qui grandit, s'exclama-t-il enfin. Il faut que vous montiez voir ça !

Les trois amis se hissèrent hors de la carapace en bougonnant, les paupières collées par le sommeil. Ouvrant les yeux, Peggy vit sortir de la brume une montagne qui frôlait le plafond de la salle et dont les versants étaient constitués d'un amalgame d'énormes boules. Il lui fallut trois secondes pour comprendre que ces « boules » étaient en fait des tortues entassées les unes sur les autres ! Il y en avait des centaines, qui, à force d'empilements successifs, avaient fini par ériger une sorte de butte dont la cime dominait la jungle rouge.

— Chaque fois qu'une nouvelle tortue vient s'ajouter aux précédentes, la montagne grandit, expliqua Ziko, d'où son nom. Tous ces animaux sont remplis à craquer d'enfants en hibernation. C'est moi qui les ai convaincus de se mettre à l'abri. Certains dorment depuis cinquante ans déjà. Je suis fier de les avoir sauvés. Sans moi, ils seraient morts dans la jungle, en pourchassant les monstres pour se confectionner un stupide déguisement de super-héros.

Peggy hocha la tête sans répondre. D'abord elle n'en avait pas la force, ensuite elle était fascinée par cet entassement de tortues géantes.

Elle comprit qu'une fois pris là-dessous il était inutile d'espérer s'échapper.

— N'est-ce pas formidable? s'extasia le vieil homme en se dressant, les poings sur les hanches pour contempler son œuvre.

— Des centaines d'enfants, répéta-t-il, des centaines de gosses qui dorment, bienheureux, en attendant de se réveiller dans un monde tout neuf! Dans peu de temps vous serez comme eux. Protégés de la catastrophe, hors d'atteinte. La folie des hommes passera sur vous sans même vous égratigner. Ah! comme je vous envie! Si j'étais plus jeune je me joindrais à vous de bon cœur.

Peggy aurait voulu partager son enthousiasme, mais elle était engourdie. Engourdie et... inquiète, il faut bien l'avouer.

« Tu ne devrais pas faire ça..., lui soufflait la voix de la raison au fond de son crâne. Réagis! Bon sang! Secoue-toi! Pourquoi es-tu si molle? »

Elle n'en savait rien. Elle aurait aimé que ses amis la soutiennent, mais ils regardaient le paysage d'un œil bovin.

— Nom d'une saucisse atomique! grogna le chien bleu, je me sens aussi intelligent qu'une boîte en carton vide.

— Quand nous aurons atteint le pied de la montagne, reprit Ziko-Ziko, nous nous dirons adieu, puis je fermerai l'écoutille et j'ordonnerai à la tortue de la souder solidement, de manière que personne ne puisse plus entrer à l'intérieur de la carapace. Une fois que cette brave bête aura pris sa place dans l'empilement, elle s'endormira, et vous avec elle. Personne ne sait quand vous vous réveillerez... dans un siècle? dans mille ans? Quoi qu'il en soit, quand ce jour arrivera, ayez une pensée pour ce brave Ziko-Ziko qui vous aura sauvé la vie. Si cela n'est pas trop demander, j'aimerais que vous m'érigiez une statue sur la grand-place de la première ville que vous bâtirez. Oui, une belle statue...

Lentement mais sûrement, la tortue géante se rapprochait de la montagne. Peggy Sue voyait venir avec angoisse le moment où Ziko-Ziko rabattrait le panneau de l'écoutille sur leur tête.

« Comment en suis-je arrivée là? se demanda-t-elle. Tout a commencé avec ces horribles visions... Elles m'ont fait peur, c'est vrai, mais ensuite j'ai été incapable de reprendre le dessus. Je ne comprends pas pourquoi. D'habitude, je suis moins trouillarde. »

Elle se tourna vers Naxos et le chien bleu pour quêter leur aide, mais ils s'étaient déjà rallongés au fond de la « caverne » et dormaient d'un profond sommeil.

— Ne t'inquiète pas, ma petite, chuchota Ziko en lui tapotant la tête. Tu as fait le bon choix. D'ici deux heures tu ne te poseras plus de questions. Je vais fermer l'écoutille et la tortue emplira l'habitacle de gaz soporifique. Tu entreras en hibernation. Il paraît que, lorsqu'on hiberne, on fait des rêves merveilleux. Je te conseille, au moment de t'endormir, de penser très fort à ce dont tu désires rêver. Choisis quelque chose d'agréable. Ton esprit utilisera ces indications pour bâtir une suite de songes tous plus formidables les uns que les autres. Ce sera comme si tu regardais une série télé, à cette différence près que tu en seras l'héroïne. Cool, non ?

« Je vais penser à Sebastian, se dit Peggy. Comme ça, j'imaginerai que nous sommes encore ensemble. Si je rêve de lui pendant deux siècles, ce sera toujours ça de pris ! »

Une heure plus tard, la tortue avait atteint le pied de la montagne. Maladroitement, elle entreprit de chercher un endroit où elle pourrait s'encastrer entre ses congénères, de manière à consolider le gigantesque entassement de carapaces qui se dressait au-dessus de la jungle rouge.

Peggy avait conscience que quelque chose d'iné-luctable [1] se mettait en place. Une fois la carapace scellée, il ne serait plus question de revenir en arrière. La prochaine fois qu'elle se réveillerait, tous ceux qu'elle avait connus seraient morts depuis longtemps : Granny Katy, ses parents, Sebastian... Seuls le chien bleu et Naxos seraient encore là pour lui tenir compagnie. C'était tout de même une décision terrible, et elle s'étonnait encore de l'avoir prise... Quelque chose se rebellait en elle, mais ce quelque chose était si loin, si faible et si profondément enfoui sous des tonnes de fatigue,

---

1. Inévitable.

qu'il aurait beau faire, il ne pourrait plus rien empêcher.

— Voilà, annonça Ziko. La tortue est calée. A présent, on va se dire adieu. Tu n'as plus à te soucier de rien. Va t'étendre auprès de tes camarades. Dans une heure, le gaz d'hibernation emplira l'habitacle et tu t'endormiras. Il va te falloir un peu de patience, le temps que la tortue fabrique cette vapeur magique. Décontracte-toi et attends. Tout se passera bien.

Il se pencha sur Peggy, l'embrassa sur les deux joues, et la repoussa au fond du trou. La jeune fille perdit l'équilibre et roula contre Naxos qui s'éveilla en grognant.

— Hein ? Quoi ? On est arrivé ? marmonna-t-il.

— Hein ? Quoi ? C'est l'heure de manger ? bredouilla le chien bleu.

Peggy ne répondit pas. Allongée sur le dos, elle fixait le panneau de l'écoutille que Ziko-Ziko était en train de refermer.

« Ça va commencer à se souder..., songea-t-elle. Dans une heure, on ne pourra plus l'ouvrir. Nous serons emmurés au cœur de la bestiole. C'est maintenant qu'il faut réagir... *maintenant !* »

Hélas, elle resta immobile, plus inerte qu'une statue tombée de son piédestal.

Dans un effort de volonté surhumain, elle roula sur le flanc et secoua le chien.

— Réveille-toi! lui ordonna-t-elle. Aide-moi! Nous nous conduisons de façon anormale... Nous sommes tombés dans un piège...

— Mais non, bâilla l'animal, nous avons fait le bon choix, il n'y avait pas d'autre solution. Rendors-toi, on est bien, non?

L'écoutille une fois fermée, Ziko-Ziko s'en alla, abandonnant les trois amis à leur sort. Peggy songea que chaque minute qui s'écoulait les rapprochait du sommeil de l'hibernation. Elle s'assit, la tête lourde.

Soudain, un grattement frénétique se fit entendre au-dessus de sa tête. Quelqu'un s'acharnait sur le panneau d'accès qui n'était pas encore scellé. Des grognements sourds accompagnaient le crissement des griffes.

— Les loups! cria Peggy, ils sont revenus! Ils essayent de nous sortir de là!

Le temps pressait. La jeune fille savait que, une fois le gaz insufflé dans l'habitacle, elle perdrait toute volonté de s'enfuir. Elle s'effondrerait, les yeux clos, et entamerait un sommeil d'un million d'années.

Le panneau s'ouvrit enfin, arraché par les loups. Peggy saisit le chien bleu sous son bras, expédia un coup de pied dans les côtes de Naxos, et se hissa au-dehors. Les loups l'aidèrent en agrippant ses vêtements avec leurs crocs. Dès qu'elle eut respiré l'air frais, la jeune fille se sentit mieux. Elle déposa le chien au sommet de la carapace et redescendit chercher Naxos qui s'était rendormi.

— Fichons-le camp! cria-t-elle quand ils furent tous sortis de l'habitacle. Le gaz va jaillir d'un moment à l'autre. Il faut s'éloigner.

Ils se laissèrent glisser jusqu'au sol, utilisant le flanc de la coquille comme un toboggan, et s'élancèrent en direction de la forêt, escortés par la meute.

Plus tard, quand ils eurent recouvré leurs esprits, le chien bleu déclara :

— Les loups disent que le vieil homme nous a fait manger des fruits toxiques, imprégnés d'un poison qui provoque la peur. Il voulait à toute force nous convaincre de chercher refuge dans le ventre de la tortue. Ensuite, il a ordonné à celle-ci de sécréter une vapeur soporifique pour nous maintenir dans un état comateux qui nous empêcherait de réfléchir.

— Mais pourquoi? s'étonna Naxos, il est fou?

— Non, fit tristement Peggy, il voulait nous sauver. Je crois qu'il est persuadé d'agir pour le mieux. Il n'est pas méchant mais, comme beaucoup d'adultes, il juge qu'il n'est pas nécessaire de demander leur avis aux enfants.

— Hé! s'écria le garçon, mais alors, les visions du futur qui t'ont tellement effrayée, elles étaient fausses, elles aussi!

— Non, dit le chien bleu. Les loups affirment que les tortues prédisent réellement l'avenir. *Tout ce qu'elles voient se réalise un jour.*

— Nous voilà prévenus, soupira Peggy. Il ne nous reste plus qu'à reprendre la route.

Le défilé [1] de l'aragne [2]

Peggy Sue n'avait aucune idée de ce qui les attendrait une fois qu'ils auraient tourné le dos aux tortues empilées. Le chien bleu s'appliqua à obtenir des loups quelques renseignements sur les « curiosités » des alentours.

— Ils disent qu'il y a une araignée gigantesque, expliqua-t-il. Ses pattes sont comme des aiguilles d'os, elle s'en sert pour tricoter le fil de sa toile [3]... Elle tricote tout le temps. Elle fabrique des écharpes, des couvertures.

— En quoi cela nous intéresse-t-il ? s'impatienta Naxos. Nous n'allons pas ouvrir un magasin de vêtements !

— Patience, trancha le petit animal, laisse-moi finir. Toutes les pièces tricotées par l'araignée ont le pouvoir de flotter dans les airs.

---

1. Couloir rocheux entre deux montagnes.
2. Mot ancien pour araignée.
3. A titre de curiosité, le lecteur apprendra que, jadis, on utilisait la soie d'une araignée géante, la néphile de Madagascar, pour tisser des gants destinés aux demoiselles de la haute société. Cette soie avait une grande valeur.

— Oh! je vois, murmura Peggy. Je pourrais essayer de lui voler un morceau de soie et m'en faire un tapis volant!

— Exact, confirma le chien bleu. Voler comme un oiseau quand on est un humain, c'est un super-pouvoir ou je ne m'y connais pas!

— D'accord, décida la jeune fille, dis aux loups de nous montrer le chemin. J'ai hâte de revenir dans le monde normal. Nous avons déjà passé trop de temps dans cet enfer.

La petite troupe s'élança sans attendre, traversant forêts, vallons et cours d'eau. Parfois nos jeunes explorateurs longeaient des précipices vertigineux, parfois il leur fallait marcher en équilibre sur un tronc d'arbre pour traverser un fleuve aux eaux bouillonnantes.

« J'ai du mal à croire que tout cela tienne entre les murs du deuxième étage, se disait Peggy Sue. Sommes-nous réellement en train de vivre cette aventure? Sommes-nous passés dans une autre dimension en franchissant les portes de la salle... ou bien aurions-nous absorbé à notre insu une drogue qui nous ferait rêver ces choses? »

Décider que tout n'était qu'un songe pouvait s'avérer dangereux... *voire mortel*. Elle choisit donc d'agir comme si les créatures qui l'entouraient étaient bien réelles.

— Attention! annonça le chien bleu. Nous arrivons chez l'aragne... Il s'agit de ne pas se faire repérer.

Les adolescents se dissimulèrent derrière un rocher pour jeter un coup d'œil dans le défilé qui s'ouvrait devant eux. Le spectacle leur fit dresser les cheveux sur la tête. Une gigantesque toile aux mailles grisâtres bouchait le passage. Elle était si épaisse qu'on eût dit un voile de mariée saupoudré de poussière de craie. Au centre de ce filet se tenait un énorme arachnide dont chaque patte se terminait par une longue aiguille osseuse. Ces pattes bougeaient avec vélocité, produisant un cliquetis incessant ; utilisant le fil de soie sortant du ventre de la méga-tarentule, elles tricotaient sans relâche des bouts d'étoffe soyeux sans forme déterminée.

L'estomac noué, le souffle court, les trois amis se firent tout petits dans leur cachette. Les loups, eux, s'étaient aplatis sur le sol, les oreilles couchées, signe qu'ils étaient aux aguets.

— Bon sang ! haleta Naxos, pourquoi l'araignée tricote-t-elle ? Ça n'a aucun sens !

— Tu te trompes, souffla le chien bleu. Elle utilise ces étoffes magiques pour envelopper ses victimes. De cette manière, son garde-manger flotte dans les airs, hors d'atteinte des autres prédateurs. Quand elle veut casser la croûte, elle n'a qu'à tirer sur le fil qui relie le paquet à sa toile pour faire descendre la nourriture jusqu'à sa bouche.

— C'est horrible, hoqueta Peggy.

— Faut bien manger ! éluda le chien, de plus, le tricot de soie possède un deuxième pouvoir : il conserve indéfiniment les proies qui, ainsi, ne pourrissent jamais. Cela signifie qu'un manteau taillé dans ce tissu te fera rester jeune pour l'éternité. Chaque fois que tu le porteras, le temps n'aura plus prise sur toi.

Peggy pointa le nez hors de la cachette pour étudier l'adversaire monstrueux bouchant le défilé. La bête semblait si absorbée par son travail qu'elle ne faisait pas attention à ce qui l'entourait. Le cliquetis de ses longues pattes d'os glaçait le sang. Elle ne cessait d'enfiler maille sur maille, fabriquant une sorte de vêtement informe qui, au lieu de pendre des « aiguilles », palpitait tel un drapeau dans le vent, comme s'il attendait avec impatience le moment de s'envoler.

Plissant les paupières, l'adolescente repéra les fameux « paquets » de nourriture mentionnés par le chien bleu. Ils flottaient dans les airs, comme des ballons de baudruche attachés par une ficelle à la toile d'araignée. Il y en avait beaucoup. Trente ou quarante... Chacun d'eux contenait une proie attendant d'être dévorée. Certains de ces paquets gigotaient car leur contenu était toujours en vie.

« Pourvu que je ne finisse pas ainsi, songea Peggy qui sentait la sueur lui mouiller les tempes. Ce serait horrible. »

— Comment comptes-tu t'y prendre ? s'enquit Naxos. Cette bestiole doit être sacrément rapide. Dès qu'elle t'apercevra, elle te tombera dessus.

— Je dois m'approcher assez près de la toile pour voler le truc qu'elle est en train de tricoter, chuchota Peggy. J'essayerai ensuite de m'en faire un tapis volant.

— Les loups proposent de créer une diversion, déclara le chien bleu. Ils attaqueront à gauche pendant que tu te faufileras par la droite. Ils sont assez nombreux pour harceler l'araignée pendant une dizaine de minutes. En l'agressant de tous côtés, ils occuperont son attention.

— C'est gentil de leur part, fit la jeune fille.

— Normal, lança le chien ; à présent tu es leur reine. Ils sont prêts à mourir pour toi...

Peggy se débarrassa de son paquetage, ne conservant qu'un poignard à la ceinture.

— Sois prudente, supplia Naxos, ce ne sera pas facile.

— Je ferai de mon mieux, haleta Peggy dont le cœur battait à toute vitesse.

— Tu es prête ? interrogea le chien bleu. Très bien. Je donne à la meute le signal de l'attaque. Dès que l'araignée s'occupera d'eux, tu pourras sortir de la cachette.

Les loups bondirent avec un bel ensemble. Ils chargèrent de front, s'arrêtèrent pile au pied de la toile dont ils mordillèrent les fils pour attirer l'attention de l'insecte. Les vibrations coururent jusqu'au monstre qui, d'un coup, interrompit ses travaux d'aiguilles. Les loups constituaient pour lui un gibier alléchant, une fois la meute empaquetée dans la soie magique qui suspendait les méfaits du temps, elle serait mieux conservée qu'au fond d'un congélateur et assurerait une foule d'excellents dîners !

Lentement, l'araignée quitta le centre de la toile octogonale et se laissa glisser jusqu'au sol au bout d'un fil aussi épais qu'un câble d'ascenseur. A ce spectacle, Peggy Sue sentit ses bras se couvrir de chair de poule. Cette bestiole était un véritable cauchemar ambulant ! Quand elle se posa, les aiguilles terminant ses pattes creusèrent des trous dans la terre. Les loups se replièrent, puis revinrent à l'attaque, la harcelant sur tous les fronts. Ils se débrouillaient bien. Vifs, souples, ils échappaient d'un soubresaut aux redoutables coups de pattes de l'aragne.

— A toi ! vite ! ordonna le chien bleu.

Serrant les dents, Peggy s'élança à son tour. Elle galopa en prenant soin de rester hors du champ visuel de la bestiole. En moins de 30 secondes elle atteignit la base de la toile.

Les mailles constituaient une sorte d'échelle de corde d'une incroyable solidité. Peggy avait d'abord cru qu'elles céderaient sous son poids, mais il n'en fut rien, et elle s'éleva rapidement vers le centre de l'architecture de soie, là où l'araignée avait abandonné le tricot sur lequel elle travaillait avant l'intervention de la meute. Sorti des aiguilles, l'ouvrage flottait dans les airs au bout de son fil. Peggy décida de sectionner celui-ci, et de redescendre aussitôt, tirant le tricot derrière elle, tel un ballon de baudruche au bout de sa ficelle.

Elle eut, hélas, une mauvaise surprise. La lame du poignard allait et venait sur le fil sans parvenir à le sectionner. Accrochée à 30 mètres au-dessus du sol, en équilibre précaire, Peggy se sentait petite et très vulnérable.

Elle s'escrimait toujours sur le câble récalcitrant quand la voix mentale du chien bleu explosa dans son esprit : « Attention ! L'araignée a éventé notre ruse, elle s'est détournée des loups pour rentrer chez elle, elle monte vers toi ! Fiche le camp ! Vite ! Tire-toi de là ! »

Jetant un bref coup d'œil par-dessus son épaule, l'adolescente vit que le monstre se rapprochait. Il semblait mécontent et agitait ses pattes-aiguilles avec fureur.

« Elle va me transpercer ! comprit Peggy. Ma retraite est coupée. Et je suis bien trop haut pour sauter dans le vide sans me rompre les os. Ma seule chance, c'est de trancher ce câble et de m'y accrocher. Si le tricot s'envole, il m'emportera dans les airs... »

Elle se mit à travailler furieusement du couteau tandis que le filet vibrait au fur et à mesure que se rapprochait l'aragne. Alors que Peggy Sue se croyait perdue, le fil daigna enfin se rompre, elle s'empressa de l'enrouler autour de son avant-bras et s'y cramponna. Au-dessus de sa tête, la toile magique tricotée par l'insecte palpitait comme un oiseau battant des ailes. Très vite, l'étrange tapis s'éleva en direction du plafond, tirant Peggy dans son sillage. La jeune fille se sentit décoller à la seconde même où l'une des pattes de l'araignée s'abattait à l'endroit où elle se tenait un quart de seconde plus tôt.

L'adolescente eut l'illusion que l'estomac lui descendait dans les talons. C'était une curieuse sensation que de traverser le ciel accrochée à la queue d'un cerf-volant.

« Hélas, il ne s'agit pas d'un simple cerf-volant, songea-t-elle, ce tapis est magique et il va me falloir le dompter. Je ne suis pas au bout de mes peines ! »

Quand elle regarda vers le bas, elle aperçut l'araignée qui gigotait furieusement. Peggy savait qu'elle ne devait pas rester trop longtemps suspendue au bout du fil qui, trop serré, commençait à entraver la circulation du sang dans son bras. Lorsque l'engourdissement la gagnerait, elle lâcherait prise, il lui fallait se hisser au plus vite sur le tapis volant.

Elle utilisa donc ses mains, ses genoux et ses pieds — comme elle l'aurait fait sur une corde lisse — pour grimper vers le carré de toile magique qui palpitait au-dessus d'elle. Ce ne fut pas une partie de plaisir ; en trois occasions, elle faillit lâcher prise. Quand elle arriva au sommet, elle était épuisée et tremblait de tous ses membres. Elle se coucha sur le tapis volant en essayant de ne pas penser à ce qui arriverait si celui-ci, pour se débarrasser d'elle, décidait subitement de se retourner et de voler sur le « dos » !

Les ongles enfoncés dans l'étoffe, elle luttait contre l'envie de vomir qui lui tordait l'estomac. Le « tapis » (elle avait décidé de l'appeler ainsi pour plus de commodité) mesurait environ 2 mètres sur 3. Peggy ne s'y trouvait pas à l'étroit, mais 6 mètres carrés, quand on vole à 50 mètres du sol, ça paraît tout de même très petit !

La soie qui composait l'étrange véhicule se révéla douce au toucher et d'un beau gris argenté. On aurait pu sans mal y tailler une magnifique robe de bal « couleur de lune ». Pour l'heure, cette pièce d'étoffe zigzaguait dans le ciel sans destination précise.

Le cœur chaviré de vertige, Peggy se décida à ouvrir les yeux pour faire le point. Il était hors de question qu'elle se laisse promener jusqu'à ce qu'un virage plus sec que les précédents lui fasse lâcher prise.

A présent, le tapis décrivait des cercles concentriques sans trop savoir ce qu'il devait faire. Peggy grimaça en découvrant, autour d'elle, les affreuses réserves de nourriture constituées par l'araignée. Empaquetés dans des morceaux de toile volante, maintenus en vie par les vertus magiques de la soie, les prisonniers s'agitaient au bout des longs fils qui les tenaient amarrés à la toile d'araignée. Quand le monstre avait faim, il lui suffisait de saisir l'un de ces câbles entre ses pattes et de mouliner pour ramener sa proie, à la façon d'un pêcheur attrapant un poisson. Se sentant descendre, le malheureux prisonnier savait alors sa dernière heure arrivée !

L'avantage avec ce système, c'était que l'aragne disposait toujours de nourriture fraîche, même si elle avait « empaqueté » ses proies six mois auparavant.

— Calme-toi ! ordonna Peggy Sue au tapis volant. Je ne te veux pas de mal. Je ne te découperai pas, je ne te coudrai pas, je te le promets. Soyons bons amis et tout se passera bien, nous nous rendrons mutuellement service. Comprends-tu ce que je te dis ?

Le tapis ondula trois fois, puis des lettres apparurent en relief, à sa surface. L'inscription disait : *D'accord. Mais si ce que tu me demandes de faire me déplaît, je te jette dans le vide.*

« Au moins c'est clair, songea la jeune fille. Profitons des bonnes dispositions de cette carpette magique pour venir en aide aux prisonniers de l'araignée. »

— Écoute, dit-elle (elle se sentait un peu idiote de parler à un tapis, mais bon, elle avait décidé de ne s'étonner de rien). Tu vois les paquets volants qui nous entourent ? Tu vas t'approcher doucement de chacun d'eux. C'est compris ?

La carpette eut de nouveau trois ondulations, ce qui dans la langue des tapis volants correspond à notre « oui », comme chacun sait.

Tirant son coutelas de sa gaine, Peggy Sue se pencha vers le premier paquet suspendu dans les airs. On aurait dit un ballot de tissu mal ficelé, mais quelqu'un s'y trouvait enfermé, quelqu'un qui s'agitait faiblement. La jeune fille hésita. Que devait-elle faire? Fendre le ballot pour libérer le prisonnier ou couper l'amarre qui reliait le paquet à la toile d'araignée?

« Zut et rezut! se dit-elle. A priori je pensais que c'était une bonne idée, mais qui se cache là-dedans? Un élève de notre école ou une bête féroce capturée par l'aragne? »

Toute erreur serait lourde de conséquence...

— Hé! cria l'adolescente, toi, le prisonnier, tu m'entends? Peux-tu me répondre?

Ses paroles provoquèrent une brusque gesticulation du ballot, mais aucun son n'en sortit.

« Ça ne prouve rien, décida Peggy Sue. L'étoffe étouffe peut-être les paroles. »

Elle était cruellement indécise. Elle ne voulait surtout pas courir le risque de laisser un être humain servir de repas à la bête tricoteuse.

Elle devait prendre une décision...

D'un mouvement rapide, elle cisailla le paquet qui se déplia d'un coup, comme une fleur en train de s'ouvrir. Le prisonnier s'ébroua, ébloui, engourdi par sa trop longue claustration. C'était... *c'était un lion à crinière de serpents!*

Se découvrant libre, le fauve poussa un rugissement et bondit dans le vide pour prendre pied sur le tapis volant de Peggy Sue. Heureusement, la jeune fille avait eu le réflexe d'ordonner à la carpette magique de s'éloigner promptement. Le lion rata son atterrissage et, pendant dix interminables secondes, resta suspendu par les griffes d'une seule patte au bord du tapis. Peggy s'empressa de lui expédier un coup de couteau pour le contraindre à lâcher prise. Avec un rugissement effrayant, il disparut dans le vide en tourbillonnant.

Une inscription en relief se forma sur la soie : *Tu es certaine de vouloir continuer?*

— Je ne sais pas, avoua l'adolescente. Je vais tenter le coup encore une fois... j'espère que j'aurai plus de chance.

Le tapis s'inclina légèrement pour amorcer son virage et s'approcha d'un autre ballot. A l'intérieur de celui-ci, le prisonnier s'agitait comme un beau diable.

— Tu m'entends? lui lança Peggy. Je suis là pour te libérer... Est-ce que tu m'entends, je viens en amie.

— Hon... hon... hon! répondit le paquet.

S'attendant au pire, la jeune fille tendit le bras et, une fois encore, incisa l'étoffe pour en libérer le contenu. Des mains, des jambes apparurent, suivies d'une tête ébouriffée.

— *Jeff!* cria Peggy, c'est toi?

C'était bien le grand Jeff. Blême, hagard, il s'empressa de sauter sur le tapis volant de sa libératrice.

— Bon sang..., balbutia-t-il, je ne sais même pas depuis combien de temps j'étais empaqueté dans ce truc! Je devrais normalement être mort de faim et de soif et pourtant je suis en pleine forme...

— C'est une toile magique, expliqua Peggy. Quand elle t'enveloppe tu cesses de vieillir ; tu n'as plus besoin de boire ni de manger.

— Je sais ! grogna Jeff, c'est pour cette raison que je me suis attaqué à l'araignée. Je voulais en piquer une pour m'y tailler un costume.

Peggy remarqua que le garçon n'avait pas pris la peine de la remercier. A son air penaud, elle comprit qu'il était horriblement vexé d'avoir été délivré par une fille, lui qui les tenait en grand mépris.

— Allonge-toi ! lui cria Peggy. Agenouillé, on a tendance à perdre l'équilibre.

Jeff obéit de mauvaise grâce. Plus lourdement chargé, le tapis volait avec moins de souplesse. Alors qu'il frôlait le plafond, Peggy Sue constata que celui-ci était sillonné de grosses lézardes causées par la cime des grands arbres qui s'y cognaient à chaque bourrasque. Les chocs répétés avaient fini par disloquer le béton à la manière d'un bélier heurtant la porte d'un château fort.

Peggy fut impressionnée par le mauvais état du plafond. D'en bas on ne soupçonnait rien, mais les crevasses étaient importantes, comme si la voûte allait bientôt s'effondrer. Les dirigeants du collège le savaient-ils ? Elle se promit de les mettre au courant dès son retour.

— On va se poser, décida-t-elle. Naxos et mon chien sont quelque part là-dessous, je dois les retrouver.

Brusquement, alors que le tapis volant amorçait sa descente, Jeff roula contre Peggy, la poussant presque dans le vide. Si l'adolescente n'avait pas eu le réflexe de s'accrocher, elle aurait été éjectée.

— Oh! excuse-moi! bredouilla le garçon, j'ai perdu l'équilibre, je n'ai pas encore l'habitude de ce machin.

Mais une étincelle mauvaise brillait dans ses yeux, et Peggy eut l'intuition qu'il avait bel et bien tenté de la jeter dans le vide pour s'emparer du tapis volant.

« Quel sale type! se dit-elle. Va falloir que je le tienne à l'œil. »

La carpette magique se rapprocha du sol en décrivant une spirale serrée. A dix mètres, elle s'immobilisa en vol stationnaire [1].

Une inscription en relief se dessina sur la soie :

Je ne veux pas descendre plus bas. En fait, il m'est interdit de toucher terre. Si je le faisais, je perdrais mes pouvoirs. Tu n'as qu'à te laisser glisser en utilisant le fil qui me retenait à la toile d'araignée et qui pend toujours derrière moi. Pour remonter, tu devras emprunter le même chemin.

Peggy hocha la tête. Elle n'était pas surprise, avec la magie il fallait s'attendre à d'innombrables complications. Il n'y avait guère que dans les livres que tout se passait bien!

---

1. Comme un hélicoptère qui fait du surplace.

Elle se déplaça vers l'arrière du tapis et désigna le câble de soie qui pendait dans le vide, comme la queue d'un cerf-volant.

— Tu vas descendre par là, ordonna-t-elle à Jeff. Je pense que tu sais te servir d'une corde lisse ?

— Sûrement mieux que toi ! ricana le garçon, et il empoigna le câble pour se laisser glisser jusqu'au sol.

Quand il fut en bas, l'adolescente l'imita. Elle se demandait si le tapis volant en profiterait pour reprendre sa liberté. Avait-elle réussi à l'apprivoiser ou bien n'attendait-il que l'occasion de s'échapper ?

Une fois à terre, elle fut assez prudente pour ne pas lâcher la corde et, loin de la laisser pendre, la noua solidement à une branche d'arbre. Ainsi amarré, le tapis ne pourrait pas prendre la poudre d'escampette.

Naxos et le chien bleu se précipitèrent à la rencontre de leur amie. Quand ils l'avaient vue s'envoler dans les airs, ils avaient cru sa dernière heure arrivée. Ils dissimulèrent mal leur agacement en reconnaissant Jeff. Les loups demeurèrent à l'écart, dévisageant cet étranger avec circonspection.

— Tiens, te voilà, toi..., dit simplement Naxos. Finalement, sans l'intervention de Peggy, tu servais de casse-croûte à l'araignée !

Jeff serra les dents ; une étincelle meurtrière traversa son regard.

— Où sont passés tes copains ? s'enquit Peggy pour faire diversion, car elle ne tenait pas à ce que les deux garçons se sautent à la gorge.

Jeff haussa les épaules.

— Ces crétins se sont fait avoir par les arbres gonflables, grommela-t-il. Je suis le seul à m'en être sorti. J'ai dû affronter des dizaines de monstres, mais aucun n'avait de pouvoir véritablement intéressant, alors j'ai laissé leurs carcasses pourrir au soleil...

Il se vantait, comme d'habitude, mais Peggy s'abstint de le lui faire remarquer. Elle ne voulait pas envenimer les choses.

— J'avais entendu parler de ce tapis volant le premier, reprit le grand Jeff. Normalement, c'est moi qui devrais l'avoir.

Naxos se raidit.

— Celui qui l'a, c'est celle qui a réussi à le voler à l'aragne, siffla-t-il avec colère, pas celui qui s'est laissé empaqueter comme un imbécile.

Jeff serra les poings. Les loups, flairant l'odeur de la querelle, commencèrent à grogner et à montrer les dents. Leur intervention dissuada les garçons d'en venir aux mains.

Pour détendre l'atmosphère, Peggy décida de dresser un bivouac et de déjeuner. Les loups, qui aimaient le feu depuis que celui-ci les avait sauvés des moutons invisibles, vinrent s'étendre aux pieds de leur reine.

Cette manifestation de soumission agaça encore plus Jeff.

— Qu'est-ce que tu fiches avec ces bestioles pelées? ricana-t-il. Moi, les lions à crinière de serpents voulaient m'élire comme roi mais j'ai refusé, pas question que je m'embarrasse de bestiaux qui m'auraient ralenti ! Ils étaient bien déçus, mon combat contre les alligators volants les avait terriblement impressionnés.

Se rendant compte que personne ne l'écoutait, il se tut et demeura dans son coin, à remâcher sa rancune.

— Demain, décida Naxos, je me lance à la recherche de la licorne rouge. J'en ai assez de ce monde de fous. Je voudrais rentrer. Tu pourras peut-être m'aider à la repérer du haut de ton tapis ?

— Bien sûr, fit Peggy avec chaleur. Je survolerai la forêt pour faire un repérage.

— T'auras bonne mine avec une corne sur la tête ! ricana Jeff en dévisageant Naxos.

— T'inquiète pas pour ça, siffla le garçon aux cheveux d'or. Le plus ridicule n'est pas toujours celui qu'on croit.

Le soir tombait, il était temps de dormir. Peggy attira le chien bleu à l'écart et lui demanda d'ordonner aux loups de veiller sur l'amarre du tapis volant, car elle était persuadée que Jeff tenterait de s'en emparer à la faveur de la nuit.

— C'est un sale mec ! grogna le petit chien. Tu aurais dû le laisser là-haut. Il ne nous attirera que des ennuis.

Peggy soupira, elle n'ignorait pas que son fidèle compagnon avait raison mais elle était incapable d'un tel acte.

— Nous verrons bien, fit-elle en haussant les épaules. Dès que Naxos aura attrapé sa fichue licorne nous retournerons au bunker. Loba nous aidera à confectionner les costumes qu'on nous réclame, puis nous quitterons le deuxième étage.

— Ce ne sera pas dommage, souffla le chien bleu. J'en ai plein les pattes de cet endroit.

La colère de la licorne

Le lendemain, Peggy Sue hésita sur la conduite à tenir. Devait-elle voyager sur le tapis ou bien, à pied, à côté de ses camarades ? La carpette de soie n'était pas assez grande pour enlever tout le monde dans les airs, en outre, elle n'aurait peut-être pas la force de transporter trois adolescents, un chien et douze loups sur une dizaine de kilomètres !

Finalement, elle décida de nouer ce qu'elle surnommait « la queue du cerf-volant » autour de son poignet, et de tirer le tapis dans son sillage à la manière d'une fillette remorquant un ballon de baudruche. Elle craignait, si elle le lâchait, qu'il en profite pour s'échapper. Sans doute n'était-il pas encore assez apprivoisé pour lui obéir au doigt et à l'œil.

On prit la route en silence. Naxos était tendu, quant aux loups, ils donnaient des signes de nervosité.

— Ils ont peur de la licorne, expliqua le chien bleu. Ils prétendent qu'elle est colérique et rancunière.

Quand on la dérange, elle entre dans des crises de rage démentielle et, dès lors, n'a de cesse de massacrer celui qui l'a importunée. Je ne sais pas si c'est une bonne idée de se rendre là-bas.

Jeff haussa les épaules. Il affichait son éternel sourire méprisant.

— Moi, j'ai mon idée là-dessus, ricana-t-il en prenant l'air de celui qui connaît les secrets des dieux.

— Ah oui? fit Peggy en essayant de maîtriser son agacement.

— Je pense que tous ces animaux n'existent pas réellement, lâcha-t-il en désignant les loups qui trottinaient dans la foulée de la jeune fille. Les araignées, les licornes, les lions... tout ça c'est de la blague. *Ce sont des robots.* Vous êtes naïfs. Vous n'avez pas encore pigé qu'il s'agit d'un test? Cette jungle est fausse, c'est un décor. Les profs nous observent au moyen de caméras dissimulées dans les arbres. Ils étudient nos réactions et nous donnent des notes. Quand le test sera terminé, les animaux s'arrêteront de bouger et nous nous apercevrons qu'à aucun moment nous n'avons été en danger.

Naxos hocha la tête. Il aurait voulu réfuter la théorie du grand Jeff d'un haussement d'épaules, mais cette vision des choses le troublait car elle recoupait certaines de ses interrogations.

— J'avoue que j'y ai pensé, moi aussi, chuchota-t-il. Avec des gens comme Diablox, il faut s'attendre à tout.

— Mais il y a Loba et les naufragés de la savane, protesta Peggy.

— Ça ne prouve rien, intervint le chien bleu. Il pourrait s'agir de comédiens placés là pour nous débiter des sornettes.

— Les squelettes, tout ça..., renchérit Jeff, c'est du décor, de la mise en scène. L'araignée ne m'aurait pas dévoré, j'en suis certain. D'ailleurs je n'ai jamais eu peur d'elle. Elle était trop effrayante pour être réelle. Je me suis laissé capturer pour l'étudier de plus près.

« Ben voyons ! » ricana intérieurement Peggy.

— Il y a un moyen facile de le savoir, déclara Jeff. Attrapons un de ces loups et ouvrons-lui le ventre. Une fois la peau incisée, nous découvrirons des rouages, un moteur, des articulations d'acier, je suis prêt à le parier !

— Je ne te conseille pas d'essayer, susurra la jeune fille, mais si tu veux vraiment tenter le coup, ne t'en prive pas !

— Il n'y a vraiment aucun risque, martela le garçon, ces robots sont programmés pour nous faire peur, pas pour nous blesser. Tu vas voir...

Il tira son couteau et marcha vers la meute d'un pas décidé, comme s'il était convaincu de sa théorie.

Au bout de trois pas il dut s'arrêter car les loups montraient les crocs et grognaient de façon menaçante.

— C'est de la frime, bredouilla Jeff en se dandinant d'un pied sur l'autre. De la comédie pour nous dissuader d'aller y voir de plus près, mais, baste! mon opinion est faite, je n'ai même pas besoin de vérification. Je ne suis pas idiot, je sais de quoi il retourne. Je ne marche pas dans ces combines, moi.

Il s'empressa de rengainer son poignard et poursuivit son chemin en essayant d'adopter un air digne.

— N'empêche, murmura Naxos, il a peut-être raison... *et si tout ça n'était qu'un test?*

— Je ne parierais pas là-dessus, soupira l'adolescente. Tu connais le vieux dicton : « La grande force du vampire, c'est d'avoir réussi à convaincre tout le monde qu'il n'existe pas. » Je pense qu'ici c'est pareil. Si nous finissons par nous persuader que nous ne courons aucun danger, nous mourrons avant le coucher du soleil.

Un quart d'heure plus tard ils s'immobilisèrent, en alerte. Une forme sombre gisait devant eux, couchée sur l'herbe jaune et brûlée de la prairie. Un lion martien!

— Il est mort, annonça le chien bleu. On ne risque rien. Allons voir.

Les loups grognaient sourdement. Ils ne regardaient pas le lion mais plutôt les environs, comme s'ils s'attendaient à voir surgir un danger.

Le lion rouge était cloué au sol par une lance d'ivoire scintillante qui l'avait traversé de part en part.

— *Une corne...*, haleta Naxos. Je suppose qu'elle provient du front d'une licorne?

— Les loups le confirment, souffla le chien bleu. Ils disent que ce lion s'est conduit comme un imbécile. La faim l'a poussé sur le territoire de l'unicorne [1], elle l'a puni pour cela.

Peggy tendit la main pour toucher l'éperon d'os. Il était si profondément fiché dans le sol qu'elle ne put le faire bouger.

Les deux garçons étaient devenus très pâles.

— Encore une mise en scène..., balbutia Jeff. Je suis certain que ce lion est bourré de paille, ce n'est qu'un mannequin.

A cet instant, les serpents de la crinière se redressèrent en sifflant. Les adolescents firent un bond en arrière.

Le chien bleu les rassura :

— Les loups disent qu'il n'y a rien à craindre, les serpents ne nous attaqueront pas. Leur maître est mort, ils n'ont donc plus à le défendre. En vérité, ils attendent de se mettre au service de quelqu'un d'autre.

— Pourquoi ne sont-ils pas morts, eux aussi? s'inquiéta Peggy.

— Les serpents rouges vivent plusieurs siècles, c'est ainsi, expliqua le chien. Quand le lion meurt, ils ont pour habitude d'élire domicile sur la tête d'un autre animal.

— Eh! s'exclama Jeff, ça me ferait un joli chapeau! Il paraît que ces bestioles sont capables de

---

1. Autre nom de la licorne.

s'étirer sur plus de trois mètres, comme de vrais tentacules! Avec elles on est à l'abri, personne n'aurait l'idée de venir vous chercher noise.

— Tiens! remarqua Peggy Sue, je croyais que tous ces monstres étaient de simples robots... On dirait que tu as brusquement changé d'avis.

Jeff n'eut pas le temps de répliquer car les loups, d'un même mouvement, se jetèrent sur la dépouille du lion pour la dévorer. Les adolescents s'écartèrent.

— On voit bien que c'est de la vraie chair..., murmura Naxos. Regardez! il n'y a ni moteur ni carcasse d'acier, rien que de la viande et des tripes. Les monstres existent vraiment.

— Qu'en sais-tu? ricana Jeff. On a peut-être fabriqué celui-là avec des biftecks pour nous en convaincre, hein? Vous avez remarqué qu'il était censé être mort... Si ça se trouve, c'était seulement un pantin constitué de gigots crus, un truc de plus pour nous berner.

Il s'entêta dans sa démonstration sans se rendre compte que ses compagnons ne l'écoutaient plus.

Peggy était inquiète. Elle ne parvenait pas à détacher son regard de la corne fichée dans le sol. Il avait fallu une sacrée puissance pour planter ce harpon d'ivoire à une telle profondeur!

Quand la meute eut achevé d'engloutir son repas, Jeff se pencha sur la carcasse parfaitement nettoyée et ramassa la couronne de serpents à laquelle les loups n'avaient pas touché.

Les reptiles se nouèrent autour de ses mains et de ses bras sans chercher à le piquer.

— Ils lui demandent s'il accepterait d'être leur nouveau maître! expliqua le chien bleu. Ils lui jurent obéissance et fidélité.

Peggy fit la grimace; l'idée de voir le grand Jeff se pavaner avec une coiffure de cobras ne l'emballait guère. Elle se sentit forcée d'intervenir.

— Tu ne vas pas mettre ça? lança-t-elle. C'est dégoûtant. Aucune fille ne voudra plus sortir avec toi!

Mais le garçon ignora l'avertissement. Il semblait fasciné par la couronne grouillante et sifflante qu'il tenait entre ses mains.

— *Eh! Eh!* ricanait-il, une lueur mauvaise dans l'œil.

Finalement, après avoir hésité pendant trente secondes, il souleva la crinière reptilienne à bout de bras et la posa sur sa tête, à la façon d'un empereur qui se couronne lui-même. Tout de suite, les serpents se resserrèrent autour de son visage, l'encerclant de leur pullulement hideux.

— Trop cool! haleta Jeff. Qu'est-ce que vous pensez de mon nouveau look, les gosses?

Peggy fit un pas en arrière et déglutit avec peine. Jeff avait à présent l'air d'un monstre.

— On dirait Méduse, la Gorgone [1]! hoqueta-t-elle. C'est vraiment très laid.

---

1. Monstre mythologique à la chevelure de serpents.

— Ouais, rétorqua Jeff, mais ça fout la trouille, c'est tout ce qui compte. Je crois que j'ai trouvé une partie de mon costume, les gars! Et ça ne m'a pas coûté une goutte de sueur...

Comme la meute s'impatientait, il fallut bouger. De toute évidence, les loups ne voulaient pas rester sur la prairie, on s'y trouvait trop exposé aux tirs de licorne. Ils souhaitaient gagner l'abri de la forêt où les arbres fournissaient un rempart appréciable.

— Maintenant c'est à moi de jouer, déclara Naxos. Je suis le seul à n'avoir encore aucun équipement. Ça ne peut plus durer.

— Sois prudent, supplia Peggy. Cette unicorne a l'air diablement dangereuse. Je ne voudrais pas qu'il t'arrive malheur, je... je t'aime bien.

— Moi aussi je... *t'aime bien*, chuchota le garçon aux cheveux d'or en détournant les yeux.

Derrière eux, Jeff émit un ricanement déplaisant.

Hélas, une fois dans la forêt, les signes de danger se multiplièrent. Le plus impressionnant fut un squelette humain qu'un éperon d'ivoire tenait cloué contre un arbre depuis des années. Encore une fois, la corne avait percé l'homme et le tronc de part en part avec la puissance d'un harpon projeté par le canon d'un baleinier.

Peggy en eut froid dans le dos. Se tournant vers le chien bleu, elle lui dit :

« Interroge les loups, je veux tout savoir sur ces fichues licornes! »

Le petit animal s'en alla tenir conseil avec la horde. En dépit de leur taille et de leurs crocs, les fauves étaient inquiets. Ils avaient affronté l'araignée géante sans broncher mais, de toute évidence, la licorne les terrifiait et ils n'avaient qu'une idée, revenir sur leurs pas pour contourner ce territoire maudit.

Le chien rejoignit Peggy.

— Bon, dit-il, voilà ce que j'ai appris. Je te préviens, ce n'est pas encourageant. La licorne est pratiquement invincible. Il est inutile de lui décocher une flèche car elle rebondirait sur son cuir sans pénétrer les chairs. Dès qu'on l'agresse, elle devient folle furieuse et ne lâche plus son adversaire. Mieux vaut ne pas éveiller sa colère. Cela dit, selon les loups, il existe un moyen de la vaincre.

— Lequel ? interrogea Peggy Sue pleine d'espoir.

— Il faut..., commença le chien bleu, il faut l'aveugler en lui projetant dans l'œil gauche un reflet de soleil au moyen d'un miroir. Si on parvient à l'éblouir pendant trois secondes d'affilée, elle se fige comme une statue. Dès lors on peut l'approcher sans danger.

Peggy se gratta la tête. Elle se voyait mal essayant d'éblouir une licorne lancée au galop avec un miroir de poche ! A moins que...

Mais oui !

— J'ai peut-être une idée ! triompha-t-elle. Je vais grimper sur le tapis magique et survoler la prairie. De cette façon il me sera facile de poursuivre la licorne même si elle se met à galoper. Je devrais réussir à l'éblouir sans trop de mal.

— C'est bien imaginé, admit le chien, mais il nous faut un miroir. Tu en as un ?

— Il y en avait un dans mon équipement de survie, avoua la jeune fille, mais je l'ai perdu dans le marigot. Sans doute en trouverons-nous un dans le sac de Naxos.

Fière d'avoir imaginé cette ruse, elle courut vers le garçon aux cheveux d'or, mais celui-ci, à l'énoncé du plan, se renfrogna.

— Si je tue la licorne pendant qu'elle est paralysée, objecta-t-il, ça sera vraiment de la triche ! Je ne l'aurai pas chassée, j'aurai l'impression de l'avoir assassinée pendant son sommeil, ça me ficherait la honte ! Non, je veux la vaincre loyalement, en vrai guerrier, avec mon arc et mes flèches.

Peggy crut qu'elle allait exploser. C'était bien là une réaction de garçon !

— Tes flèches seront sans effet sur elle ! répliqua-t-elle. Elles rebondiront, et à vouloir jouer les fiers-à-bras tu vas juste réussir à te faire tuer.

— Qu'importe ! s'entêta Naxos, je ne veux pas tricher !

— Quel crétin ! s'exclama Jeff, tout ce qui compte, c'est le résultat. On n'est pas là pour jouer les héros.

Peggy Sue eut beau argumenter, Naxos n'en voulut point démordre. Les larmes aux yeux, la jeune fille lui tourna le dos.

— Je te propose de nous passer de son consentement, hasarda le chien bleu. Grimpons sur le tapis magique et lançons-nous à la recherche de la bestiole sans attendre. Nous n'avons pas de miroir, mais le fond d'une gamelle bien astiquée fera l'affaire.

Après avoir frotté une écuelle d'aluminium avec du sable, Peggy prit le chien bleu sous son bras et, gagnant l'endroit où elle avait amarré le tapis volant, lui ordonna de descendre aussi bas que possible afin qu'elle puisse y grimper sans trop de mal. La carpette magique hésita, car elle craignait d'entrer en contact avec le sol, mais elle finit par obéir. C'est ainsi que Peggy, le chien et l'écuelle prirent place à bord.

Dès qu'ils furent dans les airs, la jeune fille expliqua ce qu'elle désirait :

— On va survoler la prairie jusqu'à ce qu'on déniche une licorne. Ensuite, tu la suivras dans tous ses déplacements, et j'essayerai de l'éblouir en lui expédiant un reflet de soleil dans l'œil. Tu as compris ?

Trois ondulations parcoururent la surface du tapis.

Alors commença une étrange course. Allongée au bord de la carpette, la tête dans le vide, Peggy scrutait le paysage qui défilait sous elle. La cravate du chien bleu claquait dans le vent. Le voyage aurait pu être agréable si, à chaque secousse, les voyageurs n'avaient craint de rouler par-dessus bord.

Enfin, au bout d'un quart d'heure d'un vol en zigzag, le chien bleu repéra un point rouge à l'horizon. C'était la licorne qui broutait la luzerne. Le javelot d'ivoire se dressait sur son front, menaçant.

L'animal avait la taille d'un cheval de guerre [1].

— Elle n'a rien d'une pauvre petite bête fragile, commenta le chien. Moi, je voyais plutôt quelque chose de gracieux, de joli.

— Moi aussi, avoua Peggy. Ses sabots sont plus gros que des boulets de canon !

La licorne releva la tête et secoua sa crinière, agacée par le tapis volant qui passait et repassait au-dessus d'elle. Elle poussa un hennissement irrité et frappa le sol du sabot, projetant une motte de terre à dix pas.

Allongée au bord de la carpette, les doigts crispés sur la gamelle rutilante, Peggy s'appliquait à intercepter un rayon lumineux pour l'expédier droit dans l'œil de la licorne. Celle-ci, flairant le danger, s'élança sur la plaine, d'un trot d'abord lourd, qui devint de plus en plus rapide.

— Suis-la ! cria Peggy à l'intention du tapis. Suis-la !

Mais la licorne galopait en zigzag, forçant la carpette à corriger sans cesse sa trajectoire. Chaque

---

1. Au Moyen Age, les chevaliers partaient à la bataille sur de grands chevaux, très solides, capables de supporter le choc des affrontements. On raconte que ces bêtes, emportées par la fureur des combats, se mordaient entre elles !

fois qu'elle virait de bord, Peggy et le chien bleu manquaient d'être éjectés.

— Je vais vomir! gémit le petit animal.

Alors que la jeune fille essayait vainement d'intercepter un rayon de soleil, Naxos sortit de la forêt et s'avança sur la plaine, l'arc brandi.

— Oh! l'imbécile! gémit Peggy, il s'obstine à vouloir jouer les chasseurs, malgré tous mes avertissements!

Elle lui cria de retourner se mettre à couvert, mais le garçon, sourd aux conseils, tira une flèche de son carquois et l'encocha sur la corde de son arc de guerre. Sentant venir la catastrophe, Peggy tenta une dernière fois d'éblouir la licorne, sans y parvenir. Elle entendit le claquement sec de la corde qui vibrait, et le sifflement du projectile fendant l'air. Naxos avait bien visé. La flèche percuta la licorne en plein poitrail mais... *rebondit* comme si elle avait heurté un rocher!

— Ainsi les loups disaient vrai, haleta le chien bleu. Je pensais qu'il s'agissait d'une légende.

Cette fois, l'unicorne s'immobilisa, ulcérée qu'on ait pu lui manquer de respect. Elle soufflait fort par les naseaux et agitait sa crinière, l'œil braqué sur Naxos. Le jeune archer parut soudain très frêle, ainsi perdu au milieu des hautes herbes.

— Oh! souffla le chien bleu, elle n'a pas aimé ça. Elle n'a pas *du tout* aimé ça!

Alors il se passa quelque chose d'impossible. La lance d'ivoire fichée sur le front de la cavale [1] se détacha pour filer toute seule dans les airs à la manière d'une fusée !

— Couche-toi ! hurla Peggy à l'adresse de Naxos.

Mais le garçon demeurait pétrifié, incapable de bouger. La corne se rapprochait de lui à une vitesse fulgurante, visant son cœur. Il ne faisait pas de doute qu'elle allait le transpercer d'ici un quart de seconde.

Au moment où tout semblait perdu, l'un des serpents que Jeff portait en crinière se détendit, s'allongeant tel le tentacule d'une pieuvre, et s'enroula autour de la corne, la faisant dévier de sa cible ! Le choc fut tel que le grand Jeff perdit l'équilibre et fut traîné dans l'herbe sur plus de 20 mètres. Toutefois, il avait réussi son coup ! Sans son intervention, Naxos aurait été transpercé.

— Il remonte dans mon estime ! haleta Peggy. Après tout, il n'est peut-être pas aussi mauvais qu'il en a l'air.

— Ne te fais pas d'illusions, corrigea le chien bleu. Je crois surtout qu'il a eu envie de faire l'intéressant.

En bas, Naxos s'ébrouait et, s'entêtant dans son erreur, encochait déjà une deuxième flèche sur la corde de l'arc.

— Quel petit crétin ! s'irrita le chien. Il n'a donc pas encore compris que sa méthode était mauvaise ?

---

1. Cheval, coursier. Terme ancien.

Peggy se pencha au bord du tapis volant. Eberluée, elle constata qu'une autre corne était en train de pousser sur le front de la cavale! Dans dix secondes, elle mesurerait près d'un mètre...

Maîtrisant sa peur, la jeune fille saisit le câble d'amarrage qui traînait dans le sillage du tapis volant.

— Plonge! ordonna-t-elle à la carpette magique, passe au ras des oreilles de cette sale bestiole, je vais essayer de l'attraper au lasso.

Et, joignant le geste à la parole, elle boucla habilement un nœud coulant.

Le tapis obéit. Piquant vers le sol, il passa à 50 centimètres au-dessus de la licorne, lui ébouriffant la crinière. Peggy Sue en profita pour lancer son lasso qui se noua autour du cou de l'animal fabuleux.

Hélas, l'adolescente n'avait pas prévu que ce dernier resterait bien campé sur ses pattes, inébranlable, tel un cheval de bronze enraciné sur son socle, aussi la course du tapis fut-elle arrêtée net quand la corde se trouva tendue au maximum. Le choc fut tel que le chien bleu passa par-dessus bord. Peggy le rattrapa de justesse par sa cravate!

La licorne, de plus en plus mécontente, leva alors la tête, prenant le tapis volant pour cible. Le chien bleu s'en aperçut.

— Coupe la corde! cria-t-il. Par pitié, coupe la corde, *elle va nous tirer dessus!* A cette distance, elle ne nous ratera pas!

Peggy saisit son couteau, tendit le bras dans le vide et sectionna le fil de soie. Le tapis reprit de l'altitude alors que la corne fendait déjà les airs en sifflant. La jeune fille poussa un cri lorsque le javelot d'ivoire transperça la carpette à dix centimètres de son nez.

Dans les minutes qui suivirent, le tapis poursuivit son ascension, si bien que ses passagers perdirent de vue ce qui se passait sur la plaine. Quand ils amorcèrent leur descente, Peggy frissonna.

La licorne avait recommencé à brouter paisiblement, se désintéressant des intrus. Quant à Naxos, il ne bougeait plus. Une corne le tenait cloué à un arbre. Ses habits étaient rouges de sang.

Le baume de renaissance

Comme il était hors de question que le tapis volant se pose sur le sol et que le fil servant à la descente avait été tranché, Peggy Sue et le chien bleu durent sauter par-dessus bord d'une hauteur de 2 mètres. La jeune fille était si inquiète qu'elle n'eut pas le temps d'avoir peur. Par bonheur, elle se reçut sans se tordre la cheville, et courut vers Naxos.

Jeff se tenait près de l'arbre, les poings sur les hanches, hochant la tête avec commisération [1].

— Il s'est vraiment conduit comme un imbécile, lança-t-il à l'adresse de Peggy. Je lui avais bien dit de ne pas se servir de son arc. Mais voilà, il voulait jouer les héros... sûrement pour t'épater. Quel crétin !

Sans l'écouter, l'adolescente s'approcha de l'arbre. Naxos s'y trouvait cloué par une corne d'ivoire qui lui avait traversé l'épaule juste au-dessous de la clavicule. Il avait beaucoup saigné, ses vêtements étaient tout poisseux.

_____

1. Pitié.

— Il... il est mort ? balbutia Peggy.

En prononçant ces mots, elle prit conscience qu'elle tenait à Naxos davantage qu'à un simple copain. Elle en fut troublée. Elle lui toucha la main, elle était tiède mais le blessé ne réagit pas.

— Il est fichu, diagnostiqua le grand Jeff. Il va se vider de son sang, c'est couru d'avance.

— Tais-toi donc ! hurla Peggy Sue, laisse-moi réfléchir !

Les loups s'étaient rassemblés au pied de l'arbre, ils fixaient l'adolescente, attendant qu'elle prenne une décision. Peut-être espéraient-ils qu'elle leur permettrait de dévorer le garçon aux cheveux d'or ?

— Il est en vie, intervint le chien bleu. La blessure est très grave. Il ne suffira pas d'une giclée d'alcool à 90° et d'un pansement pour la soigner. Il nous faut un bon chirurgien.

— Même si nous le ramenons au bunker, je ne suis pas certaine que Loba soit en mesure de l'aider, murmura Peggy. Le trou dans son épaule est énorme... Vraiment, je ne sais pas quoi faire.

Des larmes ruisselaient sur ses joues sans qu'elle pense à les essuyer.

Le chien bleu s'agita.

— Les loups me disent quelque chose, déclara-t-il. Ils parlent d'une *source de vie* quelque part au nord. Il s'agirait d'une espèce de boue vivante aux vertus médicinales, et qui soignerait les blessures les plus graves. Ils prétendent que certains d'entre eux l'ont utilisée. Si on a la patte entaillée, on la trempe dans la vase, celle-ci s'infiltre dans l'entaille et remplace la chair arrachée. Selon eux, ça fonctionne assez bien. Ils disent que l'un d'eux avait été éventré par un buffle, ils l'ont traîné là-bas, et lui ont rempli la panse de boue magique, deux jours après il était comme neuf.

— Ça paraît formidable! s'exclama Peggy. De toute manière nous n'avons pas le choix. Nous chargerons Naxos sur le tapis volant qui servira de civière. La meute n'aura qu'à nous montrer le chemin.

— D'accord, fit le chien bleu, je vais le leur expliquer.

Il fallut ensuite « décrocher » Naxos de l'arbre auquel il était cloué. Ce ne fut pas une mince affaire. Peggy et Jeff durent empoigner la corne d'ivoire et tirer dessus de toutes leurs forces. Heureusement, le blessé demeura inconscient, ce qui lui évita les souffrances causées par ces manipulations hasardeuses. Quand on l'étendit sur le sol, on put voir que la plaie de son épaule était sérieuse. La corne l'avait percée de part en part, faisant même éclater l'os de l'omoplate. Peggy improvisa un pansement sommaire à l'aide de la trousse de premiers secours trouvée dans le sac à dos de Naxos, mais elle ne se leurrait pas. La blessure nécessitait des soins chirurgicaux hors de leur compétence.

Le tapis volant accepta de descendre à un mètre du sol, ce qui permit d'y déposer le malade. Peggy embarqua, ainsi que le chien bleu, mais refusa de prendre Jeff, en qui elle n'avait pas confiance. Le garçon laissa éclater sa colère.

— Alors, moi, il faut que je galope derrière les loups, c'est ça ? vociféra-t-il. Eh bien, tu peux te brosser, ma vieille ! Puisque c'est comme ça, tu te débrouilleras toute seule, je rentre par mes propres moyens, on se retrouvera au collège ! Tchao !

Et, coiffé de sa chevelure de serpents, brandissant la corne d'ivoire comme un sceptre, il tourna le dos au petit groupe pour s'enfoncer dans la forêt.

— Laisse-le filer, conseilla le chien bleu, je ne suis pas mécontent d'être débarrassé de lui. Je suis convaincu qu'il avait dans l'idée de nous dérober le tapis.

Peggy Sue haussa les épaules. Pour l'heure, elle se moquait bien de Jeff, elle avait d'autres soucis en tête. De la main, elle signifia aux loups de se mettre en marche. La meute s'élança vers le nord. Le tapis les suivit, flottant à trois mètres du sol. Naxos se mit à gémir. Peggy toucha le front du garçon. Il était brûlant. Si on ne trouvait pas très vite la « source de vie », il serait mort avant le coucher du soleil.

*

Ce fut un étrange voyage ; les loups galopant ventre à terre pour obéir à leur reine, Peggy agenouillée au bord du tapis volant pour scruter l'horizon dans l'espoir de voir enfin se dessiner cet endroit magique évoqué par la horde. Au bout d'une heure, l'état de Naxos avait empiré. Le garçon ruisselait de sueur et balbutiait des mots sans suite. Il semblait près de rendre le dernier soupir. Brusquement, les loups hurlèrent, signalant qu'on arrivait à destination. Le tapis survolait une zone rocheuse accidentée, un véritable labyrinthe de pierres éboulées où il devait être difficile de retrouver son chemin. Au milieu de ce paysage pétrifié, désespérant, une oasis installait sa tache verte. Peggy commanda à la carpette de descendre à ras de terre. Elle sauta ensuite sur le sol et s'appliqua à débarquer le corps inerte de Naxos sans trop le secouer, ce qui s'avéra difficile car Jeff n'était plus là pour lui prêter main-forte. Le pauvre blessé laissa échapper des gémissements de souffrance sans pour autant reprendre conscience.

— Il est réellement mal en point, fit observer le chien bleu. Je crois qu'il n'en a plus pour longtemps.

Ayant étendu le garçon aux cheveux d'or à l'ombre d'un rocher, Peggy dévala le sentier caillouteux qui conduisait à la mare. D'abord, elle crut que l'eau était verte à cause de la vase tapissant le fond, toutefois, en s'agenouillant, elle constata qu'elle ne se trouvait pas en présence d'un liquide mais d'une levure molle évoquant la pâte à pain en train de lever. Elle la toucha du bout des doigts et constata qu'elle était tiède, comme un corps humain... Les loups hochaient la tête, lui signifiant qu'il s'agissait du « baume de vie ».

— On dirait de la pâte à tarte pas cuite, remarqua le chien bleu. Ça donne faim.

Peggy aspira une grande bouffée d'air, et, sans plus réfléchir, préleva une grosse poignée de substance. Pendant qu'elle rejoignait Naxos, la curieuse matière s'agita dans sa paume. « On dirait que c'est vivant, songea la jeune fille. Vivant, mais sans forme définie... » Elle s'agenouilla près du blessé, et, après avoir arraché le pansement, entreprit de tasser la substance mystérieuse dans la plaie, comme un maçon bouche une fissure au moyen d'un mastic. Elle espérait de tout son cœur que le stratagème fonctionnerait, car elle s'était attachée à Naxos et elle ne voulait pas le perdre.

— Voilà, dit-elle d'une voix tremblante. Je ne peux rien faire de plus.

— Faut attendre, l'encouragea le chien bleu. Et faire confiance aux loups. Ces bêtes savent de quoi il retourne, elles connaissent mieux que nous les ressources de la jungle martienne.

Rongeant son frein, Peggy redescendit vers la mare. Fatiguée par la longue course, la meute s'était étendue au soleil et somnolait. La jeune fille et son compagnon à quatre pattes s'installèrent à l'ombre d'un rocher pour contempler l'oasis. De temps à autre, de mystérieuses ondulations couraient à la surface de la substance verte.

— On dirait qu'elle a la chair de poule, fit le chien. Elle frissonne quand le vent se lève.

Cédant à une brusque impulsion, Peggy Sue se pencha au-dessus de l'étang et préleva une poignée de levure qu'elle se mit à pétrir comme s'il s'agissait de pâte à modeler.

— Que fais-tu ? s'étonna le chien.

— Je ne sais pas encore, murmura Peggy, très affairée. Une idée... comme ça.

Au bout de cinq minutes elle avait réussi à fabriquer une petite figurine en forme de bonhomme. On aurait dit un pantin modelé par un enfant de 5 ans, et l'ensemble était si maladroitement exécuté qu'il n'avait aucune chance de remporter le moindre prix dans un concours de sculpture.

Le chien bleu tressaillit.

— Les loups me disent que, si tu veux l'animer, tu dois te concentrer sur elle, répéta-t-il.

— *L'animer ?* répéta Peggy Sue.

— Oui, ils prétendent qu'on peut donner vie à la pâte si on la touche en pensant très fort à ce qu'on souhaite. Ils disent qu'ils procèdent ainsi, eux-mêmes, quand ils meurent de faim. Ils viennent ici, ils prélèvent un morceau de pâte avec la gueule et imaginent qu'elle se change en lapin. Au bout d'un moment, la levure se change effectivement en lapin... alors ils la mangent.

Peggy écarquilla les yeux. Une idée qu'elle ne voulait pas approfondir germait dans un recoin obscur de son esprit. Elle posa la main sur le bonhomme de pâte et, fermant les yeux, se concentra sur l'image d'un lutin aux oreilles pointues.

« Un lutin, se répétait-elle, un lutin, comme dans les contes de fées. Un lutin... »

Dix minutes s'écoulèrent, puis, soudain, le modelage frémit sous ses doigts, prenant vie. Elle attendit encore une minute puis ouvrit les yeux. Le pantin s'était assis... il tournait la tête en tous sens et bougeait faiblement les bras, *comme s'il était vivant.* Sa figure était mal dessinée mais on distinguait ses oreilles pointues et l'ébauche d'un nez. Stupéfaite, Peggy ouvrit la main, libérant l'incroyable petite créature qui se redressa pour esquisser quelques pas hésitants.

— Je n'en crois pas mes yeux! bégaya le chien bleu. *Tu viens de modeler un être vivant...* Regarde ça! Ce truc marche! Il n'a pas figure humaine, mais il marche comme un bébé!

Peggy retenait son souffle, interdite. Le lutin fit encore trois pas, puis trébucha et roula dans les cailloux. A peine avait-il touché le sol qu'il commença à perdre ses formes. Trente secondes plus tard, il avait repris l'apparence d'une boule de pâte.

— Les loups disent que tu ne t'es pas assez concentrée en le modelant, énonça le chien bleu. Si on ne pense pas assez fort à ce qu'on veut obtenir, l'effet magique ne dure pas. J'ai une idée... Tu ne veux pas recommencer en pensant très fort à un poulet? J'ai faim. Je mangerais bien un poulet. Et puis, de cette manière, je pourrais te dire quel est le goût de cette levure. C'est intéressant, non? Ce serait une expérience scientifique.

Peggy ne se laissa pas fléchir. Elle était un peu effrayée par les pouvoirs du baume de vie et elle n'envisageait pas de l'utiliser pour fabriquer des sandwiches à l'usage des chiens trop gourmands.

Une autre heure s'écoula. Naxos semblait aller mieux, la fièvre baissait et il avait cessé de délirer. Une sorte de tissu cicatriciel [1] vert s'était formé sur sa plaie.

« Il guérit, constata Peggy avec un intense soulagement. La pâte magique est en train de remplacer les organes détruits par la corne d'ivoire. C'est fabuleux. »

Réconfortée, elle retourna s'asseoir à côté du chien bleu. La nuit tombant, ils partagèrent leurs dernières provisions et s'installèrent pour dormir.

L'adolescente sombra dans un sommeil peuplé de rêves curieux. Elle s'éveilla en sursaut, vers minuit. Autour d'elle, les animaux dormaient, le museau dans les pattes. Tout était tranquille. Elle s'assit, persuadée qu'elle ne parviendrait plus à fermer l'œil de la nuit. Elle se sentait énervée. L'idée qui l'avait visitée au cours de l'après-midi était revenue la hanter dans ses rêves. Une idée folle, stupide. Une de ces idées qu'on doit se dépêcher d'oublier si on veut éviter de faire une bêtise. Cela avait quelque chose à voir avec le baume de vie et... *Sebastian*.

Prenant soin de ne pas réveiller ses compagnons, Peggy s'agenouilla au bord de la mare et commença à y puiser une grosse quantité de pâte qu'elle disposa sur le sol en s'appliquant à lui donner une forme vaguement humaine. Elle n'était pas douée pour le modelage, mais cela avait peu

---

1. Peau lisse et fragile qui se forme quand une blessure se referme.

d'importance puisque, d'après les loups, l'apparence définitive du pantin dépendait avant tout de la concentration mentale du modeleur.

« Je suis en train de faire une belle sottise, songea-t-elle sans réussir pour autant à s'en empêcher. Oui, une sacrée sottise ! »

Quand elle eut fini d'ébaucher la statue de pâte verte, elle posa la main sur son front, ferma les yeux et se concentra de toutes ses forces sur l'image de... *Sebastian.*

Cette image était tellement présente dans son esprit qu'elle n'avait pas besoin d'accomplir de gros efforts pour la projeter sous ses paupières closes. Elle se rappelait sans problème le moindre détail de son visage, le plus petit de ses grains de beauté. Quoi de plus normal, elle avait passé tellement de temps à les contempler !

Non contente de se remémorer Sebastian, elle l'imagina « en mieux »... Tel qu'elle aurait aimé qu'il soit, c'est-à-dire plus gentil, fidèle, incapable de trahison. Surtout, elle s'appliqua à se le représenter plus joyeux, plus dynamique, débarrassé une fois pour toutes de cette tristesse désabusée qui avait gâché leurs rapports et qui résultait du nombre incroyable d'années que le garçon avait passées prisonnier du mirage [1]. Cette fois, elle vou-

_____

1. Voir le tome II des aventures de Peggy Sue : *Le Sommeil du démon.* Sebastian, victime d'une malédiction, est resté prisonnier pendant soixante-dix ans d'un monde féerique où il a cessé de grandir. Condamné à avoir 14 ans pour l'éternité, il a fini par en concevoir une aigreur qui le rendait parfois difficile à vivre.

lait un Sebastian de son âge, qui eût véritablement 14 ans! Un garçon dont elle partagerait les enthousiasmes et les joies sans se dire, chaque fois : « Je dois lui sembler naïve, il s'ennuie, je le vois bien. Lui, il a vécu ça il y a très longtemps, ça ne l'amuse plus, il a dépassé ce stade depuis 60 ans. »

Elle tremblait et la sueur piquetait ses tempes. Sous sa paume, le front du bonhomme de pâte devenait de plus en plus brûlant.

Bercée par un flot continu d'images et de souvenirs, elle finit par perdre la notion du temps. Soudain, elle prit conscience de ce qu'elle était en train de faire et s'écarta de la créature avec horreur.

« Je suis folle! se dit-elle en se cachant le visage dans les mains. Je suis complètement folle! Heureusement, ça ne marchera pas. »

Elle s'éloigna en hâte de la mare pour se recroqueviller au pied du rocher, près du chien bleu. Elle avait honte de ce qu'elle avait tenté d'accomplir. C'était absurde, monstrueux, mais elle avait tant de chagrin qu'elle n'avait su résister à la tentation. Elle n'y pouvait rien, ç'avait été plus fort qu'elle, *plus fort que tout...*

Elle se mit à sangloter et finit par s'endormir, épuisée d'avoir trop pleuré.

Le chien bleu la réveilla à l'aube en la tirant par le col de sa tunique.

Sa voix mentale explosa, véhémente, dans l'esprit de la jeune fille.

« Qu'est-ce que tu as fichu ? Nom d'une saucisse atomique ! Tu as perdu la raison ou quoi ? »

Peggy se dressa en bâillant, les paupières encore collées par le sommeil.

— Quoi ? Quoi ? balbutia-t-elle.

— Ça ! hurla le chien. Ce... *ce truc !*

Peggy s'assit. D'un seul coup, tout lui revint en mémoire et elle écarquilla les yeux. Elle poussa un cri de surprise.

Sebastian reposait sur le sol, près de la mare !

Un Sebastian tout nu, dont la peau avait une curieuse teinte verdâtre mais dont les traits, les membres, le torse étaient parfaitement formés. Cette fois il ne s'agissait plus d'une ébauche maladroite, Peggy s'était à ce point concentrée sur ses souvenirs que la pâte magique avait fabriqué une réplique parfaite de l'original.

Trop parfaite, peut-être...

— Tu l'as idéalisé [1] ! tempêta le chien bleu. Le vrai Sebastian n'était pas aussi beau ! J'aurais dû m'en douter quand je t'ai vue modeler ce petit bonhomme, hier... Tu avais déjà cela en tête, pas vrai ?

Peggy Sue baissa le nez, penaude. Elle était tout à la fois folle de joie et morte de peur à l'idée de voir la créature ouvrir les yeux.

— Je n'ai pas pu résister, avoua-t-elle, j'ai cédé à un coup de folie. C'était trop tentant.

◆

---

1. Reproduit en l'améliorant. Sous l'effet du sentiment amoureux, on a tendance à s'imaginer l'être aimé mieux qu'il n'est en réalité !

— Qu'allons-nous faire de ce *machin*? se lamenta le chien bleu. Peut-être serait-il plus sage de laisser les loups le dévorer.

— Pas question! hurla Peggy en se dressant. J'ai besoin de lui! Il représente ma seule chance de ne pas mourir de chagrin. Je veux le garder... en... *en attendant.*

Elle ne savait plus ce qu'elle disait. Elle se remit à pleurer. Les loups l'observaient sans comprendre. Certains se passaient la langue sur les babines, croyant qu'elle avait fabriqué ce formidable « repas » à leur intention, pour les remercier de l'avoir guidée jusqu'à la source de vie.

— Bon, bon..., grommela le chien, embêté de voir son amie fondre en larmes. Ce qui est fait est fait. On fera avec. Du moins, s'il se réveille. Peut-être va-t-il faire comme le pantin d'hier, se transformer en flaque de pâte après avoir esquissé quelques pas?

« Ça m'étonnerait, songea Peggy, j'y ai pensé avec trop de force, trop d'amour. J'ai dû lui transmettre une énergie considérable. Assez puissante en tout cas pour alimenter une ville en électricité pendant un siècle! »

Timidement, elle s'approcha du double. La peau verte surprenait un peu, bien sûr, mais elle s'y habituerait. Rassemblant son courage, elle toucha le « garçon » à l'épaule. Il tressaillit et ouvrit les yeux. Ses prunelles étaient vertes, elles aussi.

— Salut..., dit-elle bêtement.

Le double la regarda, sourit, et proféra un gémissement sans signification.

— Oh! s'exclama le chien bleu. Mais oui... C'est ça! Je comprends tout!

— Quoi? s'impatienta Peggy. *Quoi?*

— Tu ne vois pas? hoqueta le petit animal. Ce n'est qu'un corps! Une enveloppe... *Il n'a rien dans la tête.* Il ne sait même pas parler! Ce n'est qu'un gros bébé. Son cerveau est un disque dur non formaté. Il n'y a rien dessus! La première puce venue est probablement plus intelligente que cette créature de pacotille!

Peggy fronça les sourcils. Son instinct lui soufflait que le chien bleu avait raison. Dans la minute qui suivit, elle essaya d'établir un dialogue avec le « garçon », hélas, celui-ci ne sut que lui répondre par des : « Gaa... buuu... Gaaa... » sans cesser de sourire.

(Il avait d'ailleurs un fort joli sourire.)

« Il est plus beau que le vrai Sebastian, admit enfin Peggy Sue. Il y a davantage d'éclat en lui, plus de vie. »

— Eh bien, mon mignon, dit-elle en caressant la joue du clone, si tu ne sais pas parler, tu apprendras, voilà tout!

— Quoi! protesta le chien. Tu vas lui donner des cours? Je rêve! Nous allons ouvrir une école primaire au beau milieu de la jungle et tu en seras l'institutrice, c'est ça?

— C'est ça! répliqua Peggy Sue, bien décidée à ne pas se laisser démonter.

Les loups, comprenant qu'on ne les laisserait pas dévorer le nouveau venu, s'étaient recouchés, indifférents.

Peggy se redressa. D'un seul coup, mystérieusement, elle se sentait plus forte. Une énergie nouvelle l'habitait. Elle se rendit auprès de Naxos et constata qu'il allait mieux. La fièvre était tombée et il ne subsistait de l'affreuse blessure qu'une tache verte sous la clavicule. La substance magique avait effectué ses « réparations ». Le garçon aux cheveux d'or ouvrit les yeux.

— Que s'est-il passé ? demanda-t-il. Je ne me rappelle que de la douleur, quand la corne m'a cloué contre l'arbre... Je me suis cru mort.

— Il s'en est fallu de peu, murmura Peggy. Sans les loups, tu ne serais plus de ce monde.

Et elle lui parla de la source de vie. Naxos se rendormit avant la fin de l'histoire, car il était encore faible. Elle en profita pour se retourner vers Sebastian que le chien bleu examinait avec la plus grande méfiance.

— J'ai sondé son esprit, annonça-t-il. Je ne sais qu'en penser. Il n'a pas de cerveau à proprement parler mais quelque chose en tient lieu... Une espèce de *présence*, d'énergie. Ça semble très puissant. Un peu comme un super-ordinateur sur lequel on n'aurait encore installé aucun logiciel. Il ne peut rien faire, mais lorsqu'il sera enfin équipé, il fera des étincelles... si tu vois ce que je veux dire.

Peggy hocha la tête. Elle caressa la joue du clone du bout des doigts, aussitôt, il fit de même avec elle.

— Puisqu'on ne le donnera pas à manger aux loups, fit le chien bleu, je propose qu'on le nomme Seb... ou plutôt Zeb, pour le différencier de... *l'autre*.

— D'accord, fit la jeune fille, va pour Zeb.

Elle fit un effort pour se secouer car elle aurait pu rester des heures à contempler son œuvre.

— Reposons-nous, décida-t-elle. Nous reprendrons la route quand Naxos sera de nouveau sur pied.

— OK, OK, grommela le chien bleu, mais n'en profite pas pour fabriquer *autre chose*!

*

Naxos dormit toute la journée, Peggy en profita pour s'occuper de Zeb. D'abord, elle lui confectionna des vêtements rudimentaires à partir des habits que leur avait remis Loba. La créature ne fit aucune difficulté pour se laisser habiller.

« Finalement, songea la jeune fille, c'est comme de jouer à la poupée... »

Ensuite, elle entreprit de lui enseigner un vocabulaire de base : *toi... moi... Zeb... Peggy Sue... chien bleu... loups...*

Elle fut surprise de constater que le « garçon » retenait du premier coup tout ce qu'elle lui disait. Au bout d'une heure, il avait déjà mémorisé plus de 200 mots et ne se trompait jamais dans leur utilisation.

— Incroyable! s'exclama le chien. A ce train-là, il saura parler normalement d'ici deux jours! Ce truc est une véritable éponge.

— Ne l'appelle pas « ce truc », gronda Peggy. Il a un nom ! Zeb.

— Peggy ! Peggy ! intervint le petit animal, ne deviens pas dupe de ce tour de passe-passe... Par pitié ! Tu ne t'adresses pas au vrai Sebastian, ne l'oublie jamais. Cette chose n'est pas humaine. Nous ne savons même pas ce qu'elle est réellement ni si elle est capable d'éprouver des sentiments.

— En tout cas, elle sourit !

— Elle sourit parce que tu souhaites qu'elle le fasse ! Cette créature est une marionnette dont tu tires les fils par la pensée. Tu ne t'en rends pas compte mais elle t'obéit. C'est toi qui la téléguides, à ton insu. Elle n'a pas de libre arbitre [1].

— Tu n'en sais rien ! siffla Peggy Sue. Tu n'en sais fichtre rien !

Comprenant qu'il ne servait à rien de discuter, le chien s'assit dans un coin et posa son museau sur ses pattes de devant. La jeune fille, elle, reprit son cours de vocabulaire. Elle n'ignorait pas qu'elle était de mauvaise foi et que le petit animal avait raison de la mettre en garde contre un enthousiasme excessif.

« Après tout, songea-t-elle, cette chose va peut-être se défaire comme le premier bonhomme que j'avais modelé. Il ne me restera plus, alors, que mes yeux pour pleurer. Je ne dois pas m'attacher à lui, pas autant... et pas encore. »

---

1. Faculté de décider par soi-même, en toute liberté, sans être influencé par autrui.

Quand la nuit tomba, Zeb était capable de s'exprimer à peu près correctement. Il avait cependant un curieux accent, indéfinissable, qu'on aurait pu qualifier de suédois.

— Ça, soupira le chien bleu, pour être étranger à notre monde, il l'est...

Peggy voulut alors lui apprendre à se tenir debout puis à marcher. Là encore, les progrès du clone furent d'une rapidité hallucinante.

— En tout cas, conclut Peggy, il ne nous retardera pas ! Si on lui demandait de courir, je suis sûre qu'il galoperait aussi vite qu'un cheval.

— C'est curieux, philosopha [1] le chien, je suis en train de me demander si, par hasard, tu n'aurais pas fabriqué un vrai super-héros. Je veux dire, une créature surpuissante qui n'aurait besoin d'aucun costume particulier pour exercer sa profession... Je crois que ton « Zeb » n'a pas fini de nous étonner.

— Et puis il est si gentil..., s'extasia la jeune fille en caressant une fois de plus la joue de son protégé.

— Que je ne te surprenne pas à l'embrasser ! gronda le chien, ce serait trop fort !

— Mais non ! fit Peggy en rougissant, je t'assure que je n'y avais même pas pensé.

— Menteuse ! siffla le petit animal. Triple menteuse !

Sur ce, la nuit tomba, mettant fin à la discussion.

---

1. Emettre des pensées pleines de sagesse.

*

Le lendemain Naxos reprit conscience. Il était guéri. Il put se lever sans éprouver la moindre souffrance.

— C'est étrange, observa-t-il, j'ai même l'impression que mon bras fonctionne mieux qu'avant !

Puis il se figea en découvrant Zeb, assis sur une pierre, qui lui souriait.

— Qui c'est, ce type ? murmura-t-il en se penchant vers le chien bleu.

— Le nouveau protégé de Peggy Sue, soupira l'animal. Ce serait trop long à expliquer. Considère-le comme un poisson rouge qui ferait un stage d'adaptation chez les humains.

— Un poisson rouge ?

— Oui. Je crois que la comparaison tient la route. Il est dans un bocal. Un bocal invisible. Il nous observe sans comprendre ce que nous faisons. Il est également possible qu'au bout de deux jours il se transforme en boule de chewing-gum... Les paris sont ouverts.

— Ma parole, grogna Naxos, tu as perdu la tête, oui !

Et il s'approcha de Zeb pour lui parler, mais Zeb se contenta de sourire et ne répondit à aucune des questions qu'on lui posait.

— Inutile d'insister, bâilla le chien bleu, il ne parle qu'à Peggy, c'est elle qui l'a apprivoisé. Il faudra t'y faire. On ne sait même pas ce que *ça* mange... D'ailleurs *ça* ne mange peut-être même pas, allez savoir !

— Quelle histoire ! souffla Naxos, désorienté.

Complots dans la jungle

Il ne fallut pas longtemps à Naxos pour découvrir que son bras blessé, sous l'influence de la substance verte, avait acquis une force surhumaine. Il était désormais capable de soulever des charges incroyables et de lancer des pierres à des distances fabuleuses. Quand son « propriétaire » dormait, le bras montait la garde, assurant sa sécurité. Ainsi, à deux reprises, il étrangla des serpents venimeux qui essayaient de se glisser dans la couche du garçon aux cheveux d'or !

— Je peux faire éclater une pierre entre mes doigts ! déclara Naxos. Et si je mets la main dans le feu, je ne me brûle même pas. Finalement je pense que je vais renoncer à me chercher un costume de super-héros. Ce bras me suffit.

— Alors nous pouvons rentrer, fit Peggy Sue. Inutile de courir d'autres risques. Somme toute, la moisson n'a pas été mauvaise. Tu as ce nouveau bras, j'ai le tapis volant, les loups et... Zeb. Diablox ne pourra pas prétendre que nous revenons les mains vides, même si cet attirail ne constitue pas vraiment un costume au sens propre du terme.

— Espérons qu'il ne nous cherchera pas chicane [1] sur ce point..., soupira Naxos.

— C'est quoi, « chicane »? demanda Zeb.

Naxos, agacé, leva les yeux au ciel. Zeb avait en effet l'habitude de les interrompre cent fois par jour pour s'enquérir de la signification d'un mot, cela donnait l'impression de cheminer en compagnie d'un enfant de 4 ans.

Le garçon aux cheveux d'or n'était pas stupide, il avait tout de suite deviné qu'un lien étrange existait entre Peggy Sue et Zeb. Il en avait conçu une certaine jalousie.

— Qui c'est, ce type? demanda-t-il au chien bleu. Peggy passe son temps à le regarder avec des yeux de merlan frit. D'où sort-il? C'est une espèce de mutant, si je comprends bien?

Le petit animal s'appliqua à satisfaire la curiosité de Naxos sans trop entrer dans les détails. Il se contenta d'expliquer que Zeb rappelait à Peggy son ex-petit ami.

— Hum, hum..., fit Naxos, convaincu qu'on lui cachait des choses.

Au cours du voyage, Zeb fit montre de capacités étonnantes. Quand il voulait cueillir un fruit pour l'offrir à Peggy, il ne grimpait pas à l'arbre, non, il envoyait sa main le faire à sa place! Comprenez par

---

1. Chercher querelle, avec une certaine mauvaise foi.

là que sa main se détachait de son poignet, comme une araignée, et grimpait le long du tronc pour se saisir du fruit en question qu'elle jetait dans le vide. Son travail accompli, elle revenait ensuite sagement s'emboîter au poignet qu'elle avait quitté un instant plus tôt. C'était un spectacle assez saisissant. En fait, le corps de Zeb, dépourvu d'os et d'organes, était remodelable à volonté. Pour amuser ses nouveaux amis, un soir, autour du feu de camp, il se trancha l'auriculaire de la main gauche avec un couteau, se saisit du doigt ainsi amputé, et se mit à le pétrir pour lui donner la forme d'un chien miniature qui trotta dans l'herbe en poussant des aboiements minuscules. Sitôt son numéro terminé, la figurine magique reprit son apparence première de doigt coupé ; Zeb ramassa alors le débris et le recolla à sa main, comme si de rien n'était.

Il faisait souvent le clown, pour amuser ses compagnons de voyage.

— Je pense qu'en réalité il n'a pas de forme précise, déclara le chien bleu. Il conserve l'apparence de Sebastian pour te faire plaisir, mais en vrai, il n'est rien qu'une boule de pâte vivante. Si tu lui ordonnais de se transformer en bicyclette, il le ferait aussitôt.

Peggy haussa les épaules, repoussant cette idée. Elle voulait vivre dans l'illusion qu'elle avait retrouvé Sebastian, un Sebastian gentil, attentionné, d'humeur toujours plaisante ; un Sebastian qui ne lui causerait jamais le moindre chagrin. Zeb avait toutes ces qualités. Elle devait simplement s'habituer au fait qu'il n'était pas humain, mais bon, comme dit le proverbe : *Personne n'est parfait.*

— On devrait le surnommer « le Modeleur fou », grogna Naxos qui ne décolérait pas. Ou plutôt « la Pâte à modeler vivante »... A-t-on idée d'être amoureuse d'un morceau de mastic !

*

A part Zeb, ils étaient tous inquiets à l'idée de traverser une nouvelle fois le territoire des moutons invisibles, mais ceux-ci, se rappelant sans doute la mémorable défaite encaissée lors du dernier affrontement, se tinrent prudemment à l'écart du groupe.

Un jour, alors que Peggy Sue s'était enfoncée dans la forêt en compagnie de Zeb pour cueillir des fruits, elle assista à un curieux spectacle.

Zeb se révélait fort utile dès qu'il s'agissait de trouver à manger, car il savait d'instinct où dénicher des légumes comestibles. Ceux-ci avaient beau essayer de le mordre ou de lui cracher au visage une mitraille de pépins de fer, il les cueillait sans s'arrêter à de tels détails. D'ailleurs, les morsures s'effaçaient de sa peau en trois secondes. Rien ne semblait pouvoir le blesser.

« Si on lui tirait dessus, songea la jeune fille, les balles rebondiraient en le touchant ! »

Soudain, le garçon se figea, aux aguets, comme s'il avait repéré quelque chose d'anormal. Il posa l'index en travers de ses lèvres pour inviter Peggy à garder le silence et, l'attirant contre lui, la força à se dissimuler sous un rideau de lianes. L'adolescente ne protesta pas. Il ne lui était pas désagréable de se retrouver serrée contre son étrange compagnon. Distraite par la nouveauté de cette situation, elle ne remarqua pas tout de suite que quelqu'un approchait. Retenant son souffle, elle reconnut l'un des élèves du collège, un garçon prénommé Jack, à qui elle n'avait jamais adressé la parole parce qu'il faisait partie de la bande du grand Jeff.

Jack avançait la tête levée, examinant les arbres à la jumelle. Ses vêtements étaient en loques mais il semblait en excellente forme physique. Il s'arrêta, laissa retomber les jumelles sur sa poitrine et scruta les alentours comme s'il tenait à s'assurer que personne ne l'observait. Son visage avait une expression tendue, presque méchante, sa bouche un pli dur.

« Il ne nous a pas repérés, pensa Peggy. Que trafique-t-il ? On dirait qu'il prépare un mauvais coup. »

Elle comprit tout à coup que Jack, bien que beaucoup plus petit qu'elle, lui faisait peur. Il se dégageait de cet enfant de 10 ans une étonnante impression de menace.

Se croyant seul, Jack ôta ses vêtements pour les poser sur une pierre. Quand il n'eut plus sur lui qu'un slip en tissu élastique, il se mit à trembler de la tête aux pieds. On eût dit que son corps allait se disloquer. Cela dura une bonne minute, *puis Jack commença à grandir...* Peggy Sue faillit pousser un cri, heureusement la main de Zeb la bâillonna à temps. Jack, lui, continuait de se développer. Il avait à présent la taille et l'apparence d'un homme de 30 ans. Ses bras, ses jambes étaient deux fois plus longs qu'une minute auparavant. Alors Peggy se remémora les propos de Kazor et de Zooar, les directeurs du collège : « Tous les adolescents rassemblés dans nos murs ne sont pas réellement des enfants. *Certains d'entre eux sont des créatures malfaisantes déguisées en enfants.* Il te faudra ouvrir l'œil. Méfie-toi de tout le monde. Si nos ennemis découvrent que tu travailles pour nous, ils chercheront à t'éliminer. Leur objectif est la destruction pure et simple de ce collège et la disparition des super-héros. Une fois le dernier des super-héros éteint, plus personne ne pourra se dresser en travers de leur route, et ils auront beau jeu de dominer le monde. »

Elle les avait crus fous, elle comprenait maintenant qu'il n'en était rien. Jack faisait partie de cette légion secrète, et elle l'avait côtoyé sans jamais soupçonner sa véritable identité. Combien de ces créatures s'étaient donc infiltrées dans le collège ?

Là-bas, Jack fouillait dans son sac à dos. Il en sortit un couteau affûté comme un rasoir qu'il utilisa pour s'entailler le mollet de haut en bas. Encore une fois, Peggy faillit trahir sa présence en criant.

Jack, qui visiblement ne souffrait pas, plongea la main dans la plaie qu'il venait d'ouvrir, et en tira une petite boîte carrée qu'il se dépêcha d'enterrer au pied d'un arbre. Quand il se redressa, la blessure de sa jambe s'était déjà refermée. Il recommença alors à trembler, et son corps rapetissa jusqu'à reprendre les proportions qu'il avait avant sa transformation. Jack se rhabilla, reprit son sac et s'éloigna. *Il était redevenu un enfant de 10 ans.*

— Ceux de ta race sont-ils tous ainsi? demanda Zeb quand ils furent de nouveau seuls. Ils peuvent choisir l'âge qu'ils désirent avoir? Etre un enfant, un adulte ou un bébé, au choix? C'est amusant.

Peggy dut lui expliquer qu'il se trompait. Jack n'était pas humain.

— Soit c'est un extraterrestre, soit c'est un sorcier, murmura-t-elle. Je ne sais pas exactement. Il utilise son corps comme un déguisement. Pourquoi a-t-il enterré cette petite boîte au pied de l'arbre?

Elle s'agenouilla, creusa l'humus du bout des doigts. Elle n'eut pas de mal à trouver l'objet en question. Une boîte bleue, fabriquée dans une matière inconnue, un mélange d'acier et de plastique, sans inscription ni bouton... Un objet incompréhensible.

— As-tu une idée de ce dont il peut s'agir? demanda-t-elle à Zeb.

— C'est mauvais, répondit le garçon en fronçant exagérément les sourcils pour manifester son inquiétude. (Il copiait ses expressions sur celles de Peggy mais, les maîtrisant mal, avait tendance à les amplifier, ce qui lui donnait souvent l'air d'un clown.)

— Mauvais comment? insista la jeune fille.

Zeb haussa les épaules avec tant de force qu'il se serait décroché les clavicules s'il avait possédé un squelette interne.

— Mauvais, répéta-t-il. C'est contre la vie. Il ne faut pas y toucher. Ça pourrait te contaminer.

Peggy s'empressa de lâcher le cube et de nettoyer ses doigts avec une touffe d'herbe. N'empêche, elle n'était pas tranquille à l'idée d'abandonner cette chose derrière elle.

— Viens, fit Zeb, ne restons pas là. Je perçois des vibrations mauvaises. Les arbres ne sont pas contents.

— Les arbres?

— Oui, ils ne nous aiment pas. Quand tu as touché la boîte, ils ont cru que tu allais la voler, ça les a rendus furieux. Cette boîte leur appartient. L'enfant-homme l'a apportée pour eux. C'est un cadeau, je crois. Une nourriture.

— Une nourriture?

— Oui, ils en sont très gourmands. Ils attendaient cela depuis longtemps. Viens, partons, ou bien ils vont nous faire du mal. Ils croient que tu vas manger la boîte à leur place.

Saisissant Peggy par le poignet il la força à le suivre. La jeune fille le suivit sans comprendre.

Quel était le sens de tout cela?

De retour au camp, elle s'empressa de raconter à ses amis ce qui s'était passé dans la forêt.

Le chien bleu vint flairer ses doigts, ceux qui avaient manipulé le cube.

— Ça sent l'humus, le terreau, l'engrais, diagnostiqua-t-il. Rien de bien extraordinaire. Les mains d'un jardinier auraient la même odeur. Je pensais qu'il s'agissait d'un explosif ou d'un truc de ce genre, mais ça n'a rien à voir. Curieux.

— Pourquoi un paquet d'engrais serait-il dangereux ? s'étonna Peggy Sue. Zeb a l'air de considérer ça comme une véritable bombe à retardement.

— Il ne faut pas accorder trop d'importance à ce qu'il raconte, intervint Naxos, c'est un ahuri.

On eut beau supplier Zeb de s'expliquer, il demeura évasif, se contentant de répéter « Mauvais, mauvais ». En disant cela, il haussait les épaules à s'en décrocher les articulations et faisait des grimaces qui auraient effrayé une colonie de vampires.

— Je ne sais pas dire, soupira-t-il en guise de conclusion. Je n'ai pas les mots.

Il fallut se contenter de cette explication.

— Je vous le disais, grommela Naxos. C'est un ahuri.

*

Grâce au flair du chien bleu, ils retrouvèrent sans mal le chemin du bunker. Loba, qui était occupée à cueillir (*capturer* serait un meilleur terme !) les fruits nécessaires à la survie des naufragés, les vit approcher de loin et se redressa, une main en visière pour les observer.

La présence des loups la rendit tout de suite nerveuse, quant à Zeb, son instinct lui souffla qu'il n'était pas humain.

— Eh bien, souffla-t-elle lorsque les adolescents furent à portée de voix, vous voilà cheminant en un curieux équipage !

Peggy s'appliqua à la rassurer en lui contant leurs aventures.

— J'ai un problème avec le tapis volant, conclut-elle, il ne peut pas se poser sur le sol, ce qui fait qu'il flotte toujours au-dessus de ma tête et qu'on le repère de loin. Quand je serai revenue dans le monde normal, ça ne passera pas inaperçu.

— Hum..., fit Loba, je pense qu'on peut arranger ça en l'aspergeant d'un certain liquide magique. De cette manière il aurait l'apparence d'un vêtement ordinaire et se draperait sur toi comme un manteau ou un imperméable. Il ne reprendrait son aspect de tapis que lorsque le besoin s'en ferait sentir.

— Cool! approuva Peggy, ça serait super!

Les sourcils froncés, Loba s'approcha de Naxos pour toucher la tache verte marbrant son épaule blessée.

— Oh! je vois, souffla-t-elle, vous avez eu recours au pouvoir du baume de vie.

— Oui, confirma le garçon, sinon je serais mort ; Peggy m'a sauvé.

La jeune guerrière grimaça.

— J'espère pour toi que ça marchera, marmonna-t-elle. Le baume de vie est instable, d'humeur fantasque, on ne sait jamais ce qui lui passera par la « tête ». J'ai connu un type qui s'en était servi après avoir été blessé par une licorne, il s'est changé en sanglier et n'est jamais parvenu à reprendre forme humaine.

Se détournant de Naxos, Loba s'avança alors vers Zeb qui lui souriait.

— Et *ça...*, grogna-t-elle, qu'est-ce que c'est ? C'est un modelage, de toute évidence. Qui a commis l'idiotie de fabriquer un golem [1] ?

Peggy Sue baissa la tête, penaude.

— Ça relève de l'imbécillité pure ! martela la guerrière, personne ne peut prévoir ce que deviendra ce garçon... Il est pratiquement immortel. S'il se mettait à faire le mal, il serait impossible de se débarrasser de lui. Aucune arme n'en viendrait à bout.

— Il n'est pas méchant, plaida Peggy.

— Je l'espère pour toi, gronda Loba. A présent, rentrons dans l'abri.

Elle ne semblait pas de très bonne humeur.

Les loups restèrent dehors, en sentinelles. Ils se mirent aussitôt à fouiner dans les buissons pour dénicher de quoi manger. Les adolescents et le chien bleu descendirent dans le bunker, à la suite de Loba.

En bas, les naufragés de la savane étaient toujours avachis dans la salle commune. Ils saluèrent mollement les nouveaux arrivants. Aucun ne manifesta la moindre curiosité, ils semblaient se désintéresser de ce qui se passait au-dehors. Peggy Sue eut l'impression que plusieurs d'entre eux étaient ivres. Sans doute essayaient-ils d'oublier leurs angoisses en buvant cette eau-de-vie rudimentaire qu'ils distillaient à partir des fruits cueillis dans la

---

1. Dans la mythologie juive, le golem est une statue de boue que son modeleur a rendue vivante. Son emploi peut se révéler dangereux.

jungle. Elle les trouva pitoyables. Allaient-ils continuer à pleurnicher sur leur sort jusqu'au dernier jour de leur existence ?

Peggy, Naxos et le chien bleu s'attablèrent pour partager le repas de la communauté. Zeb ne toucha pas à la nourriture ; il n'en avait nul besoin. Il se contenta d'observer les humains en gloussant, comme si c'était là un spectacle hilarant. Se penchant vers Peggy, il lui chuchota à l'oreille :

— Pourquoi mettez-vous ces choses à l'intérieur de votre corps ? Est-ce pour les retrouver plus tard ? Votre ventre est une espèce de poche, c'est ça ? Vous y rangez les objets dont vous aurez besoin... Si c'est le cas, au lieu d'y entasser ces légumes, vous feriez mieux d'y entreposer des outils de première nécessité : des couteaux, des lampes, des boussoles.

Un peu gênée, Peggy essaya de lui expliquer qu'il se trompait dans son interprétation. Loba secoua la tête avec désapprobation.

— Tu vas au-devant de gros ennuis avec lui, déclara-t-elle. Il n'a pas sa place au-delà des murs du deuxième étage, tu ne devrais pas le ramener dans le monde réel.

— Pas question que je l'abandonne ! se rebella l'adolescente.

Pour changer de sujet, elle s'empressa de raconter l'étrange spectacle qu'elle avait surpris dans la forêt. L'enfant se changeant en adulte, le mollet entaillé, la boîte bleue enterrée au pied de l'arbre... En entendant cela, Loba devint très pâle.

— C'est grave, balbutia-t-elle, une catastrophe se prépare.

Les adolescents échangèrent des regards d'incompréhension.

— Pourquoi? s'enquit Peggy Sue.

— Ces faux enfants, expliqua la guerrière, ce n'est pas la première fois qu'ils se faufilent dans l'univers du deuxième étage, déguisés en élèves. Leur mission consiste à livrer des munitions aux rebelles de la jungle.

— Quelles munitions? Quels rebelles? s'impatienta Naxos.

— Les arbres, les baobabs principalement, soupira Loba. Ils préparent la destruction du bâtiment. Vous n'avez pas remarqué combien le plafond est abîmé?

— Si! s'exclama Peggy. Lorsque j'étais sur le tapis volant, j'ai vu qu'il était craquelé, sillonné de crevasses.

— Exact, confirma Loba. Ce sont les arbres qui appuient dessus de toutes leurs forces, pour le défoncer. Normalement, les baobabs n'auraient jamais dû devenir aussi grands. Sur Mars, ils n'atteignent jamais cette taille. Mais, depuis quelques années, les faux enfants leur apportent de l'engrais concentré. Une substance magique dont les baobabs se nourrissent et qui leur permet de décupler leur hauteur. Ils appuient donc très fort, avec leurs branches et leurs racines, sur le plafond et le plancher de la salle. Comme ils sont de plus en plus nombreux à le faire, la maçonnerie commence à se disloquer. Un jour, elle explosera sous la poussée.

— Mais pourquoi? s'étonna Naxos.

— Vous ne comprenez donc pas? s'emporta Loba. *Ils essayent de s'échapper!* Toutes les bêtes, toutes les plantes prisonnières de ces murs veulent reprendre leur liberté. Elles n'ont qu'une idée, envahir le monde réel. Elles en ont assez d'être enfermées dans cette cellule de béton.

— Oh! je vois..., murmura Peggy. Les faux enfants les aident dans leur projet d'évasion parce que ainsi ils provoqueront la destruction du collège des super-héros.

— Oui, confirma son interlocutrice. Imagine un peu ce qui se passera quand les fauves retenus ici feront irruption dans les salles de classe! Ils ne leur faudra pas longtemps pour dévorer jusqu'au dernier élève!

— Il faudrait retrouver toutes les boîtes bleues et les détruire..., proposa Naxos.

Loba haussa les épaules.

— Impossible, fit-elle, il y en a trop, et puis les arbres ne te laisseraient pas faire.

— Dès notre retour au collège, j'avertirai Monsieur Calamistos, le directeur, déclara Peggy Sue. Il est peut-être encore possible d'entreprendre des réparations, de consolider le sol, le plafond...

— Je ne crois pas, soupira Loba. Le mal est trop avancé et les baobabs deviennent de plus en plus puissants. Certains jours, on les voit grandir à vue d'œil.

Peggy fronça les sourcils. D'un seul coup, les sinistres prédictions de la tortue lui revinrent en mémoire. Elle se rappela les images entrevues dans la chambre des rêves, lorsque l'animal lui avait montré de quoi le futur serait fait. Elle frissonna. Ziko-Ziko ne s'était pas trompé, une catastrophe se préparait, une catastrophe qui provoquerait la destruction du collège. Etait-il malgré tout possible de l'éviter? Pouvait-on changer le futur?

*

Sitôt le repas expédié, Loba s'attaqua au problème du tapis volant. Elle entraîna Peggy dans l'atelier de préparation et lui expliqua qu'elle allait concocter un mélange qui permettrait à la carpette magique de toucher le sol sans perdre ses pouvoirs.

— Le reste, affirma-t-elle, est une affaire de géométrie dans l'espace. On peut astucieusement plier le tapis pour lui donner l'apparence d'un manteau.

— Comme un *origami* [1]? demanda Peggy Sue.

— Oui, ce sera simplement un *origami* de soie au lieu d'un *origami* de papier.

La jeune guerrière travailla tant et si bien qu'au bout de deux jours elle avait résolu le problème de la carpette magique. Non seulement celle-ci pouvait désormais toucher terre, mais une série de savantes manipulations permettait d'en faire une sorte de cape munie d'un capuchon, si bien qu'à aucun

---

1. Art japonais du pliage qui permet, à partir d'un simple morceau de papier, de confectionner des animaux véritablement fantastiques.

moment on ne pouvait se douter que l'imperméable de Peggy Sue était en réalité un tapis volant!

— C'est formidable! s'exclama l'adolescente.

— Ne te réjouis pas trop vite, grommela Loba. Il vous faut encore traverser la savane. Les arbres savent que vous avez découvert le stratagème de l'engrais concentré, ils vous empêcheront de quitter le deuxième étage. Ils n'ont pas intérêt à ce que vous donniez l'alerte. Le chemin du retour sera mouvementé. Ouvrez l'œil.

L'embuscade des géants

Le lendemain, Loba conduisit la petite troupe là où se terminait la jungle et où commençait la savane.

— Ton tapis n'est pas assez fort pour soulever tout le monde dans les airs, expliqua la jeune guerrière. Certains d'entre vous devront aller à pied. Ne soyez jamais plus de deux sur la carpette, ou elle se fatiguera et tombera en vrille. Evitez si possible de l'utiliser avant d'avoir atteint la barrière des baobabs gonflables. C'est là que tout se jouera. Le tapis devrait vous permettre de passer par-dessus l'obstacle.

Elle se tut, puis, posant les mains sur les épaules de Peggy, l'embrassa sur les deux joues.

— Allez, je te souhaite bonne chance, soupira-t-elle. Transmets mon bon souvenir au monde du dehors. J'y retournerai peut-être un jour, si je trouve le courage de dompter mon costume.

Sur ce, elle fit une pirouette, agita la main en signe d'adieu, et s'enfonça dans la forêt sans regarder derrière elle.

— Il ne nous reste plus qu'à foncer, fit le chien bleu. Le tout est d'arriver vivants à la barrière de baobabs.

— Ensuite nous établirons un pont aérien [1] à l'aide du tapis, décida Peggy Sue. Nous sauterons l'obstacle deux par deux pour atterrir de l'autre côté, près de la porte de sortie.

— Ça paraît faisable, grommela Naxos, du moins si les arbres ne touchent pas encore le plafond. Si c'est le cas, leurs branches nous intercepteront.

Peggy haussa les épaules.

— Chaque chose en son temps, fit-elle, agacée. Inutile de se démoraliser à l'avance.

Précédés par les loups, ils s'élancèrent à travers les hautes herbes. Il faisait très chaud, des rugissements éclataient ici et là, dans le lointain.

Pendant une heure, ils ne firent aucune mauvaise rencontre, tout semblait s'annoncer sous les meilleurs auspices. Puis, soudain, alors que Peggy commençait à reprendre confiance, un martèlement ébranla le sol.

— *Des éléphants!* annonça le chien bleu, les loups disent que les arbres les ont lancés à notre poursuite. Ils vont nous empêcher de quitter l'étage.

---

1. Allées et venues de plusieurs avions entre deux aéroports pour évacuer une population en danger, par exemple.

A cause des hautes herbes, les adolescents ne distinguaient rien. Peggy hésitait à déployer le tapis volant.

— Si je m'élève dans les airs les éléphants me repéreront, murmura-t-elle. Mieux vaut rester invisibles. La broussaille nous dissimule à leurs yeux, profitons-en pour filer en direction des baobabs.

— Ils vont nous localiser, intervint Naxos, c'est inévitable. Quand nous marchons, nous agitons les hautes herbes. Il ne leur faudra pas longtemps pour détecter nos déplacements.

— Tant pis, courons !

Les uns à la suite des autres, ils se mirent à galoper à l'aveuglette. Durant dix minutes ils crurent la partie gagnée, puis le martèlement reprit, les talonnant.

— Ils nous ont vus ! haleta le chien bleu, ils sont sur nos traces.

A bout de souffle, Peggy essayait de rassembler ses connaissances sur les éléphants éternueurs.

« Ils se servent de leur trompe comme d'un canon, se rappela-t-elle. Quand ils éternuent en direction de quelqu'un, le souffle du *atchoum* efface complètement la mémoire de leur victime. On ne sait plus qui on est, on ne sait plus ni parler ni marcher. Tout ce qu'on a appris, on l'oublie en une fraction de seconde et on reste là, comme un bébé, incapable de se défendre. »

Elle s'arrêta, le flanc scié par une crampe.

Les vibrations du sol atteignaient une telle intensité qu'elle parvenait à peine à conserver son équilibre.

— Séparons-nous! cria-t-elle. Si nous restons groupés, les éléphants nous fusilleront tous en un seul éternuement!

Ils se déployèrent en éventail. Seul le chien bleu demeura aux côtés de Peggy.

— Va-t'en! lui ordonna la jeune fille. C'est la seule tactique possible. Ceux qui auront échappé aux éternuements pourront ainsi venir en aide à ceux qui auront perdu la mémoire.

Mais le petit animal ne voulut rien entendre. Il n'était pas question pour lui de se séparer de son amie.

Brusquement, une ombre énorme recouvrit les fuyards. Un mammouth recouvert d'une toison rougeâtre leur coupait la route. Il déplia sa trompe et gonfla ses joues afin d'emmagasiner le plus d'air possible. Peggy comprit qu'il allait éternuer dans leur direction, sa trompe évoquait le canon d'un char d'assaut.

— Par là! Par là! glapit le chien bleu qui avait aperçu une tranchée remplie de feuilles séchées.

L'adolescente et le chien plongèrent à la seconde même où l'éléphant éternuait. Il y eut comme une explosion et un souffle puissant passa sur la savane, couchant les hautes herbes. Par chance, Peggy et le chien se trouvaient à ce moment-là recroquevillés au fond de la tranchée, si bien que le vent de l'amnésie les frôla sans les toucher.

De nouvelles détonations retentirent, annonçant que les autres éléphants s'appliquaient à canonner Zeb et Naxos.

— On ne peut pas rester là, couina le chien bleu. Cette bestiole va nous trouver et nous fusiller à bout portant. Il faut sortir d'ici. Vite!

Peggy Sue le suivit. Le mammouth, furieux, piétinait les buissons, à leur recherche. Dès qu'il les eut repérés, il les mit en joue, tel un chasseur épaulant son fusil.

Peggy haletait, à bout de forces. Elle se demanda avec angoisse combien de temps encore elle parviendrait à éviter le souffle des éternuements.

Alors qu'elle se préparait au pire, les loups surgirent des hautes herbes et, se glissant sous le ventre du pachyderme, le mordirent cruellement aux endroits où la peau était la plus sensible. Surpris, le monstre releva la tête alors qu'il éternuait. Le souffle effaceur de souvenirs partit en direction du ciel, où il frappa de plein fouet un groupe d'oiseaux. A peine atteints, les volatiles tombèrent comme des pierres et s'écrasèrent au sol, *car ils avaient oublié comment on s'y prenait pour voler!*

Indifférents au danger que représentaient les pattes des pachydermes, les loups allaient et venaient, harcelant les monstres, désorganisant le troupeau, l'empêchant d'ajuster ses tirs.

Peggy éprouva une réelle admiration pour la meute. Elle avait sauvé les loups des moutons invisibles, ils entendaient bien lui rendre la pareille, quitte à se faire réduire en marmelade par les éléphants.

Hélas, malgré les efforts de ses serviteurs à quatre pattes, Peggy se retrouva bientôt encerclée par deux pachydermes qui la mirent en joue. Alors qu'explosait la double détonation des éternuements et qu'elle se croyait perdue, il arriva quelque chose d'étonnant. Zeb surgit des hautes herbes et, mettant à profit l'incroyable élasticité de son corps, se déploya dans les airs pour prendre la forme d'un parapluie de chair verte sous lequel Peggy et le chien bleu se retrouvèrent protégés du souffle destructeur.

Le pauvre Zeb encaissa la décharge à leur place et faillit en être complètement aplati. Incapable de conserver plus longtemps son apparence de parapluie, il reprit forme humaine. Peggy, au premier regard, comprit qu'il avait perdu la mémoire. Les éternuements avaient effacé tout le fragile savoir laborieusement emmagasiné au cours de la semaine qui venait de s'écouler. Elle dut le saisir par le bras pour l'entraîner à sa suite sinon il serait resté là, hagard, ne comprenant rien à ce qui se passait autour de lui.

Il se révéla très vite incapable de marcher, aussi la jeune fille dut-elle le charger sur son dos. Comme le corps du garçon ne contenait ni ossements ni organes d'aucune sorte, elle n'eut pas de mal à le porter.

Profitant de ce que les loups s'étaient suspendus à la trompe des éléphants, la jeune fille ôta son manteau de soie et le déplia pour lui redonner son apparence première de tapis volant.

— On n'a plus le choix, balbutia-t-elle, il faut y aller! C'est notre seule chance d'échapper aux mammouths!

Elle s'allongea, serrant Zeb et le chien bleu, puis ordonna à la carpette magique de prendre son envol.

Tout de suite, ils furent arrachés du sol et bondirent dans les airs. Le vent dans la figure, Peggy regarda se rapprocher le plafond avec angoisse, se demandant si le tapis saurait ralentir sa course avant de le percuter de plein fouet. Elle fut soulagée de voir que le rectangle de soie magique savait ce qu'il faisait. Rasant les crevasses qui sillonnaient le béton, il se mit à survoler la cime des baobabs gonflables pour franchir la redoutable frontière constituée par les arbres écraseurs.

Pendant une minute tout alla pour le mieux, puis les baobabs, furieux, étendirent leurs branches en direction du plafond pour essayer d'intercepter les fuyards. Chacune de leurs brindilles était une griffe avide de lacération. La moindre branche fouettait l'air dans l'espoir d'accrocher le tapis et d'en faire tomber ses occupants. Peggy Sue serrait les dents. La soie de la carpette avait beau être magique, elle n'en demeurait pas moins vulnérable aux déchirures.

Le voyage se poursuivit tant bien que mal au milieu de l'effroyable vacarme des branches qui s'agitaient comme les pinces d'un millier de crabes géants.

Quand le tapis se posa de l'autre côté de l'obstacle, Peggy et le chien bleu poussèrent un soupir de soulagement. Ils n'étaient plus qu'à 10 mètres de la sortie du deuxième étage. La jeune fille traîna le pauvre Zeb sur le sol et ordonna à la carpette de repartir chercher Naxos et les loups. Elle estimait qu'en quatre voyages tout le monde pourrait être évacué.

« J'espère que Naxos n'a pas perdu la mémoire, songea-t-elle, sinon il ne se rappellera pas à quoi sert le tapis. Il n'aura même pas l'idée de grimper dessus. »

Durant l'heure qui suivit, elle attrapa un torticolis à force de suivre les évolutions du tapis au ras du plafond. Le rectangle de soie se comporta bravement, évacuant les fuyards deux par deux. Toutefois, ces allées et venues le fatiguaient et il éprouvait de plus en plus de difficultés à se maintenir en altitude ; c'était pourtant là sa seule chance de survie car les branches griffues guettaient sa première défaillance pour le réduire en charpie.

Naxos apparut, accompagné d'un loup. Il expliqua que trois membres de la meute avaient trouvé la mort dans leur combat contre les éléphants. Il ne restait plus désormais que six loups.

— Ce sont des animaux courageux, affirma Peggy. Sans eux, nous n'aurions jamais pu échapper aux mammouths. Nous leur devons une fière chandelle.

Son dernier voyage effectué, le tapis roula sur le sol, épuisé, et Peggy le plia pour le draper sur ses épaules, comme une cape.

Avant de lever le camp il fallut toutefois prendre le temps d'apprendre au pauvre Zeb à marcher, car il avait tout oublié et son esprit contenait à présent moins de souvenirs que celui d'un poisson rouge [1]!

Cette infirmité n'avait pas altéré son éternelle bonne humeur et il regardait Peggy en souriant, obéissant docilement aux ordres qu'elle lui donnait.

— Il a l'air d'un chiot content d'apprendre un nouveau tour! fit observer le chien bleu. Ça nous change de Sebastian qui était toujours déprimé ou de sale poil!

Par chance, la créature qu'on avait nommée Zeb assimilait les informations à la vitesse d'un ordinateur et, au bout d'un quart d'heure d'exercice, elle avait recouvré son sens de l'équilibre et la maîtrise de ses mouvements.

— Nous avons de la chance d'être encore en vie, philosopha Naxos. Profitons-en pour quitter cet enfer.

D'un pas décidé, ils marchèrent vers la sortie.

---

1. On a établi que les poissons rouges avaient si peu de mémoire qu'ils oubliaient tout ce qu'ils venaient d'apprendre le temps de faire le tour de leur bocal!

Le conseil de discipline

C'est avec un réel soulagement que Peggy Sue tapa le code de sortie sur le clavier du portier automatique. Deux secondes s'écoulèrent, interminables, puis les battants d'acier s'entrebâillèrent sur le palier du deuxième étage. Peggy, les deux garçons, le chien bleu et les loups franchirent la frontière qui les ramenait au collège. Dès qu'ils furent dans l'escalier aux marches de béton, la porte se referma avec un grondement.

La jeune fille frissonna, après l'affreuse moiteur de la jungle la température qui régnait dans le collège lui parut presque hivernale. Ils descendirent lentement, s'accrochant à la rampe, un peu étonnés d'être enfin revenus, sinon chez eux, du moins dans un univers plus rassurant que la jungle rouge.

Des cris et des rires provenaient du rez-de-chaussée. Les élèves se trouvaient rassemblés dans le parc. Fort excités, ils se montraient leurs costumes les uns aux autres. Ces exhibitions donnaient lieu à un véritable concours de vantardises. Le grand Jeff n'était pas le moins braillard, il fallait le voir se dandiner avec sa coiffure de serpents, le dard d'ivoire de la licorne brandi comme un sceptre royal.

— Ah! Vous voilà! cria-t-il en reconnaissant Peggy. Vous en avez mis un temps pour sortir de ce fourbi! En fait, vous êtes les derniers, on n'attendait plus que vous.

L'adolescente ne sut que répondre. La foule des élèves se rassembla en ricanant autour des nouveaux arrivants. Il y avait là des garçons et des filles affublés de costumes incroyables, cousus en dépit du bon sens et juxtaposant des peaux d'animaux inconnus.

Ces vêtements avaient une allure effroyable avec leurs épines, leurs cornes, leurs griffes. Faits d'écailles, de plaques osseuses, de crêtes, ils ressemblaient à des armures conçues pour une guerre extraterrestre.

— Hé! où sont donc vos costumes? ricana Jeff. Vous ne rapportez pas grand-chose à part cette meute de loups pelés et ce manteau de soie tout égratigné. Je ne suis pas sûr que Diablox considère que vous avez triomphé de l'épreuve.

— *Quoi?* s'inquiéta Peggy, qu'est-ce que tu racontes?

— Je n'invente rien, répliqua Jeff d'un air offensé. Il va vous falloir comparaître devant la commission de validation.

— *La quoi?* grogna Naxos.

— C'est une commission où siègent Diablox, Mademoiselle Zizolia et les autres super-héros à la retraite. Ils examinent ce que tu as rapporté et décident si c'est valable ou non.

— Il leur arrive de refuser certains vêtements ? s'enquit Peggy Sue.

— Oui, confirma Jeff. En ce qui vous concerne, je ne suis pas certain qu'ils considèrent vos trouvailles comme acceptables.

Peggy fronça les sourcils. Les propos de son interlocuteur l'angoissaient. Diablox et ses amis oseraient-ils faire montre d'une aussi mauvaise foi ? Voilà qui serait incroyablement injuste, après tous les dangers qu'ils avaient courus ! Elle n'osait croire qu'on puisse en arriver là !

Les ricanements des élèves la ramenèrent à la réalité. Ils entouraient Zeb, amusés par sa couleur verte. Ils multipliaient les boutades et les quolibets sans que le garçon cesse pour autant de sourire.

— En plus, pouffa Jeff, t'as ramené un Martien ! Il n'est pas des nôtres, jamais Diablox n'acceptera qu'il intègre le collège.

— Bon, ça suffit, coupa Naxos en saisissant Peggy par le coude. On verra ça nous-mêmes ! Merci pour les renseignements, les « copains ».

Ils se retirèrent à l'écart et s'assirent sur l'herbe tandis que les loups formaient autour d'eux un cordon protecteur vigilant.

— Voilà de bien mauvaises nouvelles, soupira Peggy. Je n'imaginais pas qu'à peine sortis de la jungle nous verrions Diablox se retourner contre nous. J'ai peur que le verdict de la commission ne nous soit guère favorable, après tout, nous ne rapportons pas de costumes à proprement parler. J'ai un tapis volant, toi, Naxos, un bras surhumain... quant à Zeb, il n'est qu'une... qu'une marionnette, ou du moins quelque chose d'approchant.

Naxos grimaça pour signifier qu'il partageait les craintes de son amie.

— Tout ça n'est pas évident, grommela-t-il. Nous essayerons de faire valoir nos arguments.

Dans le parc, les autres élèves continuaient à faire les imbéciles. Enivrés par leurs nouveaux pouvoirs, ils multipliaient les démonstrations. Certains volaient dans les airs, d'autres se couvraient de flammes... Quelques-uns soulevaient au-dessus de leur tête des charges énormes. On en voyait également qui traversaient les murs ou s'enfonçaient dans le sol telles des taupes. Peggy ne parvenait pas à déterminer si ces exhibitions étaient effrayantes ou grotesques.

*

Vers midi, l'un des surveillants s'approcha du groupe d'amis pour annoncer qu'ils devaient tous comparaître devant le conseil de discipline. Aussitôt le bruit se répandit que Peggy Sue et ses amis avaient échoué dans leur mission, il était donc fort possible qu'on les condamne à être emmurés dans les caves du collège après la remise des diplômes, comme tant d'autres avant eux.

— Les pauvres cloches! philosopha le grand Jeff. Ça me fait de la peine. Toutefois, faut bien reconnaître qu'ils n'ont pas été à la hauteur. J'ai fait un bout de route avec eux, pour essayer de les aider, mais ils s'obstinaient à ignorer mes conseils. Ils se débrouillaient comme de vrais amateurs! Je suis parti quand j'ai vu que je ne pouvais rien pour eux. Ils n'auraient pas dû revenir ici. Z'auraient mieux fait de rester là-bas, avec les trouillards qui n'ont jamais osé ressortir de la jungle.

On approuva bruyamment. Jeff semblait être devenu l'idole du collège. Il est vrai que les serpents qui sifflaient sur sa tête avaient de quoi impressionner les plus courageux.

— Leur poison est fulgurant, se plaisait-il à raconter, quand on est piqué, on devient tout noir et on meurt en moins de dix secondes. Les crocs de ces charmantes bestioles peuvent transpercer n'importe quelle matière, le bois, l'acier, la pierre... Lorsqu'ils mordent un objet, une machine, l'objet se brise et la machine s'arrête.

Quand il disait cela, ses auditeurs reculaient instinctivement de trois pas.

Peggy Sue et ses amis se levèrent, la mort dans l'âme, pour gagner le local où siégeait le conseil de discipline. Ils avaient tous la désagréable impression de s'être fait berner, d'avoir été victimes d'une tricherie. Peggy ne comprenait pas pourquoi Diablox s'acharnait ainsi sur eux.

Dans la salle, on leur ordonna de rester debout pendant que leurs juges s'installaient. Diablox entra, suivi des super-héros à la retraite qui donnaient des cours au collège. Il y avait également Mademoiselle Zizolia, Calamistos et Delfakan. En voyant les deux robots qui servaient de marionnettes à Kazor et Zooar, les vrais directeurs de l'établissement, Peggy Sue reprit courage.

« Ils ne pourront pas nous laisser tomber, songea-t-elle. Après tout, ils m'ont eux-mêmes demandé de veiller sur leur sécurité. Ils seront forcés de nous défendre. »

Un peu ragaillardie, elle se prêta de bonne grâce au jeu des questions.

D'une voix sèche, Diablox entama un interminable interrogatoire pour déterminer ce qu'ils avaient fait, heure par heure, lorsqu'ils se trouvaient au deuxième étage.

« Nom d'une saucisse atomique ! gronda mentalement le chien bleu, j'ai l'impression de passer en cour martiale [1] ! »

— Tout cela n'est pas très satisfaisant, décréta l'ancien super-héros une fois la dernière réponse fournie. Pour résumer, Naxos n'a pas rapporté de costume, seulement un bras dont la force musculaire a été décuplée par la pâte verte dont on a bourré sa blessure. Ces loups ne peuvent pas non plus être considérés comme un costume, ça me semble évident. On pourrait même dire que leur présence ici constitue une infraction au règlement car les animaux du deuxième étage ne doivent

---

1. Tribunal militaire jugeant les fautes commises par les soldats, et dont la sévérité est légendaire.

jamais en sortir, c'est la règle. Quant à ce garçon verdâtre qui sourit bêtement et semble incapable de prononcer trois mots d'affilée, il ne peut pas davantage être rangé dans la catégorie des vêtements magiques... Ce serait tout au plus un serviteur.

— C'est du reste la première fois qu'une telle créature est ramenée parmi nous, déclara Mademoiselle Zizolia. En conséquence, je propose qu'elle soit placée en quarantaine afin de déterminer si elle représente un risque quelconque pour les humains.

— Mais c'est injuste! protesta Peggy. Zeb est très gentil, il nous a sauvés des éléphants. C'est pour ça qu'il ne sait plus parler, mais ça va lui revenir, il apprend vite.

— Tais-toi, petite! trancha Mademoiselle Zizolia, tu n'as pas à donner ton avis. Il sera placé en quarantaine. Au terme de cette période d'examen, nous déciderons s'il convient de le libérer ou de le détruire. Rien ne prouve que tu sois capable de contrôler une telle créature.

— Exact, renchérit Diablox en tapant du poing sur la table. Les loups seront eux aussi placés en quarantaine, comme Naxos, car il se pourrait que ce bras soit animé par une volonté démoniaque. Il convient donc de le surveiller.

Peggy bouillait de rage contenue. Elle regarda en direction de Calamistos et de Delfakan, espérant que les vrais maîtres du collège allaient se décider à intervenir, hélas, il n'en fut rien. Les deux robots restèrent là, à regarder dans le vide, les yeux aussi inexpressifs que des billes de verre.

« Ah ! les dégonflés ! ragea la jeune fille. Ils vont laisser Diablox faire la loi ! Auraient-ils peur de lui ? »

— En ce qui te concerne, Peggy Sue, reprit le super-héros d'un ton teinté de mépris, je suis déçu. Après tout ce que j'ai entendu raconter sur toi, je pensais que tu rapporterais autre chose qu'un manteau de soie à capuchon, même si cette défroque dissimule un tapis volant. *Un tapis volant !* Je vous demande un peu ! Tu n'aurais pas pu dénicher quelque chose de plus original ?

— Ce tapis nous a sauvé la vie à plusieurs reprises ! rétorqua la jeune fille. Sans lui, nous ne serions pas là.

— Et ce serait peut-être aussi bien ! tonna Diablox. Au moins vous seriez encore là-haut, au deuxième étage, en train de chercher un vêtement convenable. Vous avez bâclé votre mission, par paresse, par peur, par couardise. Vous n'aviez qu'une idée en tête, revenir le plus vite possible. Ce n'est pas avec ce genre de raisonnement qu'on devient un super-héros. Je suis déçu ! Très déçu !

Peggy, se rappelant ce qu'avait raconté Loba au sujet de Diablox, faillit répliquer : « Moi aussi, je suis déçue par un prétendu super-héros qui s'est contenté de voler le costume fabriqué par un autre ! », mais elle jugea plus habile de garder le silence. Si on l'emprisonnait pour insolence, elle ne pourrait plus aider ses amis. Ce n'est qu'en restant libre de ses mouvements qu'elle serait en mesure d'organiser leur évasion car, à partir de cette minute, elle était bien décidée à entrer en guerre contre le collège.

— Je me montrerai magnanime, conclut Diablox, puisque tu es la seule à avoir rapporté un vêtement, tu ne seras pas punie, mais ta note ne sera pas fameuse, tu t'en doutes. N'espère pas qu'en sortant d'ici on te confiera la protection d'une grande ville. C'est tout juste si tu pourras officier dans une bourgade. *Un tapis volant !* Comment veux-tu lutter contre les monstres avec ça ? Ce n'est pas une arme ! Pour moi, c'est juste un accessoire d'illusionniste.

Mademoiselle Zizolia se leva et claqua dans ses mains.

— Gardes ! ordonna-t-elle, conduisez les condamnés au secteur d'isolement. A partir de cette minute, ils ne doivent plus avoir aucun contact avec leurs camarades.

Les loups grondèrent, Zeb quêta du regard le secours de Peggy Sue, Naxos gonfla les muscles d'acier de son bras magique...

Peggy se dépêcha de leur expédier à tous un message mental par l'entremise du chien bleu :

« Ne vous révoltez pas ! Faites semblant d'obéir. Se battre ne servirait à rien, tous les copains de Diablox se ligueraient contre nous, ils ont beau être vieux, ils sont encore dangereux. Laissez-vous enfermer, je me débrouillerai pour vous libérer d'ici peu. »

Aussitôt les loups cessèrent de montrer les crocs. Diablox eut un sourire méprisant. Il abandonna la posture d'attaque qu'il avait adoptée une seconde plus tôt, posture que son costume reprisé rendait, au demeurant, assez ridicule.

— Je vous conseille de filer droit! siffla Mademoiselle Zizolia. Sachez qu'en cas de rébellion vous serez emmurés dans la cave du bâtiment le jour de la remise des diplômes.

Encadrés par une dizaine de surveillants armés de matraques électriques, les amis de Peggy Sue quittèrent la salle.

— Je suis désolé d'avoir à prononcer cette sanction, conclut Diablox, mais vous avez essayé de tricher. Ici, au collège des super-héros, on ne badine pas avec l'honneur.

« Sauf quand on vole le costume d'un mourant! » songea Peggy en dardant sur Diablox un regard brûlant de haine.

Déjà les juges s'en allaient. Calamistos et Delfakan tournèrent le dos à Peggy Sue sans lui adresser le moindre clin d'œil de complicité.

« Vous deux, mes bons amis, gronda intérieurement la jeune fille, vous ne perdez rien pour attendre! »

Et elle sortit d'un pas décidé. Elle étouffait de colère. Dans le parc, elle fut accueillie par les moqueries des élèves. On montrait sa cape du doigt en lui demandant si elle était déguisée en Petit Chaperon rouge, ou d'autres blagues idiotes du même acabit.

Peggy ne perdit pas de temps à répliquer, elle n'avait qu'une idée en tête, aller s'expliquer avec Kazor et Zooar, la virgule et le pois rouge sur le nœud papillon, les maîtres secrets du collège des super-héros.

— Je n'aime pas la tournure que prennent les choses, fit le chien bleu trottant à ses côtés. Tout ça empeste le complot. On dirait que Diablox tient à nous mettre des bâtons dans les roues. Aurait-il appris que Loba nous a fait sur lui des révélations peu reluisantes ?

— C'est ce que je pense aussi, répondit Peggy Sue. Mais comment l'aurait-il appris ? Aurait-il des espions au deuxième étage ?

— Pourquoi pas ? Il a très bien pu placer un de ses protégés à l'intérieur du bunker de Loba. En tout cas, nous voilà dans la mélasse. Cette histoire de quarantaine n'est qu'un prétexte pour emprisonner définitivement nos amis.

— C'est bien possible, j'ai toujours eu l'impression que la mère Zizolia me détestait.

Lorsqu'ils entrèrent dans la zone administrative du collège, la secrétaire de Calamistos tenta de les arrêter, mais le chien bleu montra les crocs, faisant battre en retraite la pauvre femme. Peggy poussa la porte du bureau directorial et bondit dans la pièce. Comme la fois précédente, Calamistos et Delfakan se tenaient assis, figés tels des robots débranchés. Peggy prit la parole, s'adressant, non aux marionnettes, mais à la virgule frétillant sur le livre ouvert et au pois rouge caché sur le nœud papillon.

— C'est quoi, ce cirque ? tonna-t-elle. Pourquoi ne m'avez-vous pas soutenue ? Vous m'avez pourtant demandé d'enquêter à votre place... Je m'attendais à un peu plus d'aide de votre part.

— Nous étions dans une situation difficile, dit la virgule avec une certaine gêne. Diablox ne t'aime pas. Il est intransigeant dès qu'il s'agit du respect des lois du collège. Or vous n'avez pas rempli scrupuleusement votre mission... Tu... tu as ramené des animaux interdits, et Naxos ne s'est même pas donné la peine de se fabriquer un costume.

— Vous dites n'importe quoi! Naxos a failli mourir en essayant de capturer une licorne. A vous écouter, on pourrait croire que nous étions là-bas pour passer des vacances au soleil!

Le robot Delfakan parut reprendre vie. Il se redressa et se mit à arpenter la pièce.

— Les choses ne sont pas si simples, énonça-t-il. Tu raisonnes comme une gamine. Nous avons beau diriger cet établissement, nous ne faisons pas ce que nous voulons. Diablox exerce une énorme influence sur les professeurs. Nous ne pouvons pas nous en faire un ennemi.

— C'est vrai, renchérit la virgule extraterrestre. Nous aurons besoin de Diablox si nos ennemis essayent de s'emparer du collège. S'il donnait sa démission, nous serions désarmés. Il représente notre seule ligne de défense.

— A propos d'ennemis, attaqua Peggy Sue, je vous signale qu'il se trame des choses bizarres au deuxième étage...

Elle leur raconta alors l'affaire des cubes d'engrais magique et du plafond crevassé.

— Quoi? bredouilla Zooar. Tu prétends que les faux enfants opèrent en secret au deuxième étage depuis longtemps déjà?

— Oui, confirma Peggy. Ils sont en train de saboter la maçonnerie. Au train où vont les choses, le plafond ne tardera plus à exploser sous la poussée des baobabs. Les murs s'écrouleront et les animaux emprisonnés là-haut s'empresseront de débouler ici, pour régler leurs comptes.

— C'est... *c'est impossible*, hoqueta Kazor, je suis sûr que tu exagères, la situation ne peut pas être aussi dramatique. Les détecteurs installés dans le béton auraient réagi, les signaux d'alarme se seraient déclenchés...

— Sauf si on les a sabotés, eux aussi, objecta la jeune fille. Le danger est réel. J'ai volé au ras du plafond, vous savez. J'ai pu mesurer l'étendue des lézardes. Elles m'ont paru très profondes. A mon avis, la salle du deuxième étage va s'effondrer dans pas longtemps.

— Allons! Allons! protesta Zooar, tu n'y connais rien! Ces crevasses sont probablement superficielles, tu t'es laissé impressionner, voilà tout. La salle a été construite selon nos plans, elle est conçue pour résister à toutes les agressions. Ce ne sont pas quelques arbres qui en viendront à bout.

— Etes-vous seulement certains que vos plans ont été respectés? suggéra Peggy. Il n'est pas impossible que vos ennemis se soient glissés parmi les ouvriers et qu'ils aient, encore une fois, saboté l'ouvrage.

— Tu délires! s'emporta Kazor. Je crois que tu essayes de nous effrayer pour négocier la libération de tes amis, mais cela n'est plus de notre ressort. Je te le répète, nous ne pouvons contrarier Diablox, en cas de guerre, il sera notre général en chef. Le destin de cette école est entre ses mains.

— Vous me dégoûtez! siffla Peggy Sue. Vous êtes des imbéciles et des dégonflés! Vous préférez faire confiance à un type douteux plutôt qu'à moi, qui vous apporte des nouvelles fraîches. Sachez que votre cher Diablox n'est pas en odeur de sainteté auprès des naufragés du deuxième étage, vous devriez aller faire un tour là-haut, vous apprendriez peut-être des choses intéressantes.

Et elle sortit en claquant la porte.

— Eh bien, conclut le chien bleu, je crois qu'une fois de plus, nous allons devoir nous débrouiller tout seuls.

Les dompteurs

Dans les jours qui suivirent, les élèves découvrirent que, une fois la première euphorie passée, il n'était pas facile de se faire obéir des costumes. Ceux-ci, en effet, lassés d'être mis à contribution lors des séances de démonstration destinées à épater les copains, commencèrent à faire la mauvaise tête. Certains refusaient de bouger, d'autres, au contraire, se contorsionnaient avec une telle violence que leur occupant s'en trouvait éjecté tel un cavalier essayant de dompter un cheval sauvage.

— La phase de dressage va maintenant débuter, expliqua Diablox. Vous allez devoir maîtriser vos costumes. Pas seulement les apprivoiser, mais également les habituer à vous obéir au doigt et à l'œil. Pour l'heure, quand je vous observe, j'ai surtout l'impression que c'est vous qui leur obéissez ! Cela ne peut pas continuer. Il vous faudra reprendre les choses en main. Ces vêtements sont là pour vous servir ! Ne les laissez pas prendre le dessus, sinon ils n'en feront qu'à leur tête. Domptez-les, que diable ! Domptez-les !

Hélas, c'était plus facile à dire qu'à réaliser ! En ayant assez d'être sollicités, les costumes se rebellèrent.

Le grand Jeff fut mordu à la joue par l'un de ses chers serpents. Il s'en fallut d'un cheveu qu'il ne passe de vie à trépas. Quand on le transporta à l'infirmerie, il avait déjà le visage tout noir. Will, un autre garçon, qui avait rapporté un déguisement composé d'une sorte de brouillard nuageux qui lui permettait de se déplacer dans les airs en demeurant presque invisible, resta prisonnier de l'habit de nuage qui, s'étant immobilisé à dix mètres du sol, refusait obstinément de redescendre.

— Au secours ! criait-il, le nuage me retient prisonnier, je ne peux plus m'en défaire ! Je meurs de faim et de soif ! Quelqu'un peut-il m'aider ?

Peggy Sue déplia le tapis volant et se transporta à la hauteur du malheureux. Il gisait là, flottant dans le vide, empaqueté dans son manteau de brume qui le dissimulait presque entièrement aux regards.

— Je n'arrive plus à bouger, pleurnichait-il, je suis coincé dans ce truc comme dans une armure rouillée ! Il ne m'obéit plus. J'ai faim ! Bon sang ! je crève de faim...

Peggy dut lui donner la becquée car il ne pouvait pas non plus se servir de ses mains.

Les incidents se multiplièrent. Un adolescent qui s'était fabriqué un costume à partir de morceaux de pierre magique incrustés dans une combinaison de cuir se retrouva emmuré à l'intérieur de son déguisement. Tous les cailloux s'étaient soudés les uns aux autres, si bien que le vêtement s'était changé en un bloc impossible à déménager. Prisonnier de cette geôle, il hurlait tel un condamné jeté au fond d'un puits, mais les pierres étaient si épaisses que ses cris semblaient ceux d'un chaton à bout de forces.

Mais les choses se gâtèrent vraiment quand les costumes constitués de peaux d'animaux sauvages entrèrent dans la danse. Ceux-là ne plaisantaient pas. Gonflés d'énergie, ayant conservé le goût de la tuerie, ils faillirent démembrer plusieurs adolescents, si bien qu'il fallut les enfermer dans ces placards blindés dont les chambres des élèves étaient toutes équipées. Une fois bouclés à double tour, les vêtements furieux se mirent à tambouriner comme des diables, et le crissement de leurs griffes sur l'acier aurait fait grincer les dents d'un sourd.

— Attendez qu'ils épuisent leurs réserves d'énergie, déclara Diablox. Quand ils se seront affaiblis, vous pourrez les reprendre en main. De toute manière, rien n'est joué d'avance. Certains d'entre vous réussiront à dompter leur costume, d'autres se laisseront digérer par eux, c'est ainsi. Ce dressage vous épuisera, n'oubliez pas de consommer beaucoup de vitamines, sinon vous dépérirez à vue d'œil.

Peggy Sue, dont le tapis volant se montrait docile, n'eut pas à supporter les conséquences des séances de dressage. Autour d'elle, cependant, les garçons maigrissaient, s'affaiblissaient à une vitesse alarmante. Dès le troisième jour, quatre d'entre eux furent transportés à l'infirmerie. Les costumes avaient aspiré leur énergie vitale au point de ne leur laisser que la peau sur les os !

— Quand je vois ça, murmura Peggy, je ne regrette pas de n'avoir rapporté qu'une « ridicule petite carpette », comme dit si bien le grand Jeff.

— Sûr qu'à ce train-là il y aura bientôt des morts ! diagnostiqua le chien bleu.

Toutefois, la préoccupation majeure de la jeune fille et du petit animal restait de localiser l'endroit où leurs amis étaient détenus ; aussi, feignant d'éprouver de la difficulté à diriger le tapis volant, ils en profitaient pour survoler les bâtiments et examiner les lieux à loisir.

— La zone de quarantaine doit être située à l'écart, supposa le chien bleu. Je vais tenter des sondages télépathiques au hasard, je verrai bien si quelqu'un me répond.

Malheureusement, ses multiples tentatives restèrent sans effet.

— Si les murs de leur prison sont très épais et doublés de plomb, mes pensées ne peuvent les traverser, soupira-t-il. Je ne sais pas pourquoi, mais c'est ainsi que ça fonctionne. Je suis désolé.

*

Le dressage des costumes se passait de plus en plus mal. Pour se débarrasser des intrus qui les avaient revêtus, les vêtements magiques imaginèrent de prendre des positions invraisemblables qui faisaient beaucoup souffrir leurs jeunes dompteurs.

— C'est pas possible! protestaient les adolescents. Ils plient les bras dans le mauvais sens. Nos articulations ne sont pas en caoutchouc! Si ça continue, ces cochonneries vont nous rompre les os!

Et c'est ce qui se produisit.

Will, l'un des copains du grand Jeff, poussa soudain un horrible cri de douleur. Son bras droit venait de se briser à la hauteur de l'humérus. L'adolescent s'effondra en hurlant tandis que le vêtement magique continuait à se tortiller en tous sens.

— Vite! lança Peggy, il faut le sortir de là! Vous ne voyez donc pas que le costume est en train de lui briser tous les os?

Elle se précipita pour rabattre la fermeture à glissière, mais le vêtement la repoussa avec violence. Il gigotait de façon grotesque, tordant ses bras et ses jambes en des angles impossibles. A l'intérieur, le pauvre Will avait perdu connaissance.

Après bien des difficultés, on réussit enfin à maintenir le vêtement sur le sol pour en extraire l'adolescent. Il était en piteux état.

— Nom d'une saucisse atomique! s'exclama le chien bleu, il souffre d'au moins trente-six fractures! Son squelette doit ressembler à un puzzle.

— Quelle horreur! gémit Peggy Sue. Le costume lui a tordu les bras comme si c'était de la guimauve. Il a même essayé de faire un nœud avec sa jambe droite.

On transporta la victime à l'infirmerie. Quant au vêtement magique, il fut bouclé dans une armoire blindée. Cet accident assombrit l'humeur des élèves. Beaucoup commencèrent à considérer leur déguisement d'un œil chargé de méfiance.

— Allons! Un peu de nerf! gronda Diablox. Le dressage n'est jamais une partie de plaisir. Qu'est-ce que vous imaginiez? Qu'il s'agissait d'une promenade à dos de poney? Il faut vous réveiller, mes petits amis. Ces costumes sont des armes de guerre, dangereuses, mortelles, pas de gentilles panoplies d'Halloween.

On se remit au travail en maugréant. Vrai, tout cela n'était pas aussi amusant qu'on l'avait imaginé!

Le grand Jeff qui était sorti de l'infirmerie, sa fièvre enfin tombée, fut de nouveau mordu à l'oreille par l'un des serpents de sa crinière! Imbibé d'antidote, il ne mourut pas, mais cette fois le venin fila droit au cerveau, déclenchant un accès de folie douce. Pendant deux jours et deux nuits, Jeff gambada dans le parc en dansant et chantant sur l'air d'une vieille comédie musicale. Il utilisait la corne d'ivoire comme un bâton de majorette, le faisant virevolter dans les airs. Peggy Sue ne put s'empêcher de pouffer de rire en l'observant car il était difficile de paraître plus ridicule.

— Au moins les serpents ont l'air d'apprécier ses chansons, ricana le chien bleu, ils ont arrêté de le mordre. C'est déjà ça.

L'infirmerie étant pleine à craquer, les médecins décidèrent qu'il était temps d'intervenir.

— Nous sommes confrontés cette année à une génération de costumes particulièrement rebelles, décréta le docteur Mazaboto-Kuragan en jouant avec son stéthoscope. D'ordinaire, les vêtements magiques se laissent dompter sans opposer une telle résistance. Il y a bien quelques petits accidents, mais jamais nous n'avons collectionné tant de fractures, de ligaments déchirés, de vertèbres luxées... C'est à croire que ces jeunes gens ont subi le supplice de l'écartèlement. Ça ne peut pas continuer. Il faut réagir avant que tous les élèves ne se retrouvent alités.

— Que proposez-vous ? grogna Diablox que ces contretemps mettaient de mauvaise humeur.

— Il n'y a pas à hésiter, lâcha Mazaboto-Kuragan. Il convient de fortifier ces garçons au moyen d'injections qui augmenteront la résistance de leurs muscles, de leurs os. Ainsi ils pourront s'opposer aux mauvais traitements que les vêtements magiques leur imposent.

— D'accord, grommela Diablox, faites donc ça. J'en ai assez de ces tire-au-flanc qui courent à l'infirmerie au moindre bobo. A ce rythme-là, nous ne serons jamais prêts à temps.

« *A temps pour quoi ?* se demanda Peggy Sue qui avait suivi la conversation.

— Bizarre..., renchérit le chien bleu. On dirait qu'il tient à préparer ses troupes en vue d'un affrontement dont il connaît déjà la date. Décidément, la tronche de ce type me revient de moins en moins. »

Les médecins s'enfermèrent dans le laboratoire pendant 48 heures. Quand ils en émergèrent, ce fut pour annoncer qu'on allait procéder à une « vaccination » générale.

— Ce produit est inoffensif, déclara Mazaboto-Kuragan. Il va durcir votre squelette et vos muscles. Chaque fois que vos efforts atteindront le stade critique, l'élixir vous viendra en aide, décuplant votre solidité. De cette manière, vous serez capables de résister aux agressions du costume, et s'il veut vous tordre le bras dans le mauvais sens, vous lui montrerez que le patron, c'est vous, et personne d'autre !

Un murmure d'approbation courut dans les rangs du public. Ça, c'était parler ! On allait enfin pouvoir faire entendre raison à ces fichus déguisements ! Ce n'était pas trop tôt !

A la demande des infirmières, les jeunes gens formèrent une file indienne devant le local de l'infirmerie. On commença aussitôt les vaccinations. Peggy Sue n'ayant aucun costume à dompter fut dispensée de piqûre, ce qu'elle ne regretta nullement. Les garçons la regardèrent s'éloigner en ricanant. Avec son petit tapis volant transformé en manteau, elle faisait figure d'idiote au milieu de ces apprentis héros bardés de griffes et de peau de serpent.

Le domptage reprit. Pendant deux heures, tout se passa pour le mieux. Chaque fois qu'un déguisement essayait de prendre le dessus, l'élixir de solidité entrait en scène. Alors, les bras, les jambes du dompteur refusaient de se tordre dans le mauvais sens, et le vêtement magique devait se résoudre à s'avouer vaincu.

— C'est super ! s'exclamaient les adolescents. J'ai l'impression que je pourrais plier une barre d'acier aussi facilement qu'on fait un nœud avec un bout de guimauve !

Et puis...

Et puis, les choses se gâtèrent. L'effet de l'élixir, au lieu de s'estomper quand il n'était plus nécessaire de faire appel à lui, devint permanent, si bien que cinq garçons se retrouvèrent paralysés, aussi raides que des statues ! Leurs muscles pétrifiés refusaient de se détendre. Il fallut les extraire des déguisements et les porter à l'infirmerie (encore une fois !) comme s'il s'agissait de mannequins sortis d'une vitrine.

— Ce n'est rien, ce n'est rien, prétendit le médecin-chef, un simple effet secondaire du traitement, tout rentrera rapidement dans l'ordre.

Mais tout le monde put constater qu'il était dépassé par les événements et n'avait aucune idée de ce qu'il devait faire.

Diablox entra dans une grande colère. Peggy Sue, qui l'observait, songea qu'au fil des jours il semblait de plus en plus nerveux.

— Quelque chose se prépare, murmura-t-elle à l'intention du chien bleu.

— D'accord avec toi, grommela le petit animal. Il me suffit de flairer son odeur pour savoir qu'il est excité et qu'il a peur, en même temps. Il attend un truc... un truc qui le terrifie mais qu'il ne voudrait manquer pour rien au monde. Bizarre, non?

Le complot des masques

Le soir, au réfectoire, le repas fut morne. Personne ne parlait. Une ambiance étrange planait sur la salle. C'était comme si chacun devinait l'approche d'une menace invisible. Seul Jeff, à l'écart, s'obstinait à chantonner entre deux bouchées de nourriture. Le venin des serpents lui noircissait les oreilles. Il regardait autour de lui d'un air étonné, incapable de mettre un nom sur les visages de ses camarades. Quand il eut terminé, il alla reporter son plateau et sortit en dansant sur l'air de *La Mélodie du bonheur*.

— Complètement frappadingue, diagnostiqua le chien bleu.

— Il devrait se débarrasser de cet horrible couvre-chef, fit Peggy. Tant qu'il le portera, les serpents continueront à lui mordre les oreilles.

— Tu as sans doute raison, ma douce tartelette, fit observer le petit animal, mais nous avons des problèmes plus urgents à résoudre.

Les deux amis se retirèrent dans leur chambre en attendant la nuit. Peggy souffrait de l'absence de

Naxos... et surtout, *surtout,* Zeb lui manquait. Elle savait bien que le garçon à peau verte n'était qu'une copie du vrai Sebastian mais sa présence atténuait la douleur qui continuait à lui saccager le cœur. Et puis Zeb était attendrissant, comme un jeune chiot assoiffé de caresses. Jamais il ne lui ferait le moindre mal, *lui,* ni ne lui causerait la plus petite peine. C'était un être tout dévoué à celle qui l'avait modelé. Un chevalier servant comme il n'en existait probablement plus de par le vaste monde. Peggy avait peur que, loin d'elle, il ne perde sa forme et se transforme en une boule de pâte anonyme. Voilà qui aurait été horrible !

Le chien bleu lui mordilla la main pour la sortir de sa rêverie.

— Il fait nuit, déclara-t-il, c'est le moment d'aller explorer les environs, il faut découvrir cette zone de quarantaine avant que les choses se gâtent vraiment.

Ils quittèrent la chambre à pas de loup pour se glisser dans les couloirs déserts. Ils allaient sortir du bâtiment, quand Peggy perçut l'écho d'une voix s'échappant de la salle de réunion.

— C'est Diablox, chuchota-t-elle. Que trafique-t-il à cette heure ? Allons l'écouter, ça peut nous apprendre des choses.

Sans bruit, ils s'approchèrent des portes battantes que quelqu'un avait mal refermées et par où filtrait la voix de l'ancien super-héros. Intriguée, l'adolescente risqua un œil dans l'ouverture. Autour de la grande table ronde se tenaient rassemblés tous les vieux héros que l'école employait comme professeurs. Ils étaient là, au coude à coude, dans leurs costumes rapiécés, avec leurs masques défraîchis. On eût dit un colloque de grands-pères fatigués empaquetés dans de bizarres robes de chambre. Seul Diablox allait et venait, faisant de grands gestes nerveux.

— L'heure approche, disait-il. L'heure que nous attendions tous. La catastrophe est en marche, j'y ai veillé. Depuis des années, je laisse régulièrement nos ennemis, les faux enfants, s'infiltrer au deuxième étage. Je sais parfaitement qu'ils en profitent pour saboter le « zoo ». Ils occupent leur séjour là-haut à poser des bombes d'un genre spécial. Des bombes à engrais qui provoquent une croissance accélérée des arbres. Je les laisse faire, je ferme les yeux. Je leur laisse croire que je ne les ai pas repérés, les imbéciles ! Je sais qu'ils ont terminé leur travail et que le toit de l'immeuble va exploser d'ici quelques jours. Alors, tous les monstres emprisonnés entre les quatre murs de la réserve déferleront sur le collège... *et il nous faudra les repousser !* Ce sera notre ultime combat. Le dernier grand combat des vrais super-héros...

Il fit une pause le temps de boire un verre d'eau. Peggy Sue et le chien bleu n'en croyaient pas leurs oreilles.

— Je sais que vous êtes comme moi, reprit Diablox. Vous en avez assez de la décrépitude, de la vieillesse, de l'ennui. On vous a oubliés. Le monde, ingrat, ne se souvient même plus de nos exploits. Nos noms, autrefois glorieux, se sont effacés de la mémoire des hommes. Aucune bande dessinée ne célèbre plus nos valeureux combats contre les monstres. Nous ne sommes plus rien, que des pantins, des guignols, tout juste bons à enseigner les rudiments de la profession à une bande de morveux qui se croient plus malins et plus forts que nous. Quant à moi, je dis que cela a assez duré !

— Oui, oui, c'est vrai..., grommelèrent les vieux héros masqués accoudés à la table.

— Ce que nous avons fait, jadis, nous pouvons le refaire ! tonna Diablox. On nous a jetés un peu trop vite à la poubelle. Prouvons au monde que nous sommes toujours là pour assurer sa sécurité ! Que nous constituons toujours l'ultime ligne de défense contre le déferlement des envahisseurs de toutes sortes... Cette occasion nous sera bientôt fournie par l'explosion du deuxième étage. Quand les créatures de Mars envahiront le collège, nous serons là pour les repousser. Nous nous dresserons contre elles, comme nous l'avons fait tant de fois, jadis. Nous défendrons la frontière ! Nous repousserons l'invasion ! Oui ! Oui ! Tous unis ! Je me suis arrangé pour que le combat soit retransmis par les caméras du circuit de télévision, ainsi tout le monde, sur la Terre, verra que nous sommes encore capables de sauver la planète !

Ayant présumé de ses forces, il s'étrangla, toussa, et dut boire un autre verre d'eau.

L'un des vieillards masqués — connu en des temps anciens sous le pseudonyme de Spirox — en profita pour intervenir timidement.

— Heu... Diablox..., commença-t-il en levant la main pour réclamer la parole, tout ça paraît fort tentant, mais es-tu certain que nous serons à la hauteur ? Bon sang, tu n'es pas dans ta meilleure forme, moi non plus, je l'avoue, et les copains ici présents ont connu des jours meilleurs. Inutile de se raconter des histoires. Nos costumes ont en grande partie épuisé leur énergie. Je ne suis pas sûr qu'ils tiennent le coup s'il faut repousser une invasion... Je me demande si tu ne t'emballes pas.

— Quoi ? hurla Diablox. *Tu te dégonfles ?* Toi, Spirox l'intrépide, qui étais capable de voler si vite en cercle que tu pouvais faire naître une tornade ?

— Euh... oui, admit Spirox, mais c'était dans ma jeunesse... Si j'essayais de faire pareil aujourd'hui, ça me donnerait mal au cœur et je vomirais.

— Dégonflé ! gronda Diablox au comble de la fureur, *petit bonhomme* ! Pauvre petit bonhomme ! J'ai l'impression d'entendre pleurnicher le père Noël ! Et Dieu sait si je déteste le père Noël avec sa houppelande fourrée et ses gants, et ses chaussettes, et la bouillotte qu'il cache dans sa hotte avec sa bouteille Thermos remplie de rhum chaud ! Tu veux donc finir comme lui ? Pas moi ! Pas moi ! Je suis un combattant, *un guerrier* ! Si je dois mourir, que ce soit au moins en exterminant un monstre ! En étranglant une créature diabolique de mes propres mains ! Oui, voilà comment je veux tirer ma révérence, en vrai soldat ! C'est cette occasion que je vous offre aujourd'hui. La chance de mourir au champ d'honneur, comme nous avons toujours vécu. La chance de périr en héros. Voilà la dernière image que le monde emportera de nous. Je veux que les téléspectateurs pensent : « Mince ! Ils n'étaient pas complètement finis ces vieux bonshommes ! »... Cela dit, si tu veux rester au coin du feu, à attendre la mort en faisant des mots croisés, ça te regarde.

Un murmure de gêne fit le tour de la table.

Un vieil homme en tenue de chauve-souris se redressa péniblement.

— D'accord, capitula-t-il, tu as raison. Nous marcherons avec toi au combat. J'en ai assez d'être la risée des gosses de mon quartier. Je préfère encore finir sous les crocs d'un monstre. Depuis quelque temps je n'arrivais plus à me regarder dans une glace. Il faut que nous tenions notre rang. Soyons fidèles à notre légende. Nous avons vécu en héros, mourons comme tels.

— Bien, approuva Diablox. Alors vous savez ce qu'il vous reste à faire. Dans 48 heures, le plafond du deuxième étage volera en éclats et les hordes monstrueuses déferleront sur l'école. D'ici là, il vous faudra former et équiper le plus d'apprentis possible. Les déguisements qu'ils ont rapportés de la jungle ne sont pas fameux, c'est vrai, mais juste avant que commence la dernière bataille, nous les équiperons avec les costumes du vestiaire de guerre.

— Quoi ? hoqueta Spirox. *Le vestiaire de guerre !* Mais c'est de la folie... Ces vêtements sont très dangereux. Jamais les gosses ne seront capables de les manœuvrer.

— Il le faudra bien, s'ils veulent survivre ! martela méchamment Diablox. Certains mourront, c'est sûr, tués par leur propre costume, mais ceux qui survivront auront l'occasion de devenir de vrais super-héros. La bataille sera leur sacre [1] ! On ne peut en rêver de plus beau !

Spirox se laissa retomber sur son siège, découragé.

— Je crois que tu es dingue, soupira-t-il. Nous allons tous y laisser notre peau, les jeunes comme les vieux. Ce sera un vrai massacre.

— Peut-être, haleta Diablox, mais au moins ce sera un sacré spectacle !

Devinant que les comploteurs allaient se séparer, Peggy Sue et le chien bleu s'éloignèrent de la porte.

— Je n'en reviens pas, haleta la jeune fille. Diablox a délibérément laissé les faux enfants saboter le deuxième étage, tout ça pour s'offrir le luxe d'une dernière bataille. Ça m'en coupe le souffle.

— Il faut prévenir Calamistos et Delfakan, décida le chien. On ne peut pas les laisser faire ça.

— Je vais essayer, mais je ne suis pas certaine qu'ils m'écoutent. La dernière fois, nous nous sommes séparés plutôt froidement.

---

1. Cérémonie au cours de laquelle un roi est couronné.

Les deux amis s'empressèrent de se glisser dans les jardins. Il était temps, car les vieux super-héros quittaient la salle de réunion pour regagner leurs chambres. Certains semblaient ragaillardis, d'autres accablés, mais une chose était certaine : aucun d'entre eux n'oserait désobéir à Diablox.

— Il les tient en son pouvoir, murmura Peggy. Avec lui, ils iront jusqu'au bout.

— Alors, ce sera la catastrophe, conclut le chien bleu, il devient de plus en plus urgent de libérer nos copains.

Peggy était bien de son avis, hélas, ils eurent beau explorer le jardin et les abords des anciens bâtiments, ils ne purent localiser la zone de quarantaine. Les messages télépathiques que le petit animal expédiait tous azimuts restèrent sans réponse. La prison était bien cachée.

*

Au fond d'elle-même, Peggy Sue trouvait la démarche de Diablox plutôt attendrissante. Elle comprenait fort bien que le vieil homme préférât mourir en guerrier plutôt que d'attendre la mort recroquevillé au coin de la cheminée, les pieds dans des pantoufles. Quand on avait été célébré comme le plus grand des héros, il devait être difficile de finir sa vie dans l'anonymat, empaqueté dans un déguisement troué aux coudes, au milieu de la moquerie générale. A cette seule pensée, elle avait envie de pleurer.

— Ne cède pas à l'attendrissement, lui conseilla le chien bleu, ce type est un fou dangereux. Ses manigances vont provoquer la destruction du collège et de tous ceux qui s'y trouvent. Nous, en particulier. Il faut l'empêcher de mettre ses idées en pratique.

— Je crois, hélas, qu'il est déjà trop tard, soupira la jeune fille. Le deuxième étage est très abîmé. Espérons que Calamistos et Delfakan ont prévu quelque chose pour enrayer la catastrophe.

Sans tarder, elle prit le chemin du bureau directorial afin de prévenir le nœud papillon et la virgule de ce qui se tramait au collège. La secrétaire l'introduisit avec réticence, et Peggy comprit qu'elle n'était plus en odeur de sainteté auprès de Kazor et Zooar. Dès qu'elle fut dans la pièce, elle rapporta dans le moindre détail la scène nocturne à laquelle elle avait assisté. Son récit ne produisit pas l'effet escompté.

— Allons ! Allons ! *Tu inventes*, lança la virgule depuis le livre où elle se cachait. Diablox est notre plus fidèle allié. Il a beaucoup fait pour cette école, sans lui nous n'aurions pas la réputation d'excellence qui est la nôtre !

— Je sais pourquoi tu mens, attaqua aussitôt le nœud papillon, tu en veux à Diablox d'avoir mis tes amis en quarantaine... Tu espères le discréditer à nos yeux avec cette histoire rocambolesque ! C'est très mal. Tu nous déçois terriblement. Une véritable héroïne doit se montrer loyale et bannir le mensonge de sa vie.

— Mais je dis la vérité ! s'emporta Peggy. Vous ne vous rendez compte de rien ! Diablox vous a roulés dans la farine. Il a sciemment facilité l'entreprise de sabotage de vos ennemis... Il savait qui, parmi les élèves, appartenait au clan des faux enfants, mais il les a laissés préparer l'écroulement du deuxième étage, tout ça pour s'offrir le luxe de mourir en héros.

— Ça suffit! tonna Calamistos en se levant. Nous n'écouterons pas ces divagations une seconde de plus. Sors de cette pièce si tu ne veux pas te retrouver, toi aussi, en quarantaine. Sache qu'à partir de cette minute tu as perdu toutes tes chances d'obtenir ton diplôme de super-héroïne. Tu es rayée de nos listes.

— Quel gâchis! se lamenta Delfakan, dire que nous fondions de grands espoirs sur toi! Quelle erreur! Tu n'es qu'une mythomane. Peut-être même n'as-tu jamais vécu les aventures qu'on t'attribue? Fiche le camp. Nous déciderons de ton sort après la remise des diplômes. J'ai grande envie de te faire emmurer dans les caves de ce bâtiment, avec ceux qui auront échoué.

Peggy battit en retraite. « Inutile d'insister, pensa-t-elle, ils sont bornés. Je risquerais de me mettre dans le pétrin. »

Elle quitta le bureau sans attendre. La réaction des deux directeurs ne l'avait pas réellement surprise.

— Pourvu que ces deux crétins n'aient pas l'idée de rapporter tes accusations à Diablox, marmonna le chien bleu. Cela pourrait rendre notre situation encore plus précaire. Que faisons-nous?

— Il faut trouver le moyen de ficher le camp d'ici, décida Peggy. Si les murs du zoo s'écroulent, les monstres s'abattront sur l'école, massacrant tous ceux qui se dresseront sur leur passage. Je crois qu'il devient urgent de découvrir comment on sort d'ici.

— J'ai toujours eu la conviction que nous nous trouvions dans un abri géant enterré à des dizaines de mètres sous la surface, énonça le chien. Le décor naturel qui nous entoure est faux. La brume qui flotte en permanence sur les champs est là pour nous empêcher de distinguer les murailles qui nous emprisonnent. Même chose en ce qui concerne le « ciel », ce n'est qu'un plafond de béton peint masqué par des nuages artificiels. La nuit et le jour sont provoqués par des lampes qu'on allume et qu'on éteint tour à tour.

— Tu as raison, approuva l'adolescente. Nous ne sommes pas à la campagne mais bel et bien prisonniers d'un bunker souterrain. Tout est faux, même le chant des oiseaux. Cependant, il a bien fallu nous amener ici... Ça signifie qu'il y a forcément, quelque part, un ascenseur caché qui permet de rejoindre la surface. Il nous faut le dénicher au plus vite.

— Le mieux est d'explorer la campagne, proposa le petit animal. Remontons la route par laquelle nous sommes arrivés ici, elle nous mènera bien quelque part.

— Exact, fit Peggy. Je crois qu'il est temps de partir en pique-nique.

Pique-nique mortel

Profitant de ce que personne ne faisait attention à eux, Peggy et le chien bleu s'éloignèrent du collège. La jeune fille voulait refaire en sens inverse le chemin qu'elle avait emprunté avec Naxos lorsqu'elle s'était réveillée dans l'Abribus après avoir été droguée.

— Je n'ai jamais vu le moindre autobus circuler sur ces routes, expliqua-t-elle. Les seules voitures garées sur le parking de l'école sont celles des super-héros, et aucunes d'elle n'a bougé depuis notre arrivée.

— Elles ont sûrement été amenées ici en pièces détachées, supposa le chien, comme tout le reste. On les a reconstruites sur place.

Au fur et à mesure qu'ils s'enfonçaient dans la campagne, les semelles de Peggy Sue éveillaient des échos de plus en plus sonores sous la voûte de béton. L'adolescente s'immobilisa au carrefour de deux routes pour scruter le paysage.

— Je suis certaine que ce petit village qu'on aperçoit là-bas est factice, décréta-t-elle. Si l'on s'en approchait on verrait qu'il s'agit d'une maquette.

— En continuant tout droit nous devrions fatalement nous heurter à un mur, réfléchit le chien bleu. Cet abri a forcément quatre côtés.

Ils se remirent en marche. La brume artificielle qui flottait sur la prairie faussait les distances.

— C'est bien imaginé, remarqua l'adolescente, l'écran fumigène empêche le regard de courir jusqu'à la ligne d'horizon, de cette façon on ne peut pas se rendre compte qu'on est enfermé dans une boîte.

Si, aux alentours du collège, l'herbe, les broussailles et les arbres étaient réels, il n'en allait plus de même dès qu'on évoluait au beau milieu de la « campagne ». Là, tout était truqué. Le gazon, les arbustes sortaient d'un magasin d'accessoires cinématographiques. Leur texture évoquait celle du caoutchouc ou du plastique. Ils se trouvaient seulement là pour faire illusion. « Un décor, songea Peggy, un décor superbement bien imité. C'est vrai que, de loin, la supercherie est indécelable. »

Au bout d'une vingtaine de minutes, la route sur laquelle les deux amis se déplaçaient amorça un virage pour repartir en direction du collège. La jeune fille tira ses jumelles de son sac et fit un tour d'horizon à 360°.

— C'est bien ce que je pensais, murmura-t-elle, tous les chemins reviennent vers l'école, aucun ne se dirige vers « l'extérieur ».

— Pour la bonne raison qu'il n'y a pas d'extérieur, marmonna le chien.

Peggy hocha la tête. Les routes encerclaient les bâtiments scolaires, telles les allées tortueuses d'un labyrinthe. Au-delà de cet embrouillamini, s'étendait la « campagne » verte et noyée de brume artificielle.

— Il va falloir sortir du parcours balisé, décida la jeune fille. J'espère que nous n'aurons pas de mauvaise surprise.

Quittant le sentier recouvert de jolis gravillons, elle posa le pied sur l'herbe de la prairie. Rien ne se passa. Rassurée, elle s'engagea franchement sur la plaine, le chien sur ses talons. Le brouillard devint plus dense, installant une atmosphère inquiétante.

— A mon avis, suggéra l'animal, si la fumée se fait plus épaisse, c'est que nous approchons du mur d'enceinte et qu'on veut nous en dissimuler les contours.

Peggy plissa les paupières, elle avait peur de s'égarer et de tourner en rond au milieu de la brume. Quand elle regarda par-dessus son épaule, elle vit qu'on ne distinguait plus les bâtiments scolaires.

Soudain, quelque chose se hérissa sous ses pieds. Baissant les yeux, elle constata que l'herbe, jusqu'alors molle, s'était durcie, chaque brin prenant l'aspect d'une petite lame de couteau dressée à la verticale.

— Hé ! cria le chien bleu. La pelouse fait comme les hérissons, *elle dresse ses piquants !*

— C'est pour nous empêcher d'avancer, lança Peggy Sue. Nous venons de pénétrer dans la zone interdite ! La sortie est donc toute proche... il faut continuer, nous sommes sur la bonne route.

Hélas, les brins d'herbe, inflexibles, étaient également tranchants. Leur pointe effilée transperçait la semelle quand on marchait dessus.

— Stop ! gémit le chien bleu. Je ne peux pas continuer. Je vais me cisailler les pattes !

Peggy dut admettre qu'il avait raison. La pelouse se hérissait de toutes parts, repoussant les intrus.

— Je vais déplier le tapis volant, décida l'adolescente, c'est le seul moyen d'aller de l'avant. De cette façon, nous survolerons la prairie sans la toucher.

En un tournemain elle se défit de son manteau de soie et lui redonna son aspect originel. Quand la carpette se fut stabilisée en vol stationnaire à 50 centimètres du sol, elle y déposa le chien et embarqua à sa suite. Il était temps, ses semelles étaient complètement cisaillées et elle commençait à saigner de la plante des pieds.

— Vole doucement ! ordonna-t-elle au tapis. Ne fais pas d'acrobaties, nous devons explorer les environs.

Pendant dix minutes tout alla pour le mieux, puis le chien bleu poussa un nouveau cri d'alarme.

— Hé ! hoqueta-t-il, regarde un peu ça ! L'herbe continue de pousser ! Ses brins sortent de terre pour nous atteindre. A présent, ils sont aussi grands que des épées !

Peggy se pencha pour jeter un coup d'œil sous la carpette magique. Elle frissonna. La pelouse dardait vers eux des langues vertes acérées qu'on aurait dites taillées dans l'acier. Ces lames dangereusement aiguisées ne cessaient de s'allonger. Bientôt elles seraient grandes comme des piques, des hallebardes, des lances de tournois !

— Grimpe ! ordonna-t-elle au tapis, grimpe ou nous allons nous faire empaler !

Le rectangle de soie fit un bond dans les airs, échappant de peu aux pointes d'acier qui, déjà, le frôlaient par en dessous.

— C'est un sacré barrage, murmura Peggy Sue. Sans le tapis, il nous aurait été impossible de le franchir. La direction du collège fait bien les choses.

— J'espère que ces lances ne vont pas se changer en flèches, souffla le chien, inquiet. Si elles se mettent à siffler dans les airs, nous sommes fichus.

Peggy ne dit rien. Penchée au bord du tapis, elle regardait la prairie. Elle avait l'illusion de contempler une armée en marche. Une armée de guerriers marchant au coude à coude et portant, sur l'épaule, d'immenses lances à la pointe aiguisée.

Pendant dix minutes elle se sentit très vulnérable, puis la prairie céda la place à une étendue pierreuse, désertique. De grands arbres morts y dressaient, çà et là, leurs troncs desséchés.

— Pose-toi ! commanda-t-elle au tapis volant. Je crois que nous sommes arrivés au terme du voyage. Le mur d'enceinte est là, derrière ces cailloux.

Dès qu'ils eurent mis pied à terre, ils virent que, en effet, ils avaient atteint les limites de l'abri souterrain. Rochers, cailloux et graviers s'entassaient

en vrac à la lisière d'une muraille grise courant à
perte de vue. C'était un mur désespérant, sans inscription ni ouverture d'aucune sorte. Pour s'en
assurer, Peggy se hissa sur un bloc de pierre et
l'examina à la jumelle, sur toute sa longueur.

— Je n'y comprends rien, gémit-elle, il n'y a pas
de porte. Normalement l'ascenseur devrait se
trouver ici.

— A mon avis, grogna le chien bleu, s'il existe
une ouverture sur l'extérieur, elle est dissimulée.

— Tu veux dire qu'il s'agirait d'un passage
secret?

— Ouais... L'un de ces rochers doit pivoter sur
lui-même, ou un truc du même genre. Faudrait les
ausculter.

— Allons-y, soupira Peggy. Puisque nous
sommes là, autant faire les choses dans les règles.

Aidée du petit animal, elle entreprit d'examiner
la caillasse environnante. Hélas, rien ne daigna
bouger, pivoter, s'ouvrir, coulisser, s'entrebâiller
ou tournicoter pour démasquer un quelconque
passage secret. Les rochers n'étaient que des
rochers, ils ne cachaient rien.

— Il y a forcément un truc! s'entêta le chien
bleu.

Alors qu'il levait la patte pour faire pipi sur l'un
des arbres morts, il eut une illumination.

— Nom d'une saucisse atomique! glapit-il, nous
aurions dû y penser plus tôt! Les arbres! Les
arbres, bien sûr! ils sont faux... *Ils sont creux!*

Peggy se précipita pour palper le tronc desséché
qui jaillissait de la caillasse tel un poteau frontière.

Elle ne fut pas longue à repérer une fine entaille sur l'écorce. Une entaille qui dessinait le contour d'une porte. Un nœud du bois semblait tenir lieu de bouton d'appel ou d'interrupteur. Elle l'enfonça. Un déclic se produisit aussitôt *et l'arbre s'ouvrit...* dévoilant une cabine métallique semblable à celle de n'importe quel ascenseur.

— Ça y est! triompha-t-elle. Nous avons trouvé! Et du premier coup... C'est génial!

— Trop génial, peut-être, grommela son compagnon.

— Que veux-tu dire?

— Je veux dire que comme ça, du premier coup, ça me semble trop facile... méfions-nous, il pourrait s'agir d'un piège. N'entre pas dans ce truc. Je te propose d'examiner les autres arbres.

Peggy serra les dents, elle espérait de tout son cœur que le chien se trompait. Elle avait tellement hâte de s'enfuir du collège qu'elle était prête à commettre une imprudence.

Comme le soupçonnait le petit animal, les autres arbres dissimulaient eux aussi une cabine d'ascenseur. Cette cabine semblait destinée à s'enfoncer dans le sol, comme si la sortie se trouvait sous leurs pieds et non au-dessus de leur tête.

« Nous sommes peut-être à l'intérieur d'une montagne? se dit l'adolescente. Pour filer d'ici, il faut donc descendre vers la plaine et non grimper vers le sommet. Ça expliquerait pourquoi les cabines sont toutes conçues pour descendre... »

— A mon avis elles ne vont nulle part, fit le chien d'un ton lugubre. Si tu commets l'erreur d'y entrer, la porte se referme sur toi et tu y restes enfermé jusqu'à ce que mort s'ensuive. Ce sont des souricières. On les a plantées là pour piéger ceux qui tenteraient de s'évader.

Peggy était affreusement déçue, si déçue qu'elle sentait le désespoir l'envahir. L'espace d'une seconde, elle fut sur le point d'oublier toute prudence et de bondir dans la cabine. Un grognement du chien bleu l'en dissuada.

— Ne fais pas l'idiote, martela-t-il. Il y a encore trois autres arbres à examiner.

Quand elle ouvrit la porte du dernier d'entre eux, Peggy poussa un cri d'horreur. Un squelette se tenait recroquevillé sur le plancher de la cabine. A côté de lui gisaient un sac à dos, ainsi que la baudruche flasque du petit ballon dirigeable qui lui avait servi à franchir le barrage des herbes-couteaux.

— C'est bien ce que je disais, souffla le chien. Une fois qu'on est dans la nasse[1], on ne peut plus ouvrir la porte. On est condamné à mourir asphyxié. C'est ce qui nous attend si nous tentons de filer par là.

Peggy s'agenouilla.

— Et si c'était un faux squelette? suggéra-t-elle. Une astuce pour nous effrayer... Il s'agit peut-être d'une mise en scène?

---

1. Piège destiné à capturer les poissons.

— Tu veux vraiment te suicider ? grogna l'animal. Il y a six arbres morts, donc six cabines. Il est possible que l'une d'elles fonctionne réellement, *mais laquelle* ? Hein ? Comment déterminer laquelle est la bonne ? On ne peut pas s'en remettre au hasard. Le plus sage est de retourner au collège et de perquisitionner dans le bureau de Calamistos. Avec un peu de chance, on dénichera les plans de l'abri.

— Nous aurions dû commencer par là, admit Peggy Sue. Le problème, c'est que la virgule s'y trouve en permanence. Si elle ne dort jamais, elle risque de donner l'alarme.

— On trouvera bien le moyen de l'endormir ! A présent, rentrons à l'école avant que Diablox s'avise de notre escapade.

Grâce au tapis magique, les deux amis survolèrent sans dommage la pelouse hérissée. Une fois de l'autre côté, ils regagnèrent le collège en empruntant les petites routes habituelles.

Dans le grand tumulte des séances de domptage, personne ne s'était rendu compte de leur absence.

Quand l'enfer s'entrebâille

On n'eut pas à attendre longtemps. Les premiers signes de la fin du monde se manifestèrent à l'heure du petit déjeuner, quand les élèves se rassemblèrent au réfectoire. D'abord, ce furent des craquements sourds, des soubresauts de la maçonnerie, comme si le collège tout entier s'ébrouait à la façon d'une bête qui émerge du sommeil. La terre trembla, et avec elle le lait dans les verres, et les tasses, et les assiettes, et tout ce qui recouvrait les tables de la cantine.

— Ça commence, chuchota Peggy. Ce sont les murs du deuxième étage qui se fendent.

Le calme revint et, pendant deux heures, on put croire qu'il ne se passerait plus rien, mais d'étranges odeurs flottèrent bientôt sur les jardins. Des odeurs de jungle, de vase, de pourriture végétale.

— La puanteur de la forêt martienne, souffla le chien bleu, elle filtre par les fissures de la maçonnerie.

Après les senteurs vinrent les cris des animaux, assourdis, lointains, néanmoins terrifiants. Tous ceux qui avaient fait un séjour au deuxième étage ne pouvaient les entendre sans frissonner. Il fallait désormais se rendre à l'évidence, *l'enfer était en train de s'entrebâiller.*

— A présent, ça va aller très vite, prophétisa le chien bleu. Les baobabs ne mettront plus longtemps à disloquer le toit.

Un vent d'affolement souffla sur le collège. Calamistos et Delfakan piétinaient dans la cour. Le personnel de l'école les suivait tel un groupe de canetons ébouriffés et éperdus. Il était visible qu'ils n'avaient aucune idée de ce qu'il convenait de faire.

On évacua les bâtiments. Des tentes furent dressées dans les jardins. Ç'aurait pu être amusant mais personne n'avait plus le cœur à rire. On voyait bien qu'on était au bord d'une terrible catastrophe.

Diablox rassembla les élèves.

— Mes jeunes amis, lança-t-il sur le ton d'un général romain s'adressant à ses légions, l'heure de vérité approche à grands pas, vous en avez conscience. D'ici quelques heures, dans un jour tout au plus, débutera la bataille ultime. Les forces ennemies vont déferler sur le collège pour nous massacrer. Vous constituerez la première ligne de défense qui s'opposera à cette invasion. Vous avez tous visité le deuxième étage, vous savez donc à quoi vous attendre. La faune et la flore martiennes se ligueront pour nous exterminer. Il y a trop longtemps que nous les tenons emprisonnées là-haut, leur férocité sera à la mesure de leur ressentiment. (Il fit une pause, marcha de long en large, avant de reprendre :) Je sais ce que pensent certains d'entre vous. Ils se disent qu'ils ne sont pas prêts, qu'ils maîtrisent mal leur costume de combat, qu'il leur aurait fallu plus de temps... Mais il en va toujours ainsi à la veille d'une bataille : on n'est jamais assez prêt, pourtant c'est de cette manière que se gagnent les guerres. Jadis, de très grandes batailles ont été gagnées par des jeunes gens inexpérimentés qui ont su faire preuve d'un courage démesuré. C'est ce que j'attends de vous. Certains mourront, ceux qui survivront deviendront de formidables super-héros. C'est une grande chance qui vous est offerte, celle de débuter dans la carrière par un coup d'éclat. Un coup d'éclat qui, du jour au lendemain, vous propulsera sur le devant de la scène. Aujourd'hui vous n'êtes rien, que de minables apprentis engoncés dans des déguisements mal fichus trop larges ou trop petits, demain, plus personne ne songera à se moquer de vous. Soit vous serez morts, soit vous serez des dieux. Et dans tous les cas, vous serez devenus des héros.

Une ovation salua cette tirade ; tout le monde avait la gorge nouée.

— Ouais, grogna le chien bleu, ce serait magnifique si Diablox n'était pas, en vérité, à l'origine de la catastrophe qui s'annonce ! C'est tout de même lui qui a laissé les saboteurs s'introduire au deuxième étage !

Les premiers envahisseurs pointèrent leur nez deux heures plus tard. Il s'agissait de minuscules singes rouges qui s'abattirent par dizaines sur la cantine pour voler de la nourriture. A peine plus grands qu'une bouteille de soda, ils ne semblaient pas représenter un réel danger, aussi les laissa-t-on faire. Diablox était fort occupé à expliquer à ses troupes la stratégie qu'il conviendrait d'adopter.

— Le problème, grogna le chien bleu, c'est qu'on ignore de quoi sera composée la première vague d'assaut. Si ce sont les éléphants éternueurs, ils risquent de faire un carnage.

— Que veux-tu? soupira Peggy. Diablox est à son affaire, c'est son heure de gloire. Il joue au général. Ses copains, les autres super-héros, n'ont pas l'air trop réjouis, eux. Je suppose qu'ils se rendent compte que nous avons bien peu de chances de repousser l'ennemi. J'ai bien peur que la fameuse « grande bataille » ne tourne au suicide collectif.

Après les singes rouges vinrent de petits oiseaux écailleux aux cris désagréables.

— Les fissures ne sont pas encore assez larges pour autoriser le passage des grosses bêtes, supposa Peggy Sue, mais ça ne saurait tarder.

Au début de l'après-midi, Diablox fit un nouveau discours.

— Le moment approche, déclara-t-il. Quand le bâtiment s'écroulera, conservez votre calme. Gardez à l'esprit que nous conservons une arme secrète : *les costumes magiques du vestiaire de guerre.* Si les choses tournent à notre désavantage, je vous ordonnerai de les revêtir. Leur puissance est terrible mais ils consomment énormément d'énergie vitale, aussi ceux qui s'en habilleront vieilliront-ils en accéléré. Qu'ils ne s'étonnent pas, à la fin de la bataille, de se retrouver âgés de 40 ans. C'est le prix à payer, mais je suis certain que cela ne vous effrayera pas outre mesure.

Peggy Sue, qui assise à l'écart écoutait cette harangue, fronça les sourcils.

— Quel fou ! siffla-t-elle. Les costumes de guerre sont trop puissants pour nous, ils vont nous dévorer aussi sûrement que les fauves martiens.

Hélas, Diablox parlait bien, et les adolescents saluaient chacune de ses tirades par un concert de « hourras » !

Des craquements sourds en provenance du toit mirent fin à ces explosions d'enthousiasme. Médecins et infirmières procédèrent à une distribution de vitamines. Il était en effet capital que les élèves se constituent des réserves d'énergie pour faire face à la gourmandise des déguisements. Dès lors, l'atmosphère devint électrique.

Tout à coup, on vit un groupe d'inconnus sortir du bâtiment évacué. Ils portaient des uniformes de super-héros, et certains d'entre eux n'étaient plus des adolescents, tant s'en faut, puisqu'ils avaient les cheveux gris ! Peggy Sue reconnut la jeune fille qui marchait à leur tête, *il s'agissait de Loba !* Elle se précipita à sa rencontre.

— Tu es venue ! s'exclama-t-elle. Ainsi tu as enfin trouvé le courage de dompter ton costume...

— Oui, fit la jeune guerrière. Je n'avais plus le choix, tous les animaux, toutes les plantes du deuxième étage vont entrer en guerre contre vous. C'est imminent, les vagues d'assaut sont d'ores et déjà constituées, elles n'attendent plus que l'écroulement des murailles pour déferler sur le collège. Nous sommes passés par les fissures de la maçonnerie, en rampant. J'ai amené avec moi les naufragés qui se terraient dans la jungle. Nous ne pouvions plus rester à l'écart, tu comprends...

Peggy la serra dans ses bras, la gorge nouée.

— Mais où sont Naxos et Zeb ? s'enquit Loba.

Peggy Sue lui expliqua que Diablox les avait fait emprisonner.

— Quel imbécile ! siffla Loba. Je vois qu'ici rien ne s'est amélioré pendant mon absence. Pourquoi s'en étonner ? Cette école a toujours été dirigée par de prétentieux crétins.

Diablox, en tant que général autoproclamé [1], s'approcha des nouveaux arrivants, mais Loba lui tourna ostensiblement le dos.

— Ne te fais aucune illusion, Diablox, cracha-t-elle, l'armée martienne va nous submerger. Il faudrait un miracle pour la repousser. J'ai dénombré une centaine d'éléphants éternueurs, 500 lions à crinières de serpents, 50 araignées géantes... Sans compter les légumes explosifs qui nous cribleront d'une mitraille de pépins de fer. Les oiseaux, eux, nous survoleront pour bombarder le collège à l'aide de noix de coco emplies de liquide inflammable. En dix minutes, ce sera l'enfer.

— L'important n'est pas de gagner, rétorqua sèchement Diablox, mais de mourir honorablement.

---

1. Qui s'est décerné lui-même son titre !

— Pour toi, peut-être, répliqua Loba, pas pour moi. Je ne suis pas une fanatique.

— Tu devras m'obéir, contre-attaqua le vieux héros. J'ai établi une stratégie très précise.

— Pas question, trancha la jeune guerrière en s'éloignant. Mes amis et moi sommes des francs-tireurs, nous ne reconnaissons pas l'autorité du collège. En fait, je te tiens pour un parfait abruti.

Diablox se raidit sous l'injure.

— Nous réglerons cela plus tard, hoqueta-t-il. Je te ferai passer en cour martiale, petite insolente!

— Je croyais que tu voulais mourir en héros? ricana Loba. Si tu survis, on insinuera que tu t'es montré trop prudent... pour ne pas dire couard!

Suivie de ses troupes, elle gagna une autre partie des jardins. Posant la main sur l'épaule de Peggy, elle lui chuchota :

— Débrouille-toi pour faire libérer tes amis. Naxos et Zeb pourraient nous être fort utiles dans la bataille qui s'annonce, surtout Zeb, dont les pouvoirs m'ont l'air étonnants. Va trouver Calamistos, exige leur libération.

— Je vais essayer, fit Peggy.

*

Alors, une interminable attente commença. Le bâtiment craquait. De nouvelles lézardes dessinaient leurs zigzags sur la façade toutes les trois minutes. L'apparition de ces crevasses s'accompagnait de grondements impressionnants.

— C'est la fin, dit le chien bleu. Ça va péter d'une minute à l'autre. Est-ce qu'on pourra prendre part à la bataille ? Tu n'as pas de costume, juste un tapis volant, je ne sais pas si ça peut faire l'affaire.

— Moi non plus, avoua Peggy. Et puis je n'aime pas trop l'idée de tuer ces animaux, après tout, on les a retenus prisonniers des années durant, je me dis qu'ils n'ont pas tout à fait tort d'être en colère.

Les deux amis se faufilèrent dans le collège pour aller frapper à la porte du directeur. Calamistos et Delfakan l'accueillirent avec la plus grande froideur.

— Que veux-tu encore ? fit la virgule du fond du livre ouvert sur la table. Nous avons autre chose à faire que d'écouter tes jérémiades.

— Vous devez libérer mes amis, lança Peggy Sue. Naxos et Zeb seront d'une grande utilité dans la bataille qui s'annonce.

— Pas question ! riposta le nœud papillon. C'est Diablox qui a décidé de leur incarcération. C'est notre général, les sanctions disciplinaires sont de son ressort.

— Diablox est fou ! explosa la jeune fille. Il a orchestré toute cette catastrophe pour avoir l'occasion de jouer les héros, une dernière fois, mais nous ne sommes pas de taille à repousser l'invasion. Les hordes martiennes vont nous balayer. Elles n'apprécient pas ce que vous leur avez fait subir, elles réclament vengeance.

— Tais-toi, petite sotte ! éructa la virgule. Tu ne sais pas ce que tu dis. Les Martiens ne peuvent pas vaincre. Sache que nous disposons d'une arme secrète pour les réduire à néant.

— J'espère que vous ne mentez pas, haleta Peggy hors d'elle. Pensez à ce qui se passera si les animaux réussissent à sortir de l'école et à envahir le monde !

— Je te répète que tout a été prévu, riposta le nœud papillon. Nous ne sommes pas tombés de la dernière pluie. A présent, fiche le camp, va donc rejoindre les troupes et essaye de te montrer à la hauteur.

La jeune fille quitta la pièce en claquant la porte.

Dix minutes plus tard, le toit du deuxième étage s'effondrait.

*

Les premiers à surgir des décombres furent les lions à crinière de serpents qui étaient assez petits pour se glisser au travers des fissures de moyenne importance. Les reptiles en fureur leur faisaient une couronne grouillante autour de la gueule, et ce spectacle accompagné des rugissements de rigueur n'avait rien de rassurant. A cette vue, les apprentis super-héros reculèrent d'un pas. Bientôt ce furent vingt, trente, quarante lions qui bondirent hors des éboulements. Leurs cris formaient un vacarme épouvantable, une clameur de carnage qui donnait le frisson.

— Ils sont pour nous, annonça Loba, nous avons eu le temps de les étudier, nous connaissons leurs points faibles.

Suivie des anciens naufragés de la savane, elle s'élança, devançant Diablox et ses troupes qui demeuraient indécis.

Alors commença un combat digne des arènes de Rome, quand les gladiateurs affrontaient les fauves à mains nues. Sans les costumes magiques, Loba et ses amis auraient été mis en pièces en deux minutes. Heureusement, les déguisements dont ils étaient affublés les protégeaient des coups de griffes et des morsures de serpent. La jeune guerrière rendait coup pour coup. Comme cela se produit toujours dans les affrontements de grande ampleur, le combat tourna à la confusion et il devint bientôt impossible de savoir qui détenait l'avantage. Diablox et son escouade s'étant décidés à entrer en lice, le chaos devint total.

— Il n'y a qu'au cinéma que les batailles sont belles, soupira le chien bleu. Dans la réalité c'est l'une des plus épouvantables choses qu'il soit donné de contempler.

Le fracas atteignait aux limites du supportable. Le chaos devint extrême. Les apprentis super-héros s'appliquaient à utiliser toutes les ressources de leurs costumes, hélas, ils les maîtrisaient mal et, parfois, se blessaient les uns les autres. L'un d'eux, voulant bombarder les lions au moyen de boules de feu, s'enflamma lui-même. Il brûla comme une torche avant qu'on ait pu lui porter secours.

Mais le plus grave c'était que les déguisements magiques consommaient énormément d'énergie vitale, épuisant les adolescents qu'ils utilisaient à la manière d'une pile électrique.

Peggy Sue, qui ne voyait pas encore comment intervenir efficacement dans la bataille avec son seul tapis volant, se cantonnait à l'arrière, jouant le rôle d'infirmière.

Donny, un garçon affublé d'un costume en peau de serpent, s'abattit à ses pieds. Croyant qu'il était blessé, Peggy se pencha sur lui. Elle poussa un cri de douleur, la surface du déguisement était brûlante ! Lorsqu'elle releva la visière du casque elle eut l'horrible surprise de découvrir un visage de vieillard, ratatiné. Le Donny de 13 ans qu'elle connaissait s'était changé en une momie de cuir desséchée. Le costume avait dévoré toute son énergie, toute sa jeunesse...

Lorsqu'elle essaya de lui donner à boire, il ouvrit la bouche, elle put alors constater qu'il avait également perdu toutes ses dents.

— Il est fichu, diagnostiqua le chien bleu. C'est ce qui va leur arriver à tous... Les vêtements magiques consomment beaucoup d'énergie. Ils sont encore trop jeunes pour les maîtriser.

Peggy n'eut pas le temps de lui répondre car des ptérodactyles rouges s'échappèrent du toit défoncé de l'école. Leurs ailes de cuir brassaient l'air avec de grands claquements. Telles une escadrille de chasseurs en piqué, ils tombaient du haut du ciel sur les jeunes gens et les transperçaient de leur bec effilé.

— C'est un vrai carnage, haleta Peggy Sue. Il faut battre en retraite, se mettre à l'abri. C'est stupide de s'exposer ainsi, nous ne sommes pas de taille à affronter ces monstres.

Diablox et ses amis, les vieux super-héros de jadis, s'étaient à leur tour jetés dans la bataille. Certes, ils essayaient de faire de leur mieux et de rééditer les prouesses de leur jeunesse, malheureusement leurs capacités avaient beaucoup diminué avec les années et ils n'infligeaient aux assaillants aucun coup décisif.

L'un d'eux, Spirox, le Maître du souffle, qui pouvait jadis faire naître des tourbillons à sa guise, s'effondra près de Peggy à bout de forces. La jeune fille se précipita pour lui donner à boire.

— Fiche le camp, petite, balbutia le vieil homme en arrachant son masque, tout est perdu... Diablox est fou... Jamais il n'aurait dû provoquer un tel conflit. Nous ne sommes plus de taille... Nous sommes trop vieux... Va-t'en... Fuis pendant qu'il est encore temps et emmène le plus de gens possible avec toi.

Ses yeux se fermèrent, il était mort. Il ne portait aucune blessure, mais l'âge et la gourmandise de son costume l'avaient tué aussi sûrement que les griffes d'un lion.

— Le pire est encore à venir, prophétisa le chien bleu. Nous n'avons encore vu ni les éléphants éternueurs ni les araignées géantes.

Peggy Sue courait de l'un à l'autre, distribuant de l'eau et des comprimés vitaminés. Les médecins ne savaient où donner de la tête, d'ailleurs la plupart d'entre eux avaient été embrochés par les ptérodactyles. Lentement mais sûrement, la ligne de front se défaisait, les élèves reculaient, abandon-

nant le terrain aux lions dont les crinières repti-
liennes faisaient des ravages.

Au terme d'un bond prodigieux, Loba se posa à
son tour près de Peggy Sue. Elle s'effondra sur les
genoux, haletante. Son costume fumait. Lorsqu'elle
ôta son casque, Peggy ne la reconnut pas. La jeune
fille de 16 ans était devenue une femme de 30 ans...
Loba lut la stupeur dans les yeux de Peggy et
comprit.

— J'ai changé, hein, c'est ça? balbutia-t-elle.
C'est mon déguisement, il me bouffe littéralement...
J'ai dû maigrir de 10 kilos en 30 minutes de
combat. C'est fichu... Nous ne tiendrons pas. Il
faut s'enfuir. Va trouver Calamistos, dis-lui qu'il
faut évacuer le navire. Tu entends? Qu'il déclenche
la procédure d'évacuation immédiate. Pour le
moment nous parvenons encore à faire illusion
mais les éléphants ne vont plus tarder à charger. En
l'espace de deux minutes, ils rendront tout le
monde amnésique, alors nous oublierons même de
nous battre, et les lions auront beau jeu de nous
dévorer.

Comme Peggy hésitait à la laisser seule, Loba la
repoussa.

— Va! ordonna-t-elle, cette bataille est stupide,
tu es notre dernier espoir.

Après l'écroulement du bâtiment, Calamistos et
Delfakan avaient trouvé refuge sous la tente que
Diablox baptisait pompeusement « Quartier général ». Peggy se glissa dans l'abri de toile. Les deux
robots se tenaient là, assis de part et d'autre d'une

table sur laquelle s'étalait le plan du collège. Delfa-kan triturait nerveusement son nœud papillon, quant à Calamistos, il avait ouvert sur ses cuisses le gros livre contenant la virgule vivante.

— Vous êtes contents? attaqua la jeune fille. Avez-vous enfin compris qu'il était inutile d'affron-ter les créatures de Mars? Je viens vous demander de déclencher la procédure d'évacuation. Il faut que nous filions d'ici avant que les monstres nous massacrent jusqu'au dernier. Est-il possible de faire sortir les élèves sans que les lions ne s'engouffrent eux aussi dans le passage? Il ne faudrait pas qu'ils s'échappent de l'abri et se répandent dans tout le pays.

— Ça ne risque pas, riposta la virgule. Tout a été prévu pour empêcher cette éventualité.

— Vous paraissez bien sûrs de vous, fit Peggy. Tout à l'heure, vous pensiez également que nous allions gagner la guerre! On voit le résultat!

— Ce n'est pas pareil, grinça son interlocuteur, vexé. Tu sembles ignorer un point capital. Nous ne sommes pas réellement au milieu d'une campagne verdoyante...

— Je le sais, ricana l'adolescente. L'école a été installée à l'intérieur d'un gigantesque abri anti-atomique. Ce que je veux, c'est savoir comment on sort d'ici. Je suppose que nous nous trouvons enterrés à l'intérieur d'une montagne. Il y a donc forcément un tunnel qui débouche au niveau de la plaine... ou quelque chose d'approchant.

— Tu n'y es pas du tout! siffla le nœud papillon. Tu te crois très maligne mais tu ignores le principal. Le collège n'a pas été *enterré*, comme tu l'imagines.

Il ne s'agit pas d'un abri antiatomique... En fait, *le collège est un vaisseau spatial.* Nous nous trouvons à l'intérieur d'une station orbitale qui tourne autour de la Lune. Nous n'aurions jamais pris le risque d'apporter tous ces monstres sur la Terre. Nous ne sommes pas fous.

Peggy Sue et le chien bleu demeurèrent bouche bée, foudroyés par la stupeur.

— Une navette spatiale vous a amenés ici, poursuivit Delfakan. Voilà pourquoi vous avez tous été drogués. Personne ne devait savoir que le fameux collège des super-héros se cachait à l'intérieur d'une vieille station météo tournant inlassablement autour de la Lune. Il en allait de notre sécurité à tous.

— Il n'y a qu'un moyen pour regagner la Terre, reprit la virgule, emprunter la navette amarrée dans le sas d'envol. Elle est automatique. Il suffit d'appuyer sur le bouton « retour » pour qu'elle te ramène chez toi.

— Très bien, fit Peggy. Comment accède-t-on au sas de départ ? Quel ascenseur faut-il emprunter ?

— Les ascenseurs sont piégés, répondit Delfakan. Il ne faut surtout pas les utiliser.

— Je sais, mais alors, par où doit-on passer ? Il faut que je le sache pour organiser l'évacuation de mes camarades. Dépêchez-vous, à chaque minute qui passe, l'un d'eux meurt, tué par une créature martienne ou par son propre déguisement de super-héros !

Delfakan fit un geste évasif.

— La sortie se trouve sous la fontaine, soupira-t-il. Pour la démasquer, il faut tourner trois fois la tête de la statue dans le sens contraire des aiguilles d'une montre... mais ce n'est pas tout. Il y a autre chose. Quelque chose que tu dois savoir.

— Quoi?

— On nous a permis d'installer cette école à condition de l'équiper d'un système de sécurité particulier et... très efficace. Ce système devait à tout prix empêcher les monstres de Mars de s'échapper et d'envahir la Terre.

Peggy serra les poings. Elle pressentait une nouvelle catastrophe.

— De quoi s'agit-il? interrogea-t-elle. D'un gaz empoisonné?

— Non, nous ne voulions pas courir le risque de tuer accidentellement l'un de nos élèves. Il s'agit d'un processus de miniaturisation.

— *Quoi?*

— C'est simple, quand on l'enclenche, la station orbitale et tout ce qu'elle contient commencent à rétrécir. Le vaisseau, mais aussi l'école, et les élèves... et les monstres... *A la fin du processus, le collège et ses occupants tiennent dans une boîte d'allumettes.* Tu saisis l'astuce? De cette manière, si les créatures martiennes parvenaient tout de même à s'échapper, elles ne représenteraient aucun danger pour la population de la Terre, car elles auraient la taille d'une tête d'épingle! Un lion à crinière de serpents, ou un éléphant éternueur *aussi petits* ne peuvent faire de mal à personne...

— Nous n'y pouvons rien, intervint la virgule, on nous a imposé cette mesure de sécurité. Nous ne pensions pas qu'elle servirait un jour.

— Attendez! hoqueta Peggy. Vous ne voulez pas dire que... que vous l'avez *déjà* déclenchée?

— Si, confirma Delfakan, juste avant que tu entres dans cette tente.

Pour souligner ses propos, il sortit de sa poche un boîtier de télécommande muni d'un seul bouton.

— Arrêtez tout! cria Peggy, c'est trop tôt... Il faut donner aux gens le temps de gagner le sas d'évacuation.

— Trop tard, soupira le nœud papillon. On ne peut pas revenir en arrière. Une fois le processus enclenché, c'est définitif. D'ici dix minutes, le vaisseau va commencer à rétrécir. Lentement d'abord, puis de plus en plus vite. Tout ce qui se trouve à l'intérieur subira le même sort. Les proportions seront respectées. A la fin, la station orbitale aura à peu près la taille d'une pièce de monnaie...

— Mais nous ne nous en rendrons pas compte, intervint Delfakan, nous aurons l'illusion que les choses n'ont pas changé. Tes amis et toi continuerez à mener la même vie, à cette différence près que vous serez devenus des microbes.

— Une *petite* différence, en effet! ricana amèrement la jeune fille. Vous êtes cinglés! Je ne perdrai pas une minute de plus à vous écouter, libérez Naxos, Zeb et les loups... ouvrez la zone de quarantaine, je vais essayer d'organiser l'évacuation. Vous joindrez-vous à nous?

— Non, fit le pois sur le nœud papillon.

— Non, fit la virgule du fond du livre, nous sommes déjà minuscules. Le devenir un peu plus ne nous effraye pas.

— Comme il vous plaira, éluda Peggy avec un geste d'indifférence. Dans combien de temps commencera réellement la miniaturisation ?

— D'ici 9 minutes. Puis, au bout de 5 minutes, elle s'accélérera, et ainsi de suite de 5 minutes en 5 minutes. Je pense qu'au bout d'un quart d'heure tu ne mesureras plus que 30 centimètres, mais tu n'en auras pas conscience. Après 20 minutes, tu auras encore réduit de moitié.... tu mesureras à peine 15 centimètres, ensuite, la compression s'emballera. Ça ne devrait pas te traumatiser, puisque la grande nouveauté du procédé, c'est que ça se fera à ton insu, *ton environnement se miniaturisera en même temps que toi,* si bien qu'il sera toujours à la bonne échelle. Tu n'auras jamais l'impression de devenir une souris égarée dans un monde de géants, comme on le voit dans les films de science-fiction.

— Je m'en moque ! gronda Peggy. Je ne veux pas être miniaturisée, c'est tout ! Je vous ordonne d'ouvrir la zone de quarantaine et de libérer mes amis. Je me charge d'organiser l'évacuation. Si vous ne m'obéissez pas, je vous jure que je flanque ce nœud papillon et ce livre au feu !

Et elle quitta la tente sans plus s'occuper de Calamistos et de son acolyte.

— Nom d'une saucisse atomique ! explosa le chien bleu, je ne veux pas devenir un microbe. Je suis déjà assez petit comme ça !

Quand les canots de sauvetage rétrécissent au lavage

Dehors, la bataille faisait rage. L'arrivée des moutons invisibles avait provoqué un carnage, car personne ne pouvait prévoir où et quand ils attaqueraient. Ils avaient été assez malins pour contourner la ligne de défense et prendre les élèves à revers. Leur offensive sournoise avait infligé de terribles pertes aux défenseurs du collège.

Peggy utilisa le tapis magique pour se mettre hors de portée de ces montres indécelables. L'armée des super-héros était débordée de toutes parts. Se déplaçant à dix mètres au-dessus du sol, la jeune fille prit la direction de la fontaine indiquée par Calamistos. Du haut de ce perchoir, elle surveillait les alentours, cherchant à repérer où Naxos et Zeb allaient enfin refaire surface. A trois reprises, elle évita de justesse un ptérodactyle en piqué. Incapables de maîtriser leur élans, les redoutables lézards volants se brisèrent le cou en heurtant la pelouse.

— Là-bas ! cria le chien bleu. Les loups...

— Zeb et Naxos sont derrière eux ! Vite, allons à leur rencontre.

Filant de toute la vitesse dont il était capable, le tapis s'élança dans la direction souhaitée.

Dès qu'elle eut mis pied à terre, Peggy, obéissant à un réflexe incontrôlable, se jeta dans les bras de Zeb. Quand elle se ressaisit, elle était rouge de confusion. Un instant, elle l'avait confondu avec Sebastian. Naxos, lui, semblait de méchante humeur.

— C'est quoi, ce carnaval? grogna-t-il. Au lieu de lambiner ici, on ferait mieux d'aller aider les autres.

Peggy lui expliqua qu'il devait s'en garder car la bataille était perdue. Il fallait au contraire organiser l'évacuation des collégiens avant que les fauves les aient tous tués ou que leurs costumes les aient changés en vieillards.

Naxos hésita, car il brûlait du désir d'utiliser le pouvoir de son bras herculéen. Peggy le prit par les épaules.

— Ça ne servirait à rien, martela-t-elle. Ce n'est qu'un baroud d'honneur [1] organisé par Diablox. On n'a pas une minute à perdre, le temps joue contre nous.

Et elle leur révéla que la miniaturisation du collège allait commencer.

— Si nous ne filons pas tout de suite, nous finirons notre vie au fond d'une boîte d'allumettes, à peine plus gros que des microbes, insista-t-elle. Ça te branche vraiment? Mieux vaut te réserver pour de meilleurs combats.

---

1. Combat perdu d'avance qu'on s'obstine à livrer pour l'honneur.

— D'accord... d'accord..., capitula Naxos. Que faut-il faire alors ?

— Pars avec Zeb, emmène les loups pour te défendre, et essaye de rassembler le plus grand nombre d'élèves. Explique-leur qu'ils doivent se rabattre vers la fontaine, sans tarder. Pendant ce temps, j'ouvrirai le passage.

Ils se séparèrent. Peggy et le chien bleu volèrent jusqu'à la fontaine qui se dressait au centre du parc. La statue centrale représentait une femme masquée dont les mains jetaient des éclairs. Peggy l'escalada en dépit des jets d'eau qui l'aveuglaient. Dégoulinante, elle arriva enfin au sommet et, saisissant la tête de la sculpture, la fit trois fois pivoter dans le sens contraire des aiguilles d'une montre. Un grondement ébranla le sol, et l'une des grandes dalles de marbre tapissant l'esplanade se releva comme une trappe, démasquant un escalier souterrain.

— Il n'y a plus qu'à descendre là-dedans, haleta la jeune fille, je suppose que la navette spatiale nous attend tout au bout.

Comme il lui était insupportable de rester là, les bras ballants, à attendre le retour de ses amis, elle décida d'aller leur prêter main-forte. C'est ainsi qu'elle trouva le grand Jeff, titubant entre les buissons. Il avait fini par se débarrasser de sa coiffure de serpents mais n'avait pas recouvré ses facultés mentales pour autant. Il dansait et chantait, inconscient de ce qui se passait autour de lui.

Peggy lui indiqua le passage secret et lui ordonna de s'y rendre au plus vite. Le garçon obéit sans cesser de valser avec une cavalière invisible.

Quand elle se rapprocha de la ligne de front, Peggy s'aperçut que les loups avaient fort à faire pour tenir les lions en respect. De nombreux super-héros gisaient sur le sol, morts ou inanimés. La plupart avaient été tués par leur costume et, quand on ôtait leur masque, on découvrait des visages ratatinés de momies millénaires. Les vieux compagnons de Diablox avaient été les premiers à succomber, leur grand âge ne leur permettant pas de résister à l'appétit des déguisements.

Le sort de la bataille avait définitivement basculé lorsque les éléphants éternueurs avaient surgi des décombres, effaçant d'un seul « atchoum » la mémoire des combattants. Plusieurs élèves, ainsi que Mademoiselle Zizolia, erraient, l'air hagard, ayant tout oublié de leur identité.

— Impossible de les ramener ! haleta Naxos, ils se roulent par terre en pleurant dès qu'on essaye de leur prendre la main. Ils sont trop lourds pour qu'on les porte sur notre dos... Je ne sais pas quoi faire... Et les éléphants se rapprochent. Bientôt nous serons à portée de leurs éternuements.

La situation semblait désespérée. Peggy tenta malgré tout de forcer Mademoiselle Zizolia à grimper sur le tapis volant, mais la surveillante se débattit et essaya de la griffer. Elle avait le regard vide.

— J'aurais voulu ramener Loba ! souffla Peggy. Où est-elle ?

— Si elle n'est pas déjà morte, elle a probablement 90 ans à l'heure qu'il est, fit le chien bleu. Tu ne peux plus rien pour elle. Pendant que tu te lamentes, les minutes s'écoulent et nous rapetissons... Viens, il faut ficher le camp. Si nous tardons trop, nous deviendrons si petits que Granny Katy aura besoin d'un microscope chaque fois qu'elle voudra nous contempler!

Peggy se ressaisit. Le petit animal avait raison. Il fallait sauver ce qui pouvait encore l'être. En outre, le galop des éléphants faisait trembler le sol, ils se rapprochaient... *se rapprochaient...*

Tournant le dos au champ de bataille, Peggy entraîna la petite troupe en direction du tunnel d'évacuation. Elle regrettait vraiment de n'avoir pu récupérer Loba.

Jeff les attendait sagement près du souterrain. Le venin des serpents lui avait teint les oreilles en noir.

— Vous venez vous inscrire au concours de danse? demanda-t-il en se levant. Il va falloir prendre un numéro et m'indiquer dans quelle catégorie vous voulez concourir : danse classique ou moderne... Ces loups sont-ils également candidats? Je dois vous avertir que les danses folkloriques ne sont pas admises. Mais je peux tout de même inscrire ce chien bleu sous la rubrique « accessoires »...

Peggy l'écarta doucement. La charge des pachydermes éternueurs soulevait un tel fracas qu'il devenait difficile de s'entendre.

— Dépêchons-nous! haleta Naxos, je crois que les éléphants nous ont repérés, ils viennent dans notre direction.

— Descendez! Descendez vite! ordonna Peggy en poussant ses compagnons dans le souterrain.

La terre tremblait comme si elle allait se fendre. Suivis des animaux, les adolescents se ruèrent dans l'escalier menant au tunnel d'évacuation. Peggy Sue fermait la marche. Avant de presser le bouton commandant la fermeture de la trappe, elle jeta un ultime coup d'œil au tableau apocalyptique qui se dressait devant elle. Diablox était désormais tout seul. Encerclé par les créatures surgies des décombres, il se démenait tel un chef viking se préparant à entrer au Walhalla [1].

« Pauvre vieux fou! » songea Peggy, partagée entre la haine et la pitié.

Le barrissement d'un éléphant éternueur la fit tressaillir. Alors que la trappe se refermait, elle vit le monstre piétiner la tente où Calamistos et Delfakan se terraient. Elle se demanda si la virgule et le nœud papillon résisteraient à un tel traitement.

— Qu'est-ce que tu fais? s'impatienta le chien bleu. Tu veux vraiment finir tes jours en poupée porte-bonheur, sur l'une des étagères de Granny Katy?

Le tunnel s'étirait devant eux sur une centaine de mètres, ses parois métalliques illuminées par des néons fixés au plafond.

— Allons-y! décida Peggy, et elle se mit à courir.

---

1. « Paradis », dans la mythologie nordique, des guerriers morts les armes à la main.

Les loups gambadaient à ses côtés, heureux de toutes ces aventures.

La jeune fille constata avec angoisse qu'elle avait perdu la notion du temps. Elle savait qu'il est très difficile d'estimer l'écoulement des minutes lorsqu'on se trouve pris dans une action violente.

« Avons-nous déjà commencé à rétrécir ? » se demanda-t-elle.

Elle regarda autour d'elle pour vérifier que le plafond ne lui semblait pas plus haut, ou le couloir plus long, puis elle se rappela les explications de Calamistos : la miniaturisation affecterait l'ensemble de la station orbitale ! C'est-à-dire que tout rapetisserait en même temps. *Les proportions se trouvant ainsi respectées, il serait impossible de prendre conscience du phénomène !*

« Si ça se trouve, se dit Peggy, nous sommes déjà tout petits... »

Au bout du tunnel se dressait une porte métallique étanche. Un sas, probablement. Pendant que Peggy cherchait la commande d'ouverture, elle s'aperçut que la tête de Zeb avait à présent la taille d'une pomme ! Le reste de son corps était intact, seule sa tête avait rétréci.

— Nom d'une saucisse atomique ! glapit le chien bleu. La miniaturisation n'est pas homogène [1] ! Tout va de travers...

— Tu as raison, balbutia Peggy, certains objets rapetissent plus vite que d'autres... Regardez ! Les

---

1. Pas harmonieuse.

lampes du plafond sont à peine plus grandes que des stylos alors que le couloir ne s'est pas encore modifié.

— C'est foireux! gronda Naxos. Je m'en doutais. Nous allons devenir grotesques. Nos corps ne conserverons pas leurs proportions initiales. Nous allons devenir des guignols!

Zeb — sans doute parce que la texture malléable de sa chair le rendait plus sensible aux effets de la miniaturisation — était en train de devenir la vivante illustration de ce cafouillage. Sa tête et sa main gauche continuaient à rétrécir. Loin de s'affoler, il trouvait la chose amusante et pouffait de rire.

Jeff n'avait pas été épargné, ses oreilles noircies par le venin étaient devenues minuscules, à peine plus grosses que celles d'un bébé.

Peggy se ressaisit et actionna l'ouverture du sas. La porte chuinta, cala, commença à s'ouvrir, puis se coinça à mi-parcours.

— Je sais ce qui se passe, murmura-t-elle, certaines pièces des moteurs rapetissent alors que les autres sont encore intactes, si bien qu'elles ne s'emboîtent plus correctement. Ça va déclencher des pannes en cascade. Il faut quitter la station avant que tout le matériel ne se déglingue.

Se faufilant dans l'entrebâillement de la porte, ils se glissèrent dans le sas d'évacuation. Ils débouchèrent dans une vaste salle au centre de laquelle se tenait une navette spatiale en forme de soucoupe volante. Une passerelle permettait d'y accéder, ils l'escaladèrent au pas de course. Comme l'avait expliqué Delfakan, l'intérieur du vaisseau était fort simple : plusieurs rangées de banquettes et une console comprenant deux boutons, un bleu, un rouge. Sur le bleu on pouvait lire l'inscription « Terre » sur le rouge « Collège ».

— Difficile de se tromper, haleta Naxos. Appuie sur le bleu, qu'on en finisse.

Peggy Sue obéit. Aussitôt, une sirène retentit, annonçant la proximité du départ. Alors que les adolescents s'asseyaient sur les sièges rembourrés, un affreux vacarme monta des entrailles de la navette. C'était comme si, brusquement, dix mille engrenages venaient de se gripper [1]. La porte, qui se fermait, s'arrêta à mi-course, coincée.

« Attention ! meugla une voix synthétique sortant d'un haut-parleur. De graves problèmes mécaniques viennent de se produire. Le départ de cette navette est désormais impossible. Veuillez l'évacuer en attendant l'intervention des équipes de réparation. Je répète... »

Les jeunes gens devinrent blêmes.

— Nous sommes fichus..., balbutia Naxos. Dans dix minutes, il sera trop tard, nous serons des microbes.

— La miniaturisation est défectueuse, murmura Peggy. Les organes et les machines ne rapetissent pas de façon harmonieuse, c'est l'anarchie...

— Hé ! s'écria le chien bleu, je rêve ou bien est-ce que vous êtes devenus beaucoup plus grands depuis une minute ?

---

1. Bloquer.

Alertée, Peggy Sue baissa les yeux. Une mauvaise surprise l'attendait : son fidèle compagnon avait à présent la taille d'un cochon d'Inde! Seule sa cravate avait conservé sa taille d'origine. Les loups avaient subi la même métamorphose, réduits aux proportions d'un chiot, ils glapissaient de désarroi.

— Bon sang! gronda Naxos. Les animaux rapetissent plus vite que les humains! C'est du délire. Qu'allons-nous faire?

Peggy réfléchissait à toute vitesse.

— Il faut sortir de la station orbitale, décida-t-elle. Une fois à l'extérieur, nous échapperons aux rayons miniaturisateurs. Il doit y avoir des scaphandres quelque part. Cherchons-les!

— Mais après? s'inquiéta Naxos. Une fois dehors?

— *Je ne sais pas!* hurla la jeune fille. Je ne sais pas encore... Je cherche seulement à gagner du temps. Nous verrons bien.

Ils bondirent hors de la navette pour explorer la rotonde. Il ne leur fallut pas longtemps pour trouver ce qu'ils cherchaient : des scaphandres destinés aux ouvriers s'occupant de l'entretien de la station.

— Il n'y en pas pour les animaux, s'alarma Peggy. Les loups n'accepteront jamais de se laisser enfermer là-dedans.

— Pas besoin, trancha Naxos, regarde... ils sont devenus si petits que tu vas pouvoir les mettre dans ta poche!

C'était exact. Le chien bleu était désormais à peine plus grand que le pouce de Peggy Sue. Si l'on attendait plus longtemps, il finirait par devenir microscopique. L'adolescente se dépêcha de glisser les minuscules bestioles dans la poche de sa veste et boucla son scaphandre. Quand Naxos et Zeb l'eurent imitée, elle se dirigea vers l'écoutille de secours permettant de quitter le vaisseau.

— Espérons que ça va marcher, cette fois..., soupira-t-elle.

Les commandes étaient d'un maniement aisé. Elle les actionna sans prendre le temps de réfléchir. Une idée l'obsédait : *était-elle devenue, elle aussi, aussi petite qu'une poupée ?*

Le panneau s'ouvrit. Une forte aspiration les expulsa hors de la salle pour les projeter dans la nuit du dehors. Les câbles de sécurité fixés à leur ceinture les empêchèrent de dériver dans l'espace, aussi, une fois qu'ils eurent recouvré leurs esprits, purent-ils redescendre à la surface du vaisseau.

Le spectacle était à couper le souffle. La station orbitale qui avait servi de repaire au collège des super-héros flottait dans les ténèbres du cosmos, à la périphérie de l'astre lunaire. C'était un enche-vêtrement de métal long de plusieurs kilomètres qui ressemblait à une gigantesque araignée mécanique hérissée d'antennes et de radars. Peggy Sue, Naxos, Zeb et Jeff trouvèrent refuge près d'une tourelle d'acier et s'y amarrèrent pour éviter de dériver. Ce n'était pas une précaution inutile car, dans le vide spatial, le plus petit mouvement pouvait être à l'origine de bonds prodigieux.

— Et maintenant ? s'inquiéta Naxos. Que fait-on ?

— Je n'en sais rien, avoua Peggy. Une chose est sûre, nous avons cessé de rétrécir.

— D'accord, admit le garçon aux cheveux d'or, mais nos réserves d'air ne sont pas inépuisables. Que se passera-t-il quand nous aurons respiré la dernière bouffée d'oxygène?

Peggy ne répondit pas. Elle essayait de lutter contre l'angoisse qui l'étreignait. Seul Zeb semblait parfaitement à l'aise. Sa tête minuscule gigotait de manière ridicule derrière la vitre de son casque. Il souriait, ravi par le formidable spectacle qui s'offrait à lui.

— Les étoiles! dit-il en pointant l'index vers les constellations tapissant la nuit. Belles... les étoiles!

— Tiens, s'étonna Peggy. Il parle de nouveau?

— Oui, fit Naxos, je lui ai appris, pendant notre captivité, ça m'occupait. Il mémorise à une vitesse prodigieuse.

— Nous devrions danser, proposa Jeff. Danser au clair de lune... quoi de plus romantique? Dans *My Fair Lady*, il y a une chanson qui conviendrait fort bien, voulez-vous que je la chante?

Et il essaya de se lever pour esquisser une pirouette, Naxos lui ordonna de ne pas bouger.

Quelque chose chatouilla Peggy à la hauteur de la cuisse. Elle comprit qu'il s'agissait du chien bleu et des loups, au fond de sa poche.

— Restez tranquilles, leur ordonna-t-elle. Pour le moment vous êtes à l'abri. Une fois de retour sur la Terre, Granny Katy trouvera bien le moyen de vous rendre votre taille réelle. Patience!

Elle s'efforçait de paraître enjouée mais, en réalité, elle doutait de leurs chances de survie. Naxos lut l'inquiétude dans ses yeux.

— Il y a un cadran, à l'intérieur du casque, murmura-t-il. Il analyse notre consommation d'oxygène... d'après ses estimations, il nous reste de quoi respirer pendant trois heures. *Après...*

Il n'y avait rien à ajouter. Les quatre adolescents se blottirent l'un contre l'autre à l'abri de la tourelle. Sous leurs pieds, la station orbitale émettait des craquements bizarres.

— Elle rétrécit, constata Peggy. Comme nous sommes à l'extérieur, nous échapperons au processus, mais nous avons peut-être fait le mauvais choix. En restant à l'intérieur, nous serions devenus des microbes, soit, mais des microbes vivants. Tandis qu'ici...

— Je n'avais pas envie de me changer en microbe, affirma Naxos en lui serrant la main à travers le gros gant du scaphandre. Je reste persuadé que nous avons fait le bon choix. Cette miniaturisation aurait fait de nous des monstres... Regarde ce pauvre Zeb! Il n'est pas joli à voir, et pour rien au monde je ne voudrais avoir cette tête-là! Et puis il y a fort à parier que les lions martiens auraient fini par nous dévorer. Tout compte fait, j'estime que nos chances de survie n'auraient pas été meilleures qu'ici.

— Zeb pas monstrueux! protesta l'intéressé qui n'avait pas perdu un mot de la conversation. Zeb rester comme ça parce qu'il trouve rigolo d'avoir petite tête... mais il pourrait changer, s'il en avait envie.

Et pour prouver la véracité de ses affirmations, il redonna à son visage ses proportions initiales.

— C'est vrai qu'il est en caoutchouc, ce phénomène! pouffa nerveusement Naxos.

Le silence s'installa. Il était difficile de bavarder face à un tel paysage. La Terre et la Lune formaient deux masses écrasantes auréolées d'un brouillard de lumière irréel, et Peggy avait le plus grand mal à se persuader qu'elle était éveillée. Jamais elle ne s'était sentie aussi petite, aussi pétrifiée de vertige.

La station orbitale continuait à rétrécir en craquant. Comme l'avaient annoncé Calamistos et Delfakan, le processus s'accélérait au fil des minutes, si bien qu'on pouvait suivre les progrès de la miniaturisation à l'œil nu. Il ne restait plus grand-chose des kilomètres d'acier constituant le vaisseau. A présent, la station avait la taille d'un gros immeuble, pas davantage, et la compression continuait. Peggy se demandait combien mesuraient maintenant les éléphants éternueurs qui l'avaient tant effrayée.

« Si ça se trouve, se dit-elle, je pourrais les tenir au creux de ma paume... »

Le temps passait sans qu'ils ne parviennent ni les uns ni les autres à imaginer une solution. Peggy s'était concentrée pour expédier un message télépathique à Granny Katy avec l'espoir que la vieille dame lui viendrait en aide, mais n'avait reçu aucune réponse.

Par moments, la voix du chien bleu grésillait dans son esprit, toutefois elle était si faible, si ténue, que Peggy ne pouvait la comprendre.

— Nous avons usé la moitié des nos réserves d'oxygène, annonça Naxos.

— Je sais, soupira Peggy.

Zeb s'agita. Levant les mains, il dévissa son casque.

— Arrête ! hurla Peggy Sue, tu vas mourir étouffé !

Mais le garçon à la peau verte secoua négativement la tête.

— Zeb n'a pas besoin de respirer, dit-il. Zeb pas besoin d'air puisque n'a pas poumons !

Et il jeta son casque dans le vide, en souriant. Après quoi, il ôta le harnais supportant les bouteilles d'air comprimé et le tendit à la jeune fille.

— Air pour Peggy Sue, déclara-t-il. Zeb pas vouloir Peggy mourir étouffée.

Le spectacle qu'il offrait, tête nue, dans la nuit du cosmos avait quelque chose de fascinant. Aucun humain n'aurait pu survivre plus de dix secondes à la température effroyablement basse du vide spatial.

— Merci, bredouilla l'adolescente en essayant de ne pas pleurer.

Un nouveau craquement lui coupa la parole. La station venait encore de rétrécir. D'ici quelques minutes son volume total n'excéderait pas celui d'un camion.

— On va commencer à dériver, observa Naxos. Dans un quart d'heure nous serons plus gros que le vaisseau !

Tout à coup, Peggy tressaillit, une idée bizarre venait de lui traverser l'esprit.

« Zeb est constitué de pâte de vie, songea-t-elle. Or le principe même de cette substance est de s'opposer farouchement à la mort, de toujours trouver une solution pour empêcher celle-ci de triompher. Naxos aurait dû mourir, elle l'a guéri. Zeb vit alors qu'il n'a aucun organe, aucun squelette... *et si...* »

Posant la main sur le bras du garçon à peau verte, elle lui dit :

— Pourrais-tu... pourrais-tu changer d'apparence de manière à former une sorte de ballon, de sphère étanche, à l'intérieur de laquelle nous prendrions place, Naxos, Jeff et moi ?

— Oui, répondit fièrement la créature, Zeb peut prendre n'importe quelle forme. Il conserve l'apparence de Sebastian pour te faire plaisir, mais il pourrait être un chien, un loup, un champignon, si tu le souhaitais.

— Une sphère, ça suffira, murmura Peggy. Un ballon bien clos. Un ballon qui volerait en direction de la Terre... Tu pourrais faire ça ?

— Oui, oui... quand tu veux, Zeb le fait.

Afin de prouver sa bonne volonté, la créature à peau verte se dépouilla de son scaphandre et de ses vêtements. Débarrassé de ces entraves, il commença à changer de forme, se transformant en une espèce de ballon dirigeable.

— C'est quoi, ton idée? s'impatienta Naxos. Tu veux entrer là-dedans... ça changera quoi? Nos bouteilles se vident. Nous allons de toute manière manquer d'air. Se cacher à l'intérieur d'un ballon n'y changera rien.

— Tu ne comprends pas, fit Peggy. Zeb représente un principe de vie. La matière dont il est constitué ne nous laissera pas mourir. Elle... *elle inventera quelque chose...*

— Tu délires! maugréa Naxos. Quand nos bouteilles seront vides, ce sera fini pour nous.

— Nous n'avons rien de mieux, insista la jeune fille, alors pourquoi ne pas tenter le coup? C'est un pari. Un simple pari. Je crois, moi, que la pâte de vie trouvera une solution, mais pour cela il faut que nous nous placions sous la protection de Zeb.

— D'accord, d'accord..., capitula Naxos. Si ça peut te faire plaisir.

Tirant son couteau, il sectionna les câbles qui les retenaient encore au vaisseau, puis, suivi du grand Jeff qui ne s'étonnait de rien, ils se glissèrent dans la sphère de caoutchouc vert qu'était devenu Zeb.

Dès qu'ils furent installés, l'orifice par où ils étaient entrés se referma.

— Une bulle de savon! s'esclaffa Jeff. Nous sommes dans une bulle de savon. C'est cool!

Peggy avait les tempes moites. Elle ignorait si son idée avait la moindre chance de réussir. A priori ce plan de sauvetage relevait du pur délire, mais elle avait décidé de parier sur Zeb.

« D'une certaine manière, pensa-t-elle, en le modelant je lui ai donné la vie, il ne pourra pas me laisser tomber. Il existe entre lui et moi un lien indestructible et qui dépasse l'entendement. Je suis certaine qu'il fera le nécessaire... »

Naxos, lui, semblait plus méfiant.

Peggy décida de tenter le tout pour le tout. Empoignant les bouteilles d'oxygène que lui avait données Zeb un moment auparavant, elle en ôta le détendeur pour que l'air comprimé s'en échappe.

— Hé ! que fais-tu ? protesta Naxos, tu es folle !

Peggy le repoussa.

— Zeb ! lança-t-elle, je sais que tu m'entends. Ce que tu sens là, c'est de l'air. Nous en avons besoin pour respirer. Notre vie en dépend... tu entends ? *Notre vie...* Tu es capable de bien des prodiges, j'ai pu le vérifier à maintes reprises. Saurais-tu fabriquer un gaz analogue en quantité suffisante pour nous ramener sur la Terre ?

La membrane verte du ballon géant parut bouillonner. Peggy devina que la pâte de vie analysait l'air qui s'échappait en sifflant des bouteilles.

Enfin, une voix résonna dans la pénombre. Elle dit :

— Zeb fabriquera l'air, Peggy a donné la vie à Zeb, Zeb donnera la vie à Peggy.

— En voilà une bonne nouvelle ! s'exclama Jeff, pour fêter ça, je propose que nous dansions...

— La ferme ! grogna Naxos.

A la dérive

Quand les lampes des casques s'éteignirent ils se retrouvèrent plongés dans l'obscurité. Ils se défirent alors des scaphandres qui ne servaient plus à rien.

— C'est bizarre, remarqua Naxos, je n'ai ni faim ni soif, il y a pourtant longtemps que j'ai avalé mon dernier repas.

— Je pense que c'est normal, murmura Peggy Sue, Zeb a créé un espace vital qui nous prend complètement en charge. Nous sommes dans une bulle nous protégeant de toute agression. Le temps que durera ce voyage, nous n'éprouverons aucun besoin. Je crois même que nous pourrions rester des siècles à l'intérieur de cette sphère sans vieillir d'une journée. C'est comme si nous étions dans une autre dimension.

— J'espère que nous n'y resterons pas aussi longtemps ! grogna le garçon, sinon je risque fort de devenir aussi cinglé que Jeff.

— Il n'est pas sûr que nous nous en rendions compte, soupira la jeune fille. Nous sommes désormais hors du monde, hors du temps. Tu as l'impression que nous avons quitté le collège depuis deux heures alors qu'en réalité il y a peut-être déjà plusieurs mois que nous dérivons dans le cosmos.

— Ce que tu dis n'est pas rassurant, fit Naxos.

— Je sais, le mieux est de prendre notre mal en patience, conclut Peggy.

Elle se coucha sur le côté et ferma les yeux. Elle avait confiance en Zeb, elle savait qu'il ferait pour le mieux.

Alors qu'elle s'endormait, le chien bleu et les loups sortirent de sa poche et se mirent à trotter sur son ventre.

— Ne bougez pas tant ! leur ordonna-t-elle en se tortillant. Ça me chatouille affreusement !

Bienvenue à la case départ

Ils perdirent la notion du temps. Enfin, la sphère qu'était devenue Zeb heurta quelque chose, roula sur elle-même, puis s'immobilisa.

— Nous sommes arrivés, annonça la créature.

Aussitôt il se « replia » pour reprendre la forme que lui avait donnée Peggy Sue. Les adolescents se retrouvèrent donc assis sur un sol rocailleux au milieu d'un désert. Il faisait nuit.

— Où avons-nous atterri? s'inquiéta Naxos. C'est la Terre?

— Non, je ne crois pas, admit Zeb, les courants cosmiques m'ont fait dériver. En fait je n'ai aucune idée de l'endroit où nous sommes.

(Au cours du voyage il avait amélioré son vocabulaire en écoutant parler ses passagers, aussi s'exprimait-il correctement.)

— Eh! cria Jeff, regardez ce que j'ai trouvé!

Il tenait au creux de sa paume la station spatiale abritant l'école des super-héros, le vaisseau était désormais réduit à la taille d'un jouet.

— C'était resté accroché au pied de Zeb, expliqua-t-il.

Le câble s'était entortillé autour de ses orteils. Peggy Sue examina l'objet. Elle n'osait le secouer car elle savait que des êtres vivants s'y trouvaient prisonniers. Des créatures pas plus grosses qu'une tête d'épingle.

« Est-ce que Loba est toujours en vie ? se demanda-t-elle. Et Diablox ? Les fauves ont-ils dévoré tout le monde ou bien y a-t-il eu des survivants ? »

Elle décida de ranger soigneusement le « jouet » dans sa sacoche en attendant d'en savoir plus.

— Là-bas ! cria Naxos, il y a une lumière, on croirait un phare !

— Allons dans cette direction, dit Peggy. On verra bien.

Dans sa poche, le chien bleu et les loups s'agitaient comme une poignée de minuscules lézards.

« J'espère que nous rencontrerons une sorcière qui saura leur redonner leur taille normale ! » se dit-elle en se mettant en marche.

Au loin, le phare gigantesque balayait les ténèbres de son rayon doré.

« Un phare dans un désert ? s'étonna la jeune fille. On n'a jamais vu ça. *La mer se serait-elle évaporée ?* »

Fin du tome VIII

Ne manquez pas le tome IX des aventures
de Peggy Sue :

La Lumière des abîmes

MESSAGE AUX FANS DE PEGGY SUE...
ET DU CHIEN BLEU !

Serge Brussolo lit vos lettres et vos messages
avec beaucoup d'attention.

Pour lui écrire :

Serge Brussolo
éditions PLON
76, rue Bonaparte
75284 Paris Cedex 06

Ou sur le web :
peggy.fantomes@wanadoo.fr

ATTENTION !

Serge Brussolo n'a pas de site personnel.

Il n'exerce aucun contrôle sur ceux qui, sur internet,
utilisent son nom ou celui de Peggy Sue. Il décline donc
toute responsabilité quant au contenu que les jeunes
lecteurs pourraient trouver à ces adresses.

TABLE